1秒先から
宇宙の終わりまでを見通す
ビッグ・クエスチョン

「未来」とは何か

デイビッド・クリスチャン
水谷淳・鍛原多恵子 訳

FUTURE STORIES
What's Next?

NEWS PICKS
PUBLISHING

孫のダニエル、イービー・ローズ、ソフィアに捧ぐ。
彼らは未来そのもの。彼らにとってよき未来であれ。

FUTURE STORIES:
What's Next?
by David Christian

ダンテ『神曲　地獄篇』に登場する、頭を後ろにひねられた占い師たち
『神曲　地獄篇』第20歌で、ダンテと彼を道案内するウェルギリウスは、遠い未来を見通そうとして罰せられた古代の占い師たちを目撃する。占い師たちは過去しか見ることができないよう、頭を後ろにひねられている（プリアモ・デラ・クエルチャ作、15世紀中頃）。

目次

第2章 実際的な未来思考 ――「関係性の時間」

パート2 未来を操る
――細菌、植物、動物はどのように未来を操るのか

第4章 植物や動物はどのように未来を操るか

パート3 未来に備える
――人間はどのように未来に備えるのか

第5章 人間の未来思考はどこが新しいのか …… 154

パート4 未来を想像する

――人間、天文学あるいは宇宙論

はじめに

本書は、私たちが「未来」と呼ぶ奇妙な場所にひそむ事柄について、どのように想像し、備え、対処すればいいかを考える本である。

未来を理解するなんて雲をつかむようなものだろう。しかし未来は一見とらえどころがない一方で、私たちの思考や感情、行動をとてつもなく大きく左右する。あまりにも多くの不安や努力、希望や創造性が未来に向けられる。

もっというと、私たちの思考の大部分は起こるかもしれない未来に関するものかもしれない。

ほとんどの場合、私たちは起こりうる未来に自動操縦で反応する。たとえば道路を渡っていて、近づいてくるトラックに轢《ひ》かれそうかどうかを、私たちは瞬時に判断する。こうした際に発動されるのが、生物学的・神経学的なプロセスやアルゴリズムに基づいた「意識下の未来思考」である。

その一方で、新たな方向に歩み出すとき、赤ん坊が産まれたとき、不意に危機に直面したとき、新たな国に移住したとき、あるいは地球の未来を想像するとき、私たちはまさに未来の神秘に直面する。これは「意識的な未来思考」である。

意識的かつ慎重に思考してみれば、未来がいかに不可解であるかすぐさま気づかされる。

誰もが未来の「道しるべ」を探している

いまから2000年前に、古代ローマの哲学者・政治家キケロはこう問いかけた。

「もしも［ユリウス・カエサルが］、自らが議員の多くを選んだ元老院の中で、自分に大変な恩のある者を含めもっとも高貴な市民たちに殺され、あまりに低い身分におとしめられて、友人も、さらには奴隷すらも誰一人自分の死体に近づこうとしないことを予見していたら、どれほど心を痛めながら人生を送っていたことだろうか！」[1]

ローマの独裁官カエサルと親交のあったキケロは、紀元前44年3月15日に元老院の中でカエサルが刺し殺されるのを目《ま》の当たりにしたのかもしれない。そのとき占いに関する大作の執筆中だっただけに、キケロはこの事件に鮮烈な印象を受けてひどく心動かされた。

未来がわからないからこそ、人生はドラマチックで刺激的なものになる。そして私たちは選択の自由、さらには思慮深く選択するという道徳的義務を与えられる。

しかし多くの場合、私たちは、この先に何が待ち受けているのかをぜひ少しでも知りたいと思うものだ。

未来はとてつもなく重要なのだから、それがわからないというのはなんとも恐ろしい。

未来学者のニコラス・レッシャーがいうように、「未来は誰もが残りの人生を過ごす場所である」[2]。

だから誰もが道しるべを探している。私たちはつねに世界を見渡しては「パターン」や「トレンド（傾向）」や「徴候」を探し、起こるかもしれないよい未来や悪い未来を想像している。夢や星々、占い師やファイナンシャルアドバイザーの警告や確言からメッセージを読み取ろうとする。親や医者や先生に尋ねる。現代の各国政府は経済学者や統計学者や科学者に助言を求める（ときには莫大な報酬を払って）。

私たちがこうした活動に夢中になるのは、何が起こりそうかに関する手がかりはいくつかあるからだ。そしてときには、ドイツの哲学者ライプニッツのいう「信念に基づく確信」、すなわち完全に近い確信を持って予測することができる。太陽は明日も昇るだろう。私はいつか死ぬだろう。政府は私に税金の支払いを催促するだろう。「絶対的な確信」を持っていい切ることはできないが、それに十分近い程度でいうことは可能だ。

ただし日食など稀《まれ》なケースを除いて、未来を事細かに予言することはできない。細部まではっきりと見える過去と違って、未来は薄明かりの中でぼんやりした形がうごめくかすんだ世界なのだ。

とりわけ奇妙なのは、未来に関して私たちに得られる手がかりが過去に横たわっていることだ。そのため生きることは、バックミラーに目をこらしながらレーシングカーを走らせるようなものに感じられる。当然ときには事故を起こす。ダンテの『神曲　地獄篇』（河出文庫ほか）に登場する、罰として頭を後ろにひねられた占い師たちのように（口絵参照）、私たちは過去を振り返りながら未来に足を踏み入れていく。

だから、過去を調べることに時間を費やす歴史学者が、未来について考えるのにほとんど時間を割かないというのは皮肉なものだ。

「未来思考」は歴史の転換点の必須スキルである

本書の狙いの1つは、過去思考（すなわち「歴史」）と未来思考を結びつけることによって、過去をもっとうまく生かし、起こるかもしれない未来に光を当てられるようになることである。

今日《こんにち》の私たちは地球史の転換点に生きているだけに、意識的かつ慎重な未来思考はとりわけ重要である。

20世紀、私たち人類は突如として強大なパワーを身につけて、地球とその壊れやすい積み荷の未来をおぼつかない手で握ることになった。今後50年の私たちの行動が、生物圏の未来を何万年も、あるいは何千万年も決定づけることだろう。その行動は、起こりうる未来について私たちがどう考えるか、そしてどんな未来を築こうとするかに基づいている。

未来がどんなもので、どうすればそれに備えることができ、どんな未来がもっとも起こりそうかをもっと深く理解すること。そうした知識が、専門家だけでなく今日の世界で生きる分別のある市民全員にとってますます重要になっている。

ところが、学校や大学で未来思考の全般的なスキルを教えることはめったにない。

専門家向けにコンピュータモデリングなど特定の未来思考のスキルは教えているが、たいていの人は即席でやるしかない。目の前に横たわっていて、私たちのほとんどの思考や行動につきまとってくる謎めいた世界には、本能と直観で立ち向かうしかないのだ。

私は自分がどれほど無知だったのかに気づかされた。私たちが「未来」と呼んでいるものについて、また、起こりうる未来に関する慎重な思考に必要でありながらなかなか身につけられないスキルについて、あまりにも知らなかったのだ。

しかし未来や未来思考の一般的な入門書を見つけることはできなかった。[3] 未来という奇妙な世界についてもっと知りたいと思っているのは、私1人だけではないだろう。

そこで、その探している本を自分で書いてやろうと決めた。「未来のユーザーズガイド」のような本を。

ビッグヒストリーというレンズで未来を見通す

本書では、私が提唱し、ここ30年の私の教育活動や執筆活動を支配してきた新たな学際分野、「ビッグヒストリー」の多角的なレンズを通して、起こるかもしれない未来に関する私たちの考え方を探っていく。[4]

ビッグヒストリーでは、過去をあらゆるスケールとさまざまな学術的観点から見つめ、いわば三角測量によって歴史をもっと深く理解することを目指す。未来についてもビッグヒストリーの観点でそんなふうに理解できたらと思う。

未来を写し出す宝石を拾い上げたと想像してみてほしい。これ以降の章では、その宝石を何度も回転させて、さまざまな面からさまざまな光で、そしてさまざまな分野の専門家の目で未来を見つめていく。回転させるたびに形や色、意味合いが少しずつ変わって、そのたびに何か新しいことを学べる。

複数の観点から問題を見つめるという方法は、ときに大きな力を発揮する。

その理由は、ネットワーク理論における「スモールワールド定理」と呼ばれる魅力的な定理から推察できる。この定理によれば、ほとんどの点がすぐそばの点とだけつながっているネットワークの中で、遠距離のつながりがたった1つか2つできると、ネットワーク全体が変質して、考え方や情報や商品の交換されるスピードが加速するという。

人類の歴史はそのほとんどの期間を通じて、互いに似たような観点を持つ隣人たちから構成された村単位のネットワークによって特徴づけられていた。しかし1人の村人が最寄りの町と定期的に行き来するだけで、その村のネットワークが革新的変化を起こし、もっと大きな情報の流れや著しく異なる観点とつながりを持つようになる。そうしたつながりを築いた一握りの人間、たとえば放浪者や隊商、行商人や巡回予言者や兵士が、人類史の中であれほどまでに革新的な役割を果たしてきたのはそのためだ。

古代のシルクロードは、朝鮮半島から地中海に至るまで、商品だけでなく情報や文化すらも行き来するネットワークを紡《つむ》ぎ出した。[5]

異なる学問分野のあいだを行き来することもそれと同じくらい強力だ。異分野を股にかける者が、たとえば極大と極小の物理を結びつけるビッグバン宇宙論や、化学と生物学と物理学を結びつける現代の遺伝学といった、現代科学の基本的なパラダイムを生み出した。

シルクロードと同じようにビッグヒストリーの観点も、さまざまな領域の知識の糸を撚《よ》り合わせて新たなひらめきや考え方を紡ぎ出す。

新たなつながりを築くのがとりわけ重要な役割を果たすのは、まさに未来思考のように難解で断片的な分野である。

もちろん異分野を股にかけるのは、シルクロードを旅するのと同じくリスクを伴う。特定分野の知識と全体像とのあいだにはトレードオフの関係がある。

私が望んでいるのは、ときに詳細やニュアンスや正確さが失われる代わりに、複数の観点からひらめきが得られてバランスを取れることだ。

量子物理学者のエルビン・シュレディンガーはこのジレンマについて、著作『生命とは何か』（岩波文庫）のはしがきではっきりと述べている。ちなみにこの学際的な書物は、フランシス・クリックとジェイムズ・ワトソンがＤＮＡに関する画期的な発想を得るきっかけになった。シュレディンガーは生物学者ではなかったものの、物理学が生物学に大いに役立つと確信して次のように記している。

> このジレンマ［複数の分野によるひらめきをつなぎ合わせる困難さ］から抜け出すには、……笑いものになるリスクをあえて冒して、間接的で不完全な知識であっても、さまざまな事実や理論を統合する取り組みに乗り出すしか道はない。[6]

本書でもこれと同様の精神で未来を探っていく。目指すは未来を深く理解することだが、逆説的にもそのために、かなり幅広く足を延ばしていくつもの方向から未来に迫っていく。

私たちは未来をどんなふうに理解しようとするのか？

私たちやほかの生物はさまざまな未来をどうやって操作しようとするのか？

私たち人類はもっとも起こりそうな未来にどうやって備えようとするのか？

そして最後に、人類は自分たち、この地球、そしてこの宇宙の未来をどんなふうに想像するのか？

本書ではこれらの問いを掘り下げていく。

歴史学者の私がなぜ未来について語るのか

一介の歴史学者である私が、どうして未来について書こうとするのか？

たいていの歴史学者は過去にこだわる。R・G・コリングウッドによればそれも当然だという。「歴史学者の仕事は、未来を知ることでなく過去を知ることである。未来を前もって特定できたと主張する歴史学者がいたら、その人の根本的な歴史観はどこか間違っていると確実にいい切れる」

おおかたの歴史学者はこの発言にうなずくことだろう。しかしこの主張にはおかしなところがある。ほとんどの形の未来思考では、過去を学ぶことが鍵になるからだ。

そのためコリングウッドの主張には納得していない人もいる。歴史学者のE・H・カーは、歴史学者に特定の出来事を予測することはできないと認めながらも、歴史上の大きなパターンやトレンドを特定して、「未来の行動に対する有効かつ有用で一般的な道しるべ」を与えることはできると力説している。孔子も「未来を占いたければ過去を学べ」と述べている。[7] 歴史学者でも確かに未来思考に大きく貢献できるのだ。

私が未来について真剣に考えるようになった最初のきっかけが、ビッグヒストリーだった。

１９９０年代初め、私はオーストラリアのマッコーリー大学の同僚たちとともに、この宇宙がビッグバンで誕生したいまから１３８億年前、その光り輝く瞬間からの過去全体をカバーした歴史の科目を教えるという、かつてない実験的取り組みに乗り出したばかりだった。従来の分野の境界をいくつも越えることになるため、そんな科目を教えるなんてとほうもなく野心的なことだった。だから、それと合わせて未来について論じようなどとは誰も思わなかったのだ！

最終日の講義では今日の世界について話した。その講義が終わると、１人の優秀な学生が私のもとに近づいてきて、ビッグヒストリーを幅広く取り上げてくれて大変おもしろかったといってくれた。

「でも」

私は次の言葉を待った。

「現在で終わらせないでください。１４０億年間をたどってきたのなら、これからの１００年やそこいらを見つめられないはずがありますか？　未来についてもぜひ話してください」

私は額《ひたい》を何かに打ちつけたような衝撃を受けた。この学生のいうことはもちろん正しい！　未来も時間の一部なのだから、歴史学者は時間を割いて未来について考えるべきではないのか？

翌年、この科目の中で生物学の見事な講義をしてくれた同僚のデイビッド・ブリスコウと協力して、最終日に未来に関する講義をつけ加えることにした。

だが、どんな講義にしたらいいかなんて当然わかっていなかった。どこまでの未来について話せばいいのか？　10年後まで？　１００万年後まで？　見当もつかなかった。

するとデイビッドが、少なくとも楽しい講義になるような素晴らしい提案をしてくれた。

「準備をしすぎないようにしよう。そもそも、今後何が起こるかなんて僕たちにだってわからないんだ！　だから学生の前でコイントスをして、君と僕のどっちが楽天論者になってどっちが悲観論者になるか決めよう。そしてよい未来と悪い未来を交互に説明していくんだ」

私たちはそうやって講義を進めることにした。マイクは1本だけ用意して、相手が無意味なことをいったと思ったときだけいい返すようにした。

そんな講義を何年も続けた。いずれにせよ楽しい講義になった。あの学生のひらめきは正しかった。過去について考えるのであれば、未来について考えるのも躊躇《ちゅうちょ》すべきでないのだ。私たちは過去と未来を違うふうに経験するが、それでも結合双生児のように過去と未来を切り離すことはできない。

未来について考えるにつれて私は、神学者や哲学者、科学者や統計学者、ＳＦ作家や未来学者による、豊かで多様、ときに奇妙な文章の数々へと導かれていった。

そして過去全体の歴史に関する本を書きはじめた私は、あの学生のアドバイスに従うことにした。最終章で未来について語ったのだ。[8]

本書はその章を大きく膨らませたものである。しかしそれだけではない。未来について学べば学ぶほど、起こるかもしれない未来について私たちがどれほど頻繁に考えているのかがわかってきたのだ。

これ以降、「未来思考」という言葉は、意識下で作用するものを含め未来に関するあらゆるタイプの思考をひっくるめたものとして用いることにする。また私は「未来操作」という言葉を、意識的であれ無意識であれ、未来を好ましい方向にコントロールしようとする、あるいは導こうとする取り組みを表すのに用いることにする。

本書の構成

本書は４つのパートに分かれていて、４つの大きな問いを中心に構成されている。

パート１では「未来とは何か」という問いを取り上げる。哲学者や科学者、あるいは神学者が未来についてどんなことを述べてきたかを紹介し、起こるかもしれない未来に対処する上であらゆる生物が直面する実際上の課題について説明する。

パート２では、「生物は未来にどうやって立ち向かうか」という問いを取り上げる。生物が不確実な未来を操るために用いる精巧な生化学的・神経学的メカニズムについて説明する。それがあらゆる未来思考の基礎となっている。きわめて大きい脳を持つ大型生物を除いて、このメカニズムは意識下で作用している。ほとんどの未来思考は舞台裏でおこなわれているのだ。

パート３では、私たち人類の意識的な未来思考に焦点を絞る。「人間はどうやって未来をとらえて理解し、それに備えるのか」という問いを取り上げる。人間の未来思考はほかの生物種と違って、人類の出現以降劇的に変化してきた。そこでこのパートでは、人間の未来思考を人類史の３つの時代に分けて説明する。その３つの時代とは、いまから約1万年前までの「基礎時代」、約２００年前までの「農耕時代」、そして「近代」である。

パート４では、「人類、地球、そして宇宙全体にとってどんな未来を（理にかなった形で）想像できるか」という問いを取り上げる。今後１００年や１００万年で起こりえることをどのように想像すればいいのか？　時の終わりを理にかなった形で想像することはできるのか？

では、はじめていこう。

パート1

未来について考える

哲学者、科学者、生物はどのように考えているか

第1章

未来とは何か
――「川の時間」と「地図の時間」

私たちが置かれているこの世界では、大劇場さながら、あらゆる出来事の真の活力や原因は私たちの目から完全に隠されている。私たちは未来を予見できるだけの知恵も、災厄を防ぐための力も備えておらず、たえず脅威にさらされている。私たちは生と死、健康と病、充足と不足の狭間でつねに宙ぶらりんになっている。それらは未知の秘められた原因によって人々のあいだに分け与えられており、その作用は多くの場合思いがけず、つねに説明不可能だ。

――デイビッド・ヒューム『宗教の自然史』[1]（法政大学出版局）

歴史上の偉人たちを悩ませた「未来」という難問

未来とは何か？

その答えは単純なはずだ。そもそも私たちは時間の中で生きている。だから未来というのは、時間の中でまだ起こっていない部分にすぎないのでは？

ところがこうした疑問について真剣に考えはじめると、あっという間にわけがわからなくなってくる。現代の未来研究の中ですら、未来とは何かについて意見は一致していない。

ハワイ大学の未来学者ジム・デイターはこう記している。

「『時間』と『未来』というのが未来研究のもっとも中心的な概念だと思われるだろうが、実は未来研究の創始者たちは『時間』についてほとんど論じなかったし、その後も問題としてめったに取り上げられていない」[2]

それもそのはずだ！　未来について考えていると頭が痛くなってくる。時間の哲学を追いかけていくと、美しい概念、形而上学的な茂み、哲学的な昆虫に満ちあふれた学問的なジャングルに迷い込んでしまう。あまり深入りしたくはない。それでもその中をある程度進んでいって、時間と未来の概念に蔦《つた》のように絡みついた数々の問題を見にいくしかない。

未来を理解するには時間を理解しなければならないが、そもそも時間というものは存在するのだろうか？　それとも何か虚構の概念につけた名称にすぎないのだろうか？

人文学者の中には、もっと漠然とした「temporality」（変化流動性）といった言葉を好む人もいる。これは「暫時《ざんじ》的変化の経験」とでもいい換えられるだろう。[3]

現代の科学ですら完全な答えは得られていない。時間を本当に理解できるほど長生きする人なんて1人もいないようだ。

作曲家エクトル・ベルリオーズは、「時間は偉大な教師だが、残念なことに教え子を全員殺してしまう」といった（とされている）。[4]　時間について考えすぎると、11世紀ペルシアの天文学者で詩人のウマル・ハイヤームのように、スーフィーダンスさながら自分がくるくる回っているかのように感じられてくるのだ。

私自身は若い頃、師や聖人のもとに足繁く通い
あらゆることに関する大いなる議論を聴いた。
しかし決まって
入ってきた扉から出ていくだけだった。[5]

ジョン・ミルトン『失楽園』(岩波文庫)では、サタンの手下ですら時間を理解できない。

[彼らは]……辺鄙《へんぴ》な丘に離れて腰を下ろし
さらに思考を高めて
神意、先見、意志、運命について深く思索した。
定められた運命、自由意志、絶対的な先見といったものだ。
しかし答えが見つからず、迷路で迷子になってさまよった。[6]

ローマ帝国時代の神学者・哲学者であるアウグスティヌスは、神の意図を探る中で、時間に関して深く考察した。時間について論じた基本的な文書である名著『告白』(岩波文庫ほか)第11章には、「時間とは何でしょうか? たやすく簡潔に説明できる人がいるでしょうか?」と記されている。

アウグスティヌスは深く繊細な思考の持ち主だったが、時間の問題についてはどうしても納得できなかったらしい。

「ならば時間とは何でしょうか？　誰からも尋ねられない限りはわかります。しかし尋ねてきた人に説明しようとすると、わからなくなってしまいます」

困ったアウグスティヌスは神に助けを乞《こ》うた。

「私の魂はこのとても込み入った謎を解きたくてうずうずしています。わが神よ、どうか扉を閉ざさないでください。善き父よ、キリストを通して希《こいねが》います。身近でありながら漠然としたこの事柄を理解したいという私の願いに、どうか扉を閉ざさないでください」

哲学者のジェナン・イスマエルがいうように、「あまりにも考えすぎてしまう事柄というものはあるのだ」[7]。

時間に対する2つの方法論

時間の問題には、哲学者から賢人や農民、呪術師や神学者、論理学者や人類学者、生物学者や数学者や物理学者、ギャンブラーや予言者、科学者や統計学者、詩人や占い師まで、自身の未来や近しい人の未来を気にかけるあらゆる人が取り組んできた。

現代の時間哲学者は２つの主要な方法論を区別しており、それらは未来を理解する上で互いにまったく異なる意味合いを帯びている[8]。どちらの方法論も古代の哲学者にその先駆けが読み取れる。古代ギリシアの哲学者ヘラクレイトス（前５３５～前４７５頃に活躍）は、終わることなく変化しつづける世界を思い描いた。つまり未来は過去と違うということになる。

一方、ほぼ同時代のパルメニデスは、変化は幻想であって、過去と現在と未来はほぼ同じであるはずだと考えた。

それ以降、多くの哲学者や神学者が恒久と変化の関係に取り組んできた。古代インドの文書ウパニシャッドには、「非恒久的で変化する外的領域の中に、不変で同一の内的な核、『個我《アートマン》』が存在する」とある。しかし仏教の多くの文書には、「物事の中に内的で不変な核というものは存在しない。万物は流転する」とある。[9]

ここで取り上げる時間の2つのたとえのうち最初のものは、ヘラクレイトスによる。時間を「川」のような一種の流れととらえ、私たちはその流れに運ばれながら終わることのない変化を経験するという考え方だ。この見方によると、未来は過去と違い、知るのは難しい。日常生活でも時間をそのように経験するため、このたとえは今日のほとんどの人にとって自然に感じられる。こうした時間の概念は、浮き沈み、喜びと悲しみ、生と死が入り乱れた荒れ狂う世界のようなもので、ヒンドゥー教ではそれを流転《サンサーラ》という。

その一方で、流れや変化の感覚は人を惑わす幻想にすぎないと論じる者もいる。時間哲学者の故D・H・メラーは、「実時間」は流れるものではないという。[10] 川よりも「地図」に近いというのだ。

この方法論は、神による時間のとらえ方、俯瞰した見方に近い。その観点から見ると、変化とは何かが起こることではなく、地図上の2点間を歩いていくアリの経験する、その2点どうしの違いに相当する。未来は過去と違うという私たちの感覚は、時間の流れでなく自分自身の動きに由来する。過去と未来に違いはほとんどなく、未来もすでに地図上に描かれているのだから、何らかの方法で未来を知ることができるはずだ。

日常生活における表面的な変化の裏に恒久が横たわっているというこの考え方は、第5章で論じるとおり、かつては時間に関するほとんどの人の考え方を決定づけていたようだ。しかし、めまぐるしく変化する今日の世界でこの考え方をとりわけ真剣に取り上げているのは、時間を流れとみなす考え方から生まれた論理的難題（本章の後のほうで取り上げる）に頭を抱える哲学者や科学者たちである。

一方のたとえでは、私たちは時間の中に埋め込まれている。もう一方のたとえでは、私たちは時間から離れた上のほうに立てることになる。時間哲学に関する近年の概説では、この2つの方法論は「動的時間」と「静的時間」と呼ばれている。しかし哲学者のあいだでは、イギリスの哲学者J・エリス・マクタガートが1908年に著した有名な論文を尊重して、「A系列時間」と「B系列時間」と呼ばれている。[11]もってまわった用語だが、時間哲学者のあいだで広く使われているので慣れておいてほしい。

実際にはこの2つのたとえはかなり重なり合っている。時間を幻想ととらえたマクタガートですら、「この両方の系列を形作るものとして以外に時間を観察することはけっしてない」と認めている。[12]

この2つのたとえを融合したものが、アイザック・ニュートンによるもっとも有名な時間の定義に見て取れる。

科学革命におけるもっとも重要な著作である『プリンキピア（自然哲学の数学的諸原理）』の中で、ニュートンはこう記している。

「絶対的で真なる数学的時間は、何ら外的なものと関係なしに、それ自体、およびその本性から一様に流れ、それを別の名称で持続と呼ぶ[13]」

ニュートンのいう時間は川のように「流れる」と同時に「絶対的」でもあって、地図上の線のように延長、すなわち「持続」しているのだ。

「川」としての時間：A系列時間における未来

川としての時間のたとえをもっとはっきりとイメージするために、マーク・トゥエインの描いた、ミシシッピ川を筏《いかだ》で下る若きヒーロー、ハックルベリー・フィンとその友人ジムに同行してみよう。

この2日目の晩、俺たちは1時間に4マイル［約6・4キロメートル］を超す速さの流れに乗って7時間から8時間進んだ。魚釣りしたりおしゃべりしたり、ときどき眠気覚ましに泳いだりした。ちょっとおごそかな雰囲気で、穏やかな大河を流れ下りながら仰向けになって星を見上げていた。大声でおしゃべりする気にもならないし、ゲラゲラ笑うこともほとんどなくて、小声でちょっとくすくすするだけだった。たいていすごくいい天気で、何も起こらなかった。その晩も、次の晩も、その次の晩も。

毎晩いくつも町を通り過ぎたけれど、中にはちょっと離れた真っ黒な丘の中腹にあって、明かりが広がっているだけで家なんて1軒も見えない町もあった。5日目の晩にはセントルイスを通り過ぎて、そこは世界中が輝いているみたいだった。……この頃には毎晩10時頃にどこか小さな村に上陸して、オートミールとかベーコンとか食べられるものを10セントか15セント分買った。ときには寝つきの悪いニワトリを捕まえてきた。……夜が明ける前に畑に忍び込んでは、スイカとかメロン、カボチャとか新鮮なトウモロコシなんかを失敬した。[14]

未来は絶え間なく変化する

A系列時間の流れはミシシッピ川と同じように雄大だ。ミシシッピ川が筏や釣り船、カヌーや外輪船や流木を運ぶのと同じように、宇宙全体に浮かんでいるすべての星や銀河、すべての原子や虫を未来へと運んでいく。私たちの人生もその流れの一部だ。

ハックルベリー・フィンとジムは、筏に乗って未来へと運ばれながら、ヘラクレイトスのいう動的で絶えず変化する世界の中で生きている。毎晩通り過ぎる町のように代わり映えのしないものもあるが、細かいところは変化しつづけている。

けっして終わることのない変化というこの感覚を、哲学者は「推移《パサージュ》」という専門用語で表現する。19世紀にエドワード・フィッツジェラルドが翻訳したウマル・ハイヤーム『ルバイヤート』（岩波文庫ほか）では、この推移の感覚が次のように表現されている。

> 話は賢人に任せて、老ハイヤームとともにこっちへ来い。
> 一つ確かなことがある。人生は過ぎ去る。
> 確かなことは一つだけで、残りは全部嘘。
> 一度開いた花は永遠に死ぬのだ。[15]

未来はある決まった方向に伸びている

川としての時間のたとえから読み取れる2つめの事柄は、「未来はある決まった方向に伸びている」ということだ。あの筏はハックルベリー・フィンとジムを、出発点であるミズーリ州セントピーターズバーグから下流へと運んでいく。未来は下流に、つまり前方に伸びている。あるいは中国の多くの思索家のように、過去を上、未来を下と考えるのであれば、下方に伸びている。あるいはアボリジニの多くの共同体やハワイ先住民の雄弁家のように、未来は背中の後ろにあると考えるのであれば、後方に伸びている。[16] どちらに待ち受けているにせよ、未来は過去とは異なる方向にある。

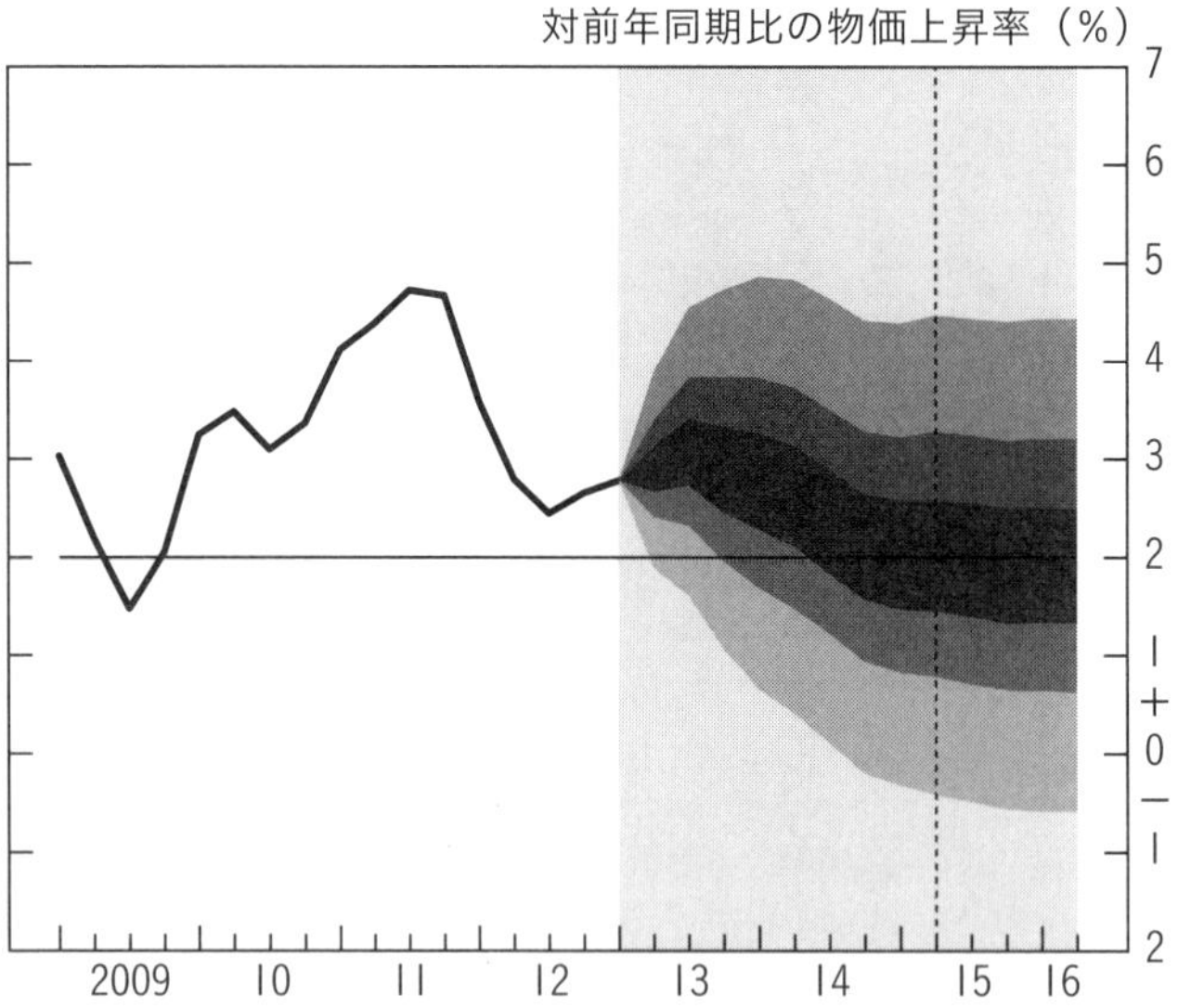

図1.1　2013年5月にイングランド銀行が発表したインフレ予測のチャート
影のついていない部分が2013年以前のインフレ率。それは既知である。右側は、グラフ作成時と「まったく同じ」条件が持続するという仮定のもとでの、100通りのインフレ率予測。色の濃い領域に、もっとも起こりうると考えられる結果が含まれている。グラフが扇状に広がっていることからわかるとおり、予測の幅があっという間に広くなって有用なことが一切いえなくなる（Kay and King, Radical Uncertainty, loc. 1625 Kindleより）。

未来は隠されている

３つめに読み取れるのは、「未来は隠されている」ということだ。せいぜいのところ霧のようにしか見えず、過去や現在を彩るきらめく細部や香りや色は感じられない。ハックルベリー・フィンも、メロンをかっぱらったり寝つきの悪いニワトリを捕まえたりした過去は思い出せる。現在は、夜中に小声で時折くすくす笑うようにはかないものだ。しかしそのときには何よりもリアルである。頬に当たる風や大河の鼓動、かっぱらったメロンの重さや炭火の匂いを感じられるのはいまだけだ。

現在の経験があまりにも強烈なだけに、哲学者の中には現在だけが現実であると論じている者もいる（「現在主義者」と呼ばれている）。私はイギリス人の僧侶アリヤシロがこう説いたのを覚えている。「過去は過ぎ去った。未来はまだここにない。鳥のさえずりに耳を傾けよ！」

A系列時間では、過去と未来はまったく異なる。図1・1にその違いがいくつか表れている。この図は２０１３年にイングランド銀行がインフレ予測を伝えるために作成したものだ。２０１３年以前の部分が過去に相当する。その部分は詳細な情報に基づいていて、1本の線となっている。しかし２０１３年以降は詳細がかき消されて、データ点がぼんやりした扇のように広がり、あっという間に幅が広くなって有用な事柄がいっさい読み取れなくなる。たった3年先でも、マイナス０・５パーセントからプラス４・５パーセントまでの範囲に入る可能性が90パーセントあるという、たいして役に立たない予測しか示せていない。A系列時間における過去と未来は、「現在」という半透明のベールに隔《へだ》てられているだけなのに、互いにまったく異なるのだ。

過去と未来が出合う瞬間

とりわけ謎めいているのが、過去と未来の出合う瞬間だ。筏で下っていくと、起こるかもしれないたくさんの未来からなる超次元の幽霊艦隊がこちらに迫ってくるようなものだ。しかしどんどん近づくにつれて、起こるかもしれない未来が次々に姿を消していき、目の前に来るやいなや霧が晴れてたった1つだけが残る。残った未来はめくるめく現在となり、すぐに過去へと消え去っていく。

これは量子物理学における波動関数の収縮という奇妙な過程と少し似たところがある。素粒子の取りうる何千万通りもの位置と運動量は、イングランド銀行による将来のインフレ予測と少し似た確率論的な波動関数を使って数学的に表現できる。しかしその系を測定した瞬間、取りうるすべての状態が、ちょうどイングランド銀行による過去のインフレ率のデータのように、検出可能なたった1つの状態へと

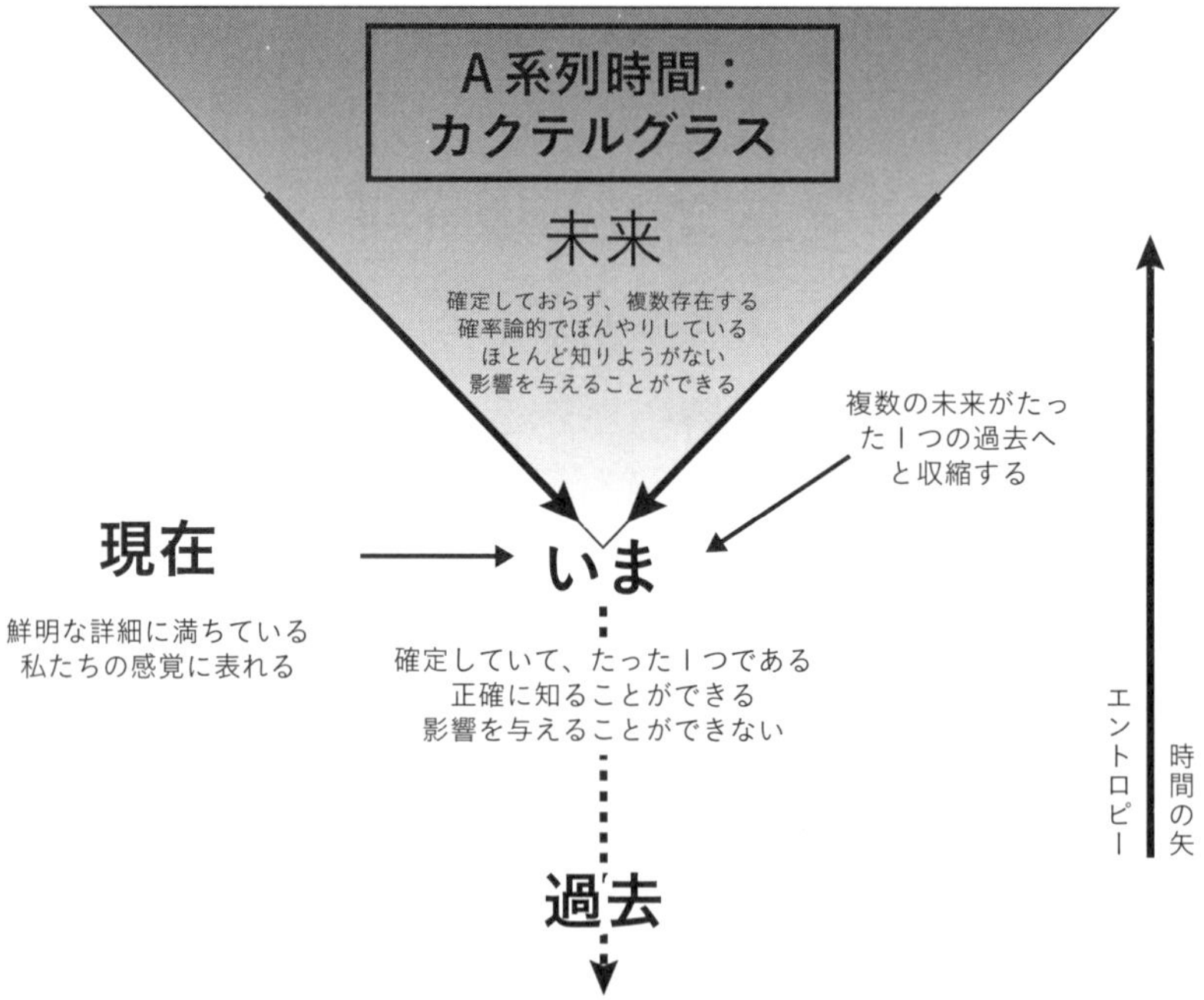
A系列時間：
カクテルグラス
未来
確定しておらず、複数存在する
確率論的でぼんやりしている
ほとんど知りようがない
影響を与えることができる
複数の未来がたった１つの過去へと収縮する
現在
鮮明な詳細に満ちている
私たちの感覚に表れる
いま
確定していて、たった１つである
正確に知ることができる
影響を与えることができない
過去
エントロピー
時間の矢

図1.2　A系列時間：カクテルグラス

収縮する。

A系列時間でも、起こるかもしれないたくさんの未来が、私たちの目の前に来たところで同じように収縮するように思える。それ以外の未来はどこへ行ってしまったのだろうか？　そもそも本当に存在していたのだろうか？

A系列時間はカクテルグラス

A系列時間のおもな特徴は「未来円《えん》錐《すい》」と呼ばれるタイプの図にまとめることができ、本書ではこの図に何度も立ち返ることになる。[17]

未来円錐の一般的な形を把握するために、イングランド銀行による未来のインフレ率の予測を示した図1・1を再び見てほしい。そのグラフの形を均《なら》して反時計回りに90度回転させると、過去と未来を含む1枚の図ができあがる（図1・2）。その図はカクテルグラスに似てい

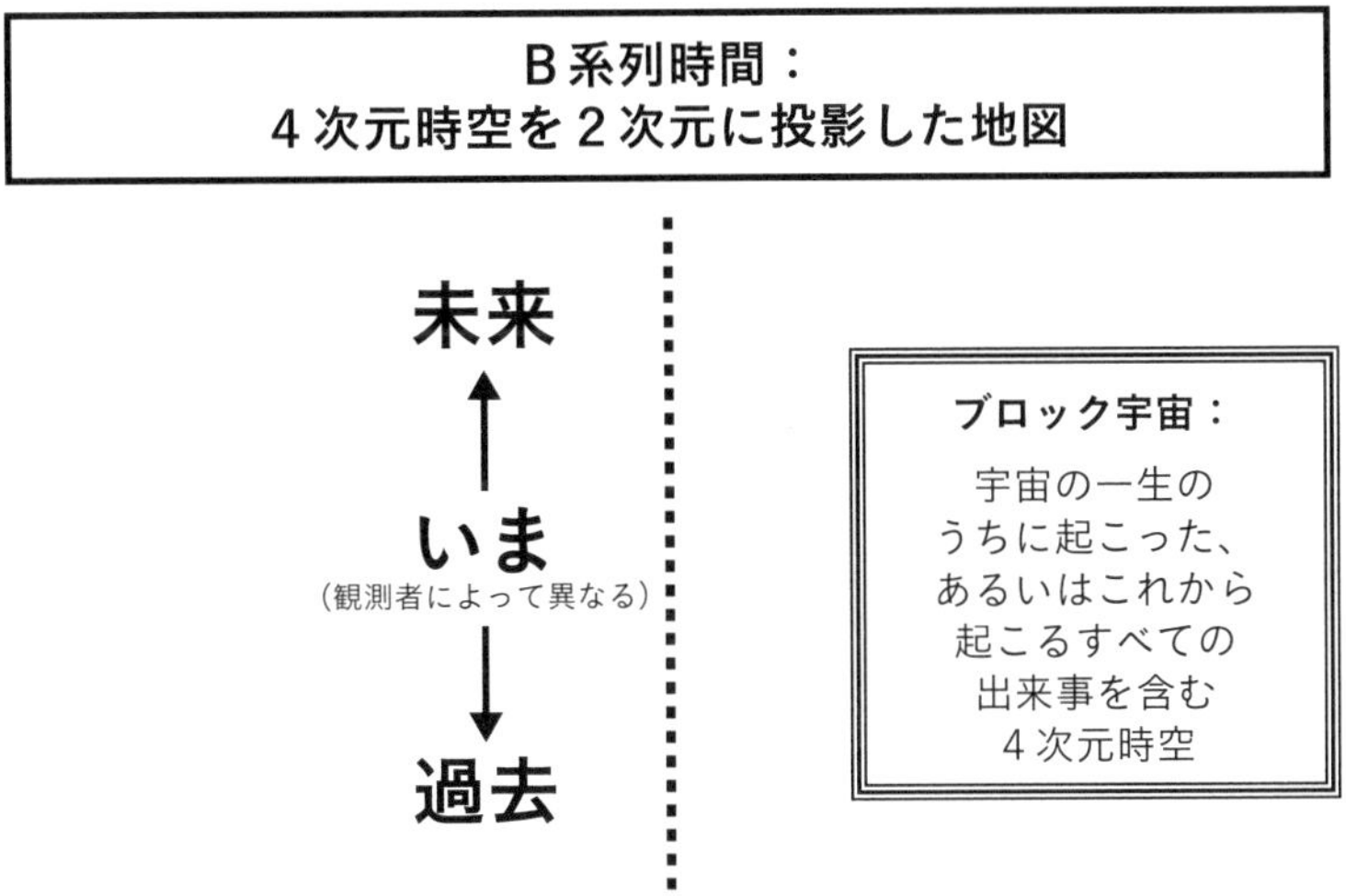

図1.3　B系列時間

る。どんな証拠から見ても過去は1つしかないので、過去は1本の直線となるが、未来はたくさんの可能性を含んだ円錐へと広がっていく。

「地図」としての時間：B系列時間における未来

今日の世界で生きるほとんどの人には、A系列時間に基づく未来のとらえ方が正しいように感じられる。しかし必ずしもそうというわけではない。

時間哲学や伝統的な宗教では、川というよりも地図に近い第2のタイプの時間が知られている。神々の見た時間である。マクタガートはそれをB系列時間と呼んだ。

過去・現在・未来は「位置」にすぎない

B系列時間はA系列時間よりも単純ですっきりしている。過去と現在と未来は互いにあまり違いがなく、地図上の各領域にすぎない。「いま」はこの瞬間にあなたがたまたまいる場所、未来はあなたの現在の位置から一方の側に外れた領域である。別の観測者は現在と過去と未来を違うふうにとらえる。それはちょうど、ニューヨークにいる人がモスクワにいる人と違うふうに「西部」をイメージするのと同じである。

B系列時間のいくつかの特徴を表した図を挙げておこう（図1・3）。おそらく最初に気づくのは、円錐がいっさい使われていないことだろう。カクテルグラスよりもミミズのように見える。

ToDoリストや学校の時間割に目を向けているときには、時間に関して地図に相当するものを見ていることになる。歯医者9：45、会議11：30、友人とディナー18：30。このスケジュールは時間的な「地形」（あたり一帯の様子）を表現していて、未来と過去は場所が異なるだけだ。もちろん地図のたとえから考えると、未来も知りえるはずだ。18：30には友人と会うことになる。

B系列時間には、哲学者のヒュー・プライスによる、すべての瞬間が同等であるという考え方、いわゆる「View from Nowhen」（いつでもないところからの眺め）という概念が込められている。[18] これは地図を俯瞰するような見方だ。

あなたがミシシッピ川のはるか上空を飛んでいて、筏に乗ったハックルベリー・フィンとジムを見つけたと想像してほしい。あなたは彼らと違って流れの変化は感じないが、彼らがどこから来てどこへ向かっているのかはわかる。あなたにとっては、彼らの旅のどの区間もたった1つの空間の中に存在している。

ブロック宇宙

十分な高度を飛行できれば、この宇宙にこれまで存在していた、あるいはこれから存在するであろうすべての物事を示した地図ですら思い描けるかもしれない。その宇宙地図の座標は、すべての空間、そして遠い過去から遠い未来まですべての時間にわたっている。

そうしてあなたは、あらゆる出来事や事件、生と死からなる凍りついた巨大な塊、哲学者で心理学者のウィリアム・ジェイムズが「ブロック宇宙」と呼んだ奇妙な4次元的存在を目にすることになる。アインシュタインならそれを「時空連続体」と呼んだことだろう。

このブロック宇宙には物体や出来事が満ちあふれている。現在の瞬間は何ら特別ではない。なぜならウィリアム・ジェイムズがいうように、「いつ起こったかと関係なしにすべての出来事は等しく完全に現実的であり、それは、それぞれ異なる空間的位置で起こった出来事が等しく完全に現実的であるのと同じことだ」からだ[19]。

アウグスティヌスも、現代の用語こそ使わなかったものの、神はブロック宇宙を見ていると信じていたようで、次のように述べている。

「永遠の中ではつかの間のものは何もなく、全体が現在である」

哲学者のサイモン・ブラックバーンもこういう。

「過去、現在、未来のすべての出来事は、琥珀《こはく》に閉じ込められたハエのように存在していて、互いの距離が大きかったり小さかったりするだけだ[20]」

ブロック宇宙の中では、死者を悼《いた》んだり未来を気にかけたりすべきではない。アルベルト・アインシュタインは旧友ミケーレ・ベッソの遺族に宛てた弔慰状の中で、この気持ちを次のように表現している。

「彼はこの奇妙な世界から私よりも少し先に旅立ちました。たいしたことではありません。物理学を信じる私たちにとって、過去と現在と未来の区別はなかなか消せない幻想にすぎないのです[21]」

カート・ヴォネガットのSF小説『スローターハウス5』（ハヤカワ文庫）に登場するトラルファマドール星人も共感するはずだ。彼らは4次元時空の中に住んでいて、彼らにとっては誰も死ぬことはない。「過去、現在、未来のどの瞬間もずっと存在してきたし、これからもずっと存在する」からだ。

時間に対する同様の見方は数多くの哲学書や聖典にも見られる。13世紀日本の禅僧、道元はこう記している。

「生も時間の1つの位置である。死も時間の1つの位置である。それらは冬と春のようなもので、仏教では冬が春になるとか、春が夏になるとかとはみなさない[22]」

「いま」は存在しない

B系列時間にはほかにも変わった特徴がいくつかある。私たちの現実像のよりどころとなる確定した「いま」が存在しないため、どんなものも空間的だけでなく時間的にも広がっていると考えるしかない。そのため、4番目の次元としての時間の概念をもっと真剣に受け止めざるをえない。つまりハックルベリー・フィンとジムを見下ろすと、彼らの姿は移動している点としてではなく、ミシシッピ川の上をくねくねと走る線として見える。トラルファマドール星人にとって人間の姿は巨大なヤスデのように見え、「赤ん坊の脚がその一方の端に、老人の脚がもう一方の端にある」。

こんなふうに時間を地図にたとえると、変化は過去から未来への一方向にしか起こらないという私たちの感覚も怪しくなってくる。地図上ではどの方向にも移動できるのだから、時間を前方だけでなく後方にも進めるはずだ。

「いま」とはいつか：ゼノンのパラドックス

多くの哲学者や科学者は、A系列時間のほうがさらにたくさんの哲学的・論理的難題を生み出すからということで、B系列時間の奇妙な特徴にも目をつぶりたがる。

過去と未来を分ける「いま」という概念を取り上げよう。B系列時間では、「いま」は特別なものではなく、あなたがたまたまいる場所／時間にすぎない。しかしA系列時間では、「いま」は特別な場所で、実際に過去や未来とは異なる。だがそうだとしたら、「いま」の前後にある程度の長さの線を引けるはずではないだろうか？　「いま」はどのくらい続くのだろうか？

アウグスティヌスは「現在はいかなる場所も占めない」と唱えた。[23] この考え方からは、ギリシア人哲学者もよく知っていたパラドックスの数々が導き出される。何らかの出来事が起こるための時間の長さがないとしたら、その出来事はどうして起こりようがあるだろうか？

哲学者ゼノン（前495～前425）は、飛んでいる最中の矢について考えてみよという。無限に短い瞬間のあいだに、その矢はわずかな距離でも進むことはできない。したがって静止しているはずだ。その次の瞬間も、その前の瞬間もしかりだ。したがってその矢は移動することができない。無限に短い「いま」というこの概念は、哲学的にも直観的にも成り立たないように思えるのだ。

だがもしも「いま」が無限に短くなかったとしたら？　もしかしたら時間も物質やエネルギーのように粒状なのかもしれない。そうだとしたらこのパラドックスは解消できるのでは？　時間の最小原子、「クロノン」というものが存在するのかもしれない。そのクロノンは、空間中の最小距離である約10^{-35}メートルを光が横切るのにかかる時間となるだろう。

もちろん私たちが心の中で経験する「いま」はそんなに短いはずがない。ウィリアム・ジェイムズは、心理的な「いま」のことを「見かけの現在」と呼んだ。精神が複数の感覚を「いま」という1つの像にまとめてしまうため、「見かけの現在」は2秒から3秒続くと思われる。人間が何らかの事柄を知覚するには、多数の感覚器や処理システムから受け取った情報を編集し、つなぎ合わせ、データの欠損箇所を埋め合わせる神経プロセスが必要で、それをすべてこなすには時間がかかる。[24] 私たちが経験しているとおり、「いま」と未来は、ぼんやりした印象や光景、思考や音によって区切られている。

しかし現在が無限に短かったとしたら、そのうちのいくつかは未来に、いくつかは過去に、まるでつまようじのように突き刺さっているはずだ。

そうだとしたら、未来と現在と過去は異なるという考え方はナンセンスなのではないだろうか？「いま」を特別扱いしないB系列時間であれば、こうしたパラドックスを回避できるのだ。

過去と未来は存在するのか

アウグスティヌスはA系列時間の難点をもう1つ挙げた。私たちがつねにA系列時間の中にいるのだとしたら、私たちが現在に存在しているとき、過去と未来はどこにあるというのか？
「過去と未来は存在するのでしょうか？　すなわち、未来から現在が出現するときに、時間が何らかの秘密の貯蔵庫から出てきて、現在から過去が出現するときに、何らかの秘密の場所に隠れるというのでしょうか？」[25]
私たちが複数の未来を実際に経験することはけっしてない。たった1つの未来にしか出合わず、未来がやって来たときにはすでに現在に変わっている。そうだとしたら、私たちが複数の未来のうちのたった1つに出合う前に、それ以外の未来が存在しているというのはいったいどういう意味なのか？　そもそもその複数の未来は存在していたのだろうか？　B系列時間では未来は地図上の場所にすぎないので、こうした問題は生じないのだ。
深みにはまってしまう問題がもう1つある。時間が流れているとしたら、その流れる速さはどれだけなのか？

ハックルベリー・フィンは川岸に対するミシシッピ川の流れの速さを時速４マイルと計った。では時間の流れる速さを計ることはできるのだろうか？

そのためには何が流れているのかがわかっていないといけない。ニュートンはこの難点を理解し、相対時間とは異なる、ミシシッピ川の岸に相当する絶対時間という究極の枠組みを考えることで解決しようとした。そして絶対時間の概念を説明するために、物理学と同じく深遠だと考える神学に頼った。普遍的存在である神が、空間と時間の究極の枠組みを与えているというのだ。のちにこの考え方は取り下げたものの、意味深なたとえとして、この宇宙は「実体がなく生きていて知性を持った存在の感覚中枢である」と述べている。[26]

宗教と切り離された現代科学の世界では、神学的な解決法はもはや通用しない。19世紀の科学者は、現実の究極の枠組みとしてニュートンが思い描いた神の概念を、きわめて希薄な「エーテル」という媒質に置き換えようとした。すべてのエネルギーと物質はこのエーテルの中を運動していて、エーテルに対する速さを測定できるという考え方だ。

だがエーテルを検出する試みが何度もおこなわれたものの、一度も成功しなかった。

その中でもっとも有名なのが、１８８７年におこなわれたマイケルソン＝モーリーの実験だ。エーテルの流れに逆らって進む光は速さが遅くなるはずなので、互いに90度の角度をなす２本の光線の速さはそれぞれ異なると予想されていた。ところが違いはまったく検出されなかった。そのためＡ系列時間の概念を支持する人たちは、たとえ時間が過去から未来に流れていても、その流れを測定するための基準は存在しないと考えるしかなくなった。第２章では、アインシュタインがこの難題を画期的な方法で解決したことを見ていこう。

未来が決まっているなら自由意志や道徳は無意味なのか

Ｂ系列時間ではＡ系列時間のパラドックスを解消できるが、その一方で未来思考にとって２つの深遠な問題が浮かび上がってくる。

第１に、ブロック宇宙の考え方を解釈すると、未来はすべてあらかじめ縫い合わされていて選択肢は存在しないことになる。そうだとしたら、自由意志、倫理、道徳などというものは意味をなさなくなるのではないだろうか。

第２に、Ｂ系列時間では変化にはっきりした方向性はないように思われる。もしそうだとすると、未来を予測するためのもっとも強力な方法の１つが奪われてしまうため、これは未来思考にとって大きな問題だ。その方法とは、ＡがＢの原因となるのであれば、Ａが起こったら近い未来にＢが起こると予測されるというものである。いまボールを蹴ったら、近い未来にそのボールは移動すると予測される。決定論と因果性をめぐるこれらの問題は、未来に立ち向かう上での根本的な前提をおびやかす。Ｂ系列時間は確かに単純だが、その代わりに高い代償を伴うのだ。

幸いにもこれらの問題は、私たちの直観的感覚を守るような形でうまく解決することができる。その直観的感覚とは次のようなものだ。

（１）未来は過去によって完全には定められていないので、私たちは未来を方向づけることができる。

（２）多くの形の変化は過去から未来へという一方向にしか起こらないので、原因は結果の前に起こる。

こうした主張は大昔からあるが、現代的な形の主張は19世紀末、科学と哲学における現実と未来のとらえ方が変化して、科学的思考が根底から覆《くつがえ》ったことによる。

決定論

17世紀から20世紀初めまでほとんどの科学者は、理にかなっていてさまざまな発想のもとになるのは決定論だと考えていた。科学によって機械論的な法則が次々に発見され、未来を予測する人類の能力が高まっていくことを望んでいた。太陽の死から、私が今朝コーヒーをおかわりすることまで、機械論的な宇宙で起こる出来事はすべて、万物創造の瞬間にあらかじめ定められていたと思い込んでいた。

ウマル・ハイヤームはこの決定論の考え方をこんなふうに詩的に表現している。

> 大地の最初の土によって最後の人間を作り
> 最後の収穫の種をまいた。
> そして天地創造の最初の朝に
> 最後の報いの夜明けに読まれるべきことを記した。[27]

ウマル・ハイヤームが正しいとしたら、起こるかもしれない未来のために計画を立てるという考え方自体が無意味になる。ゲームの結果はあらかじめ決まっているのだ。

B系列時間では、選択という概念、そして責任や倫理や道徳という私たちの概念はことごとく崩れ去ってしまうのだろうか？　その答えは、……必ずしもそうではないのだ。

選択の自由は幻想だと説いたラプラス

現代における典型的な決定論の解釈は、フランスの偉大な科学者ピエール＝シモン・ド・ラプラスの著作に基づいている。ラプラスはすぐれた数学者でもあり、科学の力が信じられていた活気ある時代に生きた。そして１８１４年に『確率の哲学的試論』（岩波文庫）という著作の中で、ニュートン以後の科学における決定論的な論理学を展開した。

現在の出来事は、ある明白な原理に基づくつながりによってそれ以前の出来事と結びついている。その原理とは、物事はそれを生み出す原因なしには起こりえないというものである。……したがってこの宇宙の現在の状態は、以前の状態の結果として、および以後の状態の原因としてみなすべきである。自然界を動かしているすべての力と、自然界を構成する各存在の状態を把握できる知的存在――それらのデータを分析できるくらいにすぐれた知的存在――ならば、宇宙でもっとも大きい天体の運動ともっとも軽い原子の運動を同じ数式で一瞬にして見て取ることができるだろう。その知的存在にとって不確実な事柄など何１つなく、未来は過去と同じくその眼前に表れていることだろう。

ラプラスも認めているとおり、実際には人間の理解力は、そうした全知の存在の理解力から「果てしなく遠い」ままだろう。[28] 私たちは無知であるからこそ、物事を自由に選択できると思い込んでいる。しかし自由選択など幻想にすぎない、とラプラスは論じているのだ。

こうした主張も大昔からある。

いまから2000年前にキケロはソクラテス式の対話篇『占いについて』の中で、弟クィントゥスの口を借りてそうした論を説いている。ストア派の哲学者たちは、「原因が原因につながって、一つひとつの原因自体が結果を生み出すという形で、原因が整然と連続しているのだから、すべての事柄は宿命によって起こる」と主張しており、クィントゥスはその主張を支持する。そしてこの主張から、ラプラスと同じように、十分な事柄がわかれば未来を予言できると結論づける。

「時間の進展は巻かれた綱がほどかれていくようなものだ。新しい事柄は何も生まれず、一つひとつの出来事が順番どおりに解き放たれるだけだ[29]」

神学者や哲学者は、もしも人間に選択の自由がなかったら自分のおこないに責任を負うことができず、倫理や道徳が崩壊してしまうとして、こうした極端な決定論にはつねに頭を抱えてきた。キリスト教・ユダヤ教・イスラム教の神学者にとっての問題は、人間の選択の自由という概念と、全知全能の神という概念とをいかに両立させるかということだった。そして科学者にとっての問題は、科学法則のもとでも個人の選択や偶然やランダム性の余地が少しでも残るのかどうかを見極めることだった。

極端な決定論に異議を唱える強力な主張もつねに展開されてきた。アウグスティヌスはキケロへの反論の中で、神は全知全能だが、それでも私たちには選択の自由があると唱えた。神は私たちに限られた選択の自由を与えたが、限りない「先見」と時間の外に立つ能力を備えているため、私たちが自由意志でおこなうことを「予知」できるというのだ[30]!

現代の時間哲学者も似たような論を展開している。いわく、ブロック宇宙は実在する。しかしブロック宇宙は、原理的におおかた予測可能である機械論的原因によって作られていると同時に、起こる瞬間には予測不可能である出来事、たとえば量子的事象や、目的を持った存在のおこなう選択によっても作られている。ブロック宇宙を「見る」ことができるのは時間の流れの外に立っている存在だけだが、ブロック宇宙の少なくとも一部はその流れの中に埋め込まれた存在によって作られている。このように自由意志と決定論は相容れるとする考え方のことを、今日では「両立論」という何のひねりもない名称で呼んでいる。

決定論への反論

ラプラスの時代以降、物理学のようなハードサイエンスにおいても極端な決定論に対する風当たりは強くなっていった。

科学哲学者のハリー・ローダンによると、19世紀末にはほとんどの科学者が完全な確実性への夢を捨てたという。

代わりに彼らは「もっともらしい、あるいは正しい可能性の高い、あるいは十分に検証されている理論を構築するという、もっと控えめな計画に取り組むようになった。チャールズ・サンダース・パースやジョン・デューイ〔訳注：いずれもアメリカのプラグマティズム哲学者〕が論じたように、この変化、すなわち確実性の探究の放棄が、科学哲学の歴史における大きな分水嶺の1つとなっている」[31]。

不完全性・不確実性をめぐる哲学と科学の成果

知識や現実、そして未来に関する科学的な考え方に起こったこの重大な変化には、いくつもの原因があった。

まず哲学者によって、どんな論理体系においても確実性を担保するのは不可能であることが示された。

バートランド・ラッセルはその一例として、一見単純な「この言明は偽《ぎ》である」という言明を挙げた。もしこの言明が偽であれば、この言明は真でなければならない。もし真であれば、偽でなければならない。

１９３０年代にはクルト・ゲーデルの「不完全性定理」によって、いかなる論理体系にも真であることを証明できない主張が必ず含まれていることが証明された。

計算科学の分野ではアラン・チューリングが、どんなコンピュータプログラムでもその結果を前もって決定するのは不可能であることを証明した。[32] もっと時代が下って、スイスの物理学者・数学者ニコラ・ジザンが、数の世界でも絶対的な正確さには到達不可能であることを示した。[33]

量子物理学

20世紀初めには量子物理学によって、素粒子のスケールでは多くの事象が本質的に予測不可能であることが示され、物理学における決定論がおびやかされた。２つの穴の開いた壁に光を当てて、特定の光子がどちらの穴を通過するかを予測しようとしても、それは不可能だ。つまり物理学者のリチャード・ファインマンがいうように、「未来は予測不可能である」[34]。実際にそうなのだ！　私たちの知識が足りないからではない。

今日ではこうした不確定性が物理学の至るところにつきまとっている。予測不可能な素粒子が何億兆通りもの形に組み合わさってこの宇宙ができているとしたら、それはラプラスの極端な決定論を否定する強力な論拠となる。一般的な法則やトレンドは確かに存在するが、未来を詳細に至るまで決定するのは不可能で、原理的にすら完璧な予測などかなわないのだ。

カオス理論

カオス理論も完璧な予測の夢を打ち砕くもう1つの原因となる。1960年代初めに気象学者のエドワード・ローレンツが、気象のような複雑系では初期条件のささいな違いが雪崩的に拡大して結果が著しく変わってくることを発見した。無限に小さいように思える初期条件の違いが、正のフィードバックループによって何度も増幅されていくのだ。

そのたとえとしてローレンツは、地球上のどこかで1匹のチョウが羽ばたくと、それが増幅されてどこか別の場所でハリケーンが発生すると説明した。そのためこの現象は「バタフライ効果」と呼ばれている。世界を変えた新型コロナウイルスのパンデミックも、電子顕微鏡でないと見えないくらい小さいたった1個のウイルスのゲノムが変化したことで引き起こされた。

進化生物学

厳格な決定論を斥《しりぞ》けるもっとも強力な論拠の1つは、進化生物学によってもたらされた。もしも未来が完璧な精度で定まっているとしたら、進化プロセスによって生み出されるこれほど数多くの生物種（私たち自身を含む）が、なぜさまざまな出来事に干渉しようとするのだろうか？ 選択の余地がないというのに、なぜ選択決定メカニズムにこれほどまでの進化的なエネルギーが注ぎ込まれるのだろうか？（そうした選択決定メカニズムのいくつかについては後のほうの章で説明する）

この主張もまた古代に端を発している。いまから1500年前、イタリアのパビーアに幽閉されていた哲学者ボエティウスが『哲学の慰め』（岩波文庫）を著した。その中で、女性の姿を借りた哲学が、戦車レースの結果はあらかじめ決まっているのではないかと問いかける。するとボエティウスは、「もしそうだとしたら腕前を発揮しても無意味になってしまうから」、そんなことはありえないと答える。[35]

まさにそのとおりだ。神がレースの結果を定めていたとしたら、なぜ神は人間に巧みな選択をおこなう能力など与えるのだろうか？

要するに現代のほとんどの宇宙観は、特定の出来事や結果はあらかじめ完全には決定されていないという点で一致している。物理学者のフィル・アンダーソンは１９７２年に、「あらゆる事柄を単純な基本法則に還元できるからといって、その法則から出発して宇宙を再現できるわけではない」と述べている。現代科学の描く宇宙には少しだけ「隙《すき》」があるのだ。プラグマティズム哲学者のウィリアム・ジェイムズも、「各部分のあいだには一定程度の遊びがある」と記している。[36] ハックルベリー・フィンとジムはミシシッピ川にオールを沈めることで、進む方向を意識的に少しだけ変えることができる。ブロック宇宙の中にはある程度のゆらぎがあるらしく、そのためＢ系列時間によって私たちが極端な決定論にしばられることはないのだ。やれやれ！

因果性の問題

だがそれでも因果性の問題は残ってしまう。Ｂ系列時間では変化が時間の前方と後方の両方に起こることが許されるはずだが、因果性の概念では、原因の後に結果が生じるという一方向でしか変化が起こらないことが求められるのだ。

20世紀初めまでに、ほとんどの基本的な物理方程式は時間が前方に進むとしても後方に進むとしても等しく成り立つらしいことが明らかとなった。運動中の電子を撮影したフィルムが順再生されているか逆再生されているかを判断しようとしても、それは不可能だ。[37]

今日、ジュネーブ近郊の大型ハドロンコライダーなどの研究施設で働いている物理学者は、陽電子のような、時間を逆向きに進んでいるように思われる粒子に日常的に出くわしている。素粒子物理学にとっては時間の方向は存在しないらしいのだ。

もしそうだとすると、因果性に関する私たちの考え方はことごとく覆ってしまう。

「原因」は無限に存在する

因果性の概念にはもとから問題があるからとして、この成り行きを歓迎する者もいた。

18世紀のスコットランドの哲学者デイビッド・ヒュームは、因果性をその場でとらえることは絶対にできないと論じた。２つの出来事が互いに関連しているらしいことは示せる。ボールを蹴ったら、そのボールはあなたから遠ざかっていく。しかし、蹴ったことがボールの運動の原因であることを証明するのは不可能である。ありうる原因がいくらでも存在するからだ。ボールの運動の原因は、あなたの脚の中にある筋肉の収縮だろうか？　ボールをその場に固定しているものが何もなかったことだろうか？あなたにボールを蹴るよう指図した脳内の神経細胞だろうか？　あるいは、あなたとボールとサッカー場を生み出したビッグバンだろうか？

バートランド・ラッセルが１９１２年に論じたように、因果性という概念は無限後退につながってしまうのだ。

肺がんが喫煙の「原因」？

統計学者は隠れた原因の問題にしょっちゅう突き当たる。１９５０年代に喫煙と肺がんの相関性を示す証拠がどんどん集まっていったが、喫煙者で逆張りをすることで悪名高い（さらにはたばこメーカーの顧問を務めていた）イギリスの統計学者ロナルド・フィッシャーが、喫煙と肺がんの両方に寄与する未発見の遺伝子が存在するか、または肺がんが喫煙の原因なのかもしれないと主張した。こうした主張を斥《しりぞ》けるのは驚くほど難しいのだ。[38]

このように深刻な難点がいくつもあったため、ラッセルを含め20世紀初めの多くの人が、科学や哲学では、時間には方向性があるという考え方とともに、因果性の概念も放棄すべきではないかと遠回しに訴えた。[39]

それでもラッセルはためらいを感じていた。20世紀初めの多くの科学者と同じく、ニュートン科学の完璧に決定された世界を見限ろうとしていただけだったからだ。そして、因果性および過去と未来の関係をもっと確率論的に漠然と理解する方法について考えるようになった。

ヒュームですら、因果性の概念は論理的な難題をいくつも生み出すものの、ほとんどの場合きわめてよく通用するのだから実際上欠かせないものだと認めた。ラッセルも同意見だった。因果律について語るのは、それを「普遍的や必然的なもの」とみなさない限りは理にかなっている。つまり、たとえ絶対的な確信には到達できなくても、起こりうる事柄を因果性の概念に基づいて高い確信度で予測することはできる。

「もし……Aに続いてBが起こるという事例が多数知られていて、その連鎖が成り立たない事例がほとんど、あるいはいっさい知られていないのであれば、『AがBの原因である』という言葉は、原因という概念にその言葉と関連する形而上学的な盲信をいっさい結びつけない限り、実際上理にかなっているとみなすべきだ」[40]

「あらゆる原因」を考慮する必要はない

20世紀末、因果性の概念はもっと控えめな形で再び舞台に立った。コンピュータ科学者のジューディア・パールが、局所的なプロセスに介入する局所的な行為者の立場から因果性を考えるのであれば、原因の連鎖の無限後退を回避できることを示したのだ[41]。

そもそもこれは、現実世界で私たち人間が因果性に迫るための立場にほかならない。私たちはあらゆる原因を考慮しようとするのではなく、違いを引き起こしそうな原因にだけ注目する。このボールを蹴ったら直後に何が起こるか？　どれだけ強く蹴ろうとしたか、ボールが潰れていなかったか、その場に固定されていなかったか、などの要素を踏まえれば、かなりよく予測できる。パールは、因果性に対するこの控えめな方法論を数学的にきわめて厳密に扱えることを明らかにしたのだった。

時間の矢

時間の矢、すなわち時間には方向性があるという考え方も、特定の立場に基づく確率論的で控えめな形で復活した。

素粒子のような単純な存在を扱う際には、確かに時間の方向性を考えるのは難しい。しかし私たちは日常生活の中でもっと複合的な構造を扱っていて、時間の矢の証拠を数多く目にしている。

卵を割って溶く様子を収めたフィルムを見れば、時間の方向は判断できるはずだ[42]。時間の進む方向は、秩序立ったものが無秩序になっていく方向、殻が割れて黄身と白身が混ざり合う方向であって、混ざり合った卵がひとりでに黄身と白身に分離する方向ではない。

自由エネルギーと熱力学の第2法則

科学者は以上の事柄をすべて熱力学の専門用語で表現するが、その熱力学はなかなか理解しにくい代物だ。
いわく、エネルギーと物質の無秩序さ、いわゆる「エントロピー」は、過去から未来へ進むにつれて増えていく傾向にある。したがってこの宇宙に存在するエネルギーの総量は一定であるものの、時間の経過とともにエネルギーは無秩序な形を取るようになっていく。電流が秩序正しく流れるような状態は減っていき、熱エネルギーがランダムにゆらいでいるような状態は増えていく。それが極端なところまで進むと、あまりにも無秩序になってほとんど役に立たなくなる。

もっと秩序立ったエネルギーの流れ（「自由エネルギー」）はより役に立ち、物質をもっと秩序立った構造に揃えることもできる。しかし使われた自由エネルギーは、電池がやがて切れるのと同じように、劣化してもっと無秩序になってしまう。エントロピーが増大するのだ。

このように自由エネルギーが容赦なく劣化することが、あらゆる変化の方向性を決めている。それゆえにエネルギーは流れ、自由エネルギーの流れを使って複合体（複数の構成部品からなる存在）を組み立てたり維持したりできる。

しかしその複合体（あなたや私を含む）は、エネルギーを利用するにつれてそのエネルギーの流れを乱していく。そのため皮肉なことに、その物体が存在することで自由エネルギーの劣化は加速する。[43]自由エネルギーが劣化するにつれて複合体が存在するのは難しくなり、エネルギーと物質の両方が無秩序になっていく。

この考え方に基づいているのが、あらゆる科学法則の中でももっとも根本的なものの1つである熱力学の第2法則だ。

厳密にいうと熱力学の第2法則は法則ではなく、この宇宙の展開に見られるきわめて強力な方向性にすぎない。かき混ぜられた卵の原子がひとりでに分離して無傷の殻の中に戻るのを妨げるような科学法則は存在しない。それがランダムに起こる確率がきわめて（とてつもなく、驚くほどに、唖然《あぜん》とするほどに）低いというだけだ。

複合構造体がいずれ崩壊するのは、秩序立った配置よりも無秩序な配置のほうがはるかに多く、宇宙のルーレットを回しつづけていれば最終的に無秩序な状態にたどり着くことがある程度保証されているからだ。

簡潔にいうと、外部からもっと秩序立った「自由エネルギー」を特別に加えない限り（誰かが整理整頓しない限り）、過去から未来へ進むにつれて複合構造体は複合的でなくなっていく傾向があるという、一般的なルール（これも「信念に基づく確信」）が成り立つと予想される。掃除しない限り、あなたの寝室は未来にはもっと汚くなる。時間の矢は、無秩序さが高まって最終的にものが崩壊する方向を向いているのだ。

ほとんどの変化に方向性があると考えられる理由はほかにもある。湖に石を落とすと、必ず中心から外側に向かって波紋が広がっていく。内側に集まってくることはけっしてない。これは宇宙全体でのエネルギーの移動を含めあらゆる波動的運動の特徴だが、その理由は完全には解明されていない[44]。

しかし時間の方向性を物語るもっとも強力な例は、ビッグバン宇宙論に見出すことができる。この宇宙は未来へ向かう1つの時間的方向に従って膨張しているのだ。

B系列時間でも意思ある未来選択はできる

B系列時間では時間をさかのぼって進行するプロセスも不可能ではないが、私たち自身のような大きい複合体は、時間とこの地球上での未来に立ち向かうという課題に集中する限り、そうした可能性を無視してかまわない。時間には方向性があるとみなせば、たとえB系列時間の中であっても、因果性の概念を利用して未来に何が起こりそうかを予測することができる。やれやれだ！

要するにこういうことだ。B系列時間のブロック宇宙では、選択や因果性に関する私たちの考え方は成り立たないように思われるかもしれない。しかし現代科学によると、たとえブロック宇宙であってもあらゆる事柄があらかじめ定められているわけではなく、私たちに影響をおよぼすほとんどの変化は方向性を持っており、実際に原因の後に結果が生じる。したがって私たちは未来に関する選択を実際にある程度おこなうことができ、ほとんどの場合、因果性の概念に頼って起こりそうな未来を予測することができる。

未来思考は可能なのだ！　ようやくほっとした！

第2章

実際的な未来思考
——関係性の時間

物理学で考えられている時間と、経験の中で出くわす時間との辻褄《つじつま》を合わせることが、時間の形而上学における中心的な問題である。
——ジェナン・イスマエル『時間の経験』[1]

大事なのは実際に世界を変えること

第1章では時間哲学を通じて未来のいくつかの謎を掘り下げた。しかし日常生活では、未来は単なる抽象的な概念ではない。どんなに正確で厳密であっても、ただの概念ではたいして役に立たない。重要なのは、瞬間ごとに自分が実際に何をすべきかだ。未来に関する私たちの考え方が私たちのために力仕事をこなしてくれることが望ましい。

もしもちっぽけな細菌が哲学的議論に加わることができたとしたら、思想家カール・マルクスの『フォイエルバッハに関するテーゼ』の最後の主題に共感することだろう。

「哲学者はこの世界をさまざまな形で解釈してきたにすぎない。重要なのはこの世界を変えることだ[2]」

では私たちはこの不確実な未来に実際にどうやって対処するのか？　私たちは荒れ狂う真っ暗闇のA系列時間の中で生きていながらも、B系列時間の地図に描き出された、知ることのできる未来に憧れている。

ヒンドゥー教の壮大な叙事詩『バガヴァッド・ギーター』（岩波文庫ほか）に収められた次のような物語は、この深い憧れを詩的に表現したものと解釈できる。

戦士で王子のアルジュナが戦《いくさ》を始めようとしている。「法螺《ほら》貝《がい》や大太鼓、銅鑼《どら》や太鼓やラッパ」がいっせいに鳴り出す。

ところが敵軍の中に「師や母方のおじ、兄弟や息子、孫息子や友人」が見え、アルジュナは未来に残酷な身内殺しが起こるのではないかと恐れた。A系列時間における荒れ狂う恐ろしい未来の数々に直面して慄然《りつぜん》とし、頭が混乱している。

そこで戦車を操る神クリシュナに、時間の流れを止めて、いわば宇宙版のタイムアウトを取ってくれるよう頼む。クリシュナはうなずき、「両軍のあいだに大きな戦車を止めた」。

アルジュナとクリシュナは奇妙な時間の境界地帯に入った。特定の動的なA系列時間からは解放されているが、B系列時間の神のような視点を持っているわけでもない。

この静まりかえった場所でアルジュナはクリシュナに、未来に関する忠告を求めた。来たる戦いを考えてぞっとするあまり、戦うのをやめようと腹を決めていた。「悲しみで後ずさりし、弓矢を手放した」

しかしクリシュナは、人生の戦いからは誰も逃れられないという。

「誰一人、一瞬たりとも、何もおこなわずに立っていることはない」

行動しないことも行動のうちだ。そしてクリシュナはアルジュナに、あらゆる未来がすでに描き出された、自分の見ている「時の光景」をちらりと垣間見せる。

「我は世界を破壊するためにやって来た。たとえお前がいなくても、にらみ合うこの戦士たちはいずれ存在しなくなる」

アルジュナがクリシュナの目を通して垣間見たブロック宇宙では、自分や敵の死を悲しむのは的外れだ。クリシュナはいう。

「我もお前も、この貴族たちも、存在しなくなることはけっしてなかった。これからも存在しなくなることはけっしてない」[3]

B系列時間の変化しない世界を垣間見たアルジュナは、この世界で行動するのに必要な落ち着きを取り戻した。クリシュナは声をかけた。

「思い悩むな、戦え！」

誰しもアルジュナと同じように、時間と空間の中の特定の場所から未来に備えるものだが、行動するためには起こっている出来事をもっと幅広く普遍的にとらえることが必要だ。そのためどんな未来思考でも、関係性に注目しなければならない。いまここにいる自分と、自分が何とか垣間見ようとするもっと幅広い宇宙との、いわば交渉のようなものだ。

そのため、「未来とは何であって、どのように進むのか」という疑問に唯一の答えなどない。未来にどう立ち向かうかは、自分が何者であって、この宇宙の中のいつどこにいるかによって変わってくるのだ。

相対論と未来

時間は立場によって変わる：アインシュタインの証明

20世紀初めにアルベルト・アインシュタインが、私たちの経験する時間は関係性に基づいていて立場によって変わることを科学的に明確に示した。１９０５年、ベルンの特許事務官を務めていた26歳のときに発表した特殊相対論に関する驚きの論文は、ニュートンによる絶対時間の概念を覆し、時間と未来に関する私たちの理解を一変させたのだった。[4]

その論文によって、普遍的で絶対的な時間の流れなど存在しないことが示された。時間の流れる速さは観測者ごとに違っていて、各観測者の「基準系」、すなわちこの宇宙における位置と運動に応じた厳格な規則に従う。ドイツ人社会学者のノルベルト・エリアスは、時間の経験の変遷に関する画期的な著作の中でこう述べている。

「誰あろうアインシュタインが、時間は一種の関係性であって、ニュートンが信じていたのと違い客観的な流れではないという駄目押しの発見をおこなった」[5]

アインシュタインの論証の出発点となったのは、１９００年当時にはよく知られていた、光の速さは絶対的であるらしいという驚きの事実である。

きわめて奇妙な事実だ。太陽に向かって飛びながら、太陽光線が自分に向かってどれだけの速さで進んでくるかを測定すると、太陽から遠ざかって飛んでいる観測者や、太陽に対して直角の方向に飛んでいる観測者とまったく同じ結果を得るのだ。

どの場合にもスピードガンには、太陽光線が秒速およそ30万キロメートルで進んでいると表示される。[6] ゆっくり運動する物体ではそうはならないだろう。自動車で走っているあなたが、前方から近づいてくるトラックのスピードを測定すれば、後方から近づいてくるトラックのスピードとは違う値になるはずだ。

当時のほとんどの人は、光に関するこの異常な測定結果はおそらく実験誤差によるもので、いずれは解消されるだろうと思っていた。

しかしアインシュタインは違う道を進んだ。あらゆる実験結果が示しているように、光の速さは本当に絶対的なのだろう。もしそうだとしたら、光の速さの測定結果がつねに同じになるためには、各観測者の物差しや時計やスピードガンが奇妙な振る舞いを見せなければならない。

「互いに異なる運動状態にある各観測者が必ず同じこの［光の速さの］測定値を得るとしたら、各観測者の空間と時間の測定値が異なっていなければならない」

鉄道の思考実験

アインシュタインはこの思索をさらに推し進めるために、当時最速のテクノロジーを用いた有名な思考実験をおこなった。鉄道である。[7] もしも現代に特殊相対論を編み出していたとしたら、きっとジェット機やロケット宇宙船をたとえとして使っていたはずだ。

ここではその思考実験に少しだけ手を加えて説明する。

駅に立っているアイザックが、同時に光った2つの雷《かみなり》を目にする。一方は東に10キロメートル、もう一方は西に10キロメートル離れている。もちろんアイザックは、光が進むのには時間がかかるのだから、実際に雷が光ったのは自分が目にした瞬間よりも少し前だと知っている。

ここで、東に向かって走る列車に乗ったアルベルトが、２つの雷の光った瞬間に駅を通過したとしよう。ではアルベルトもアイザックと同じく、２つの雷は同時に光ったと考えるだろうか？　アインシュタインの答えは「ノー」だ！

なぜだろうか？

駅までの10キロメートルの距離を光が進むのには時間がかかる。アイザックもアルベルトも光の速さは一定であることを知っているため、その時間を正確に計算できる。しかしアイザックのもとに光が届くまでに、アルベルトの乗った列車は東に少し移動している。そのため、西側で光った雷から発せられた光がアルベルトのもとに届くには、東側で光った雷から発せられた光よりも少しだけ長く進まなければならない。したがってアルベルトは、東側の雷が光ったのを見た後に西側の雷が光ったのを見ることになる。

わずかな違いだが重大な意味を帯びている。アイザックにとって同時に思える出来事が、アルベルトにとっては同時ではないのだ。

それどころか、アイザックが「いま」経験した東側の雷は、アルベルトにとってはいまだ未来にある。アインシュタインが示したとおり、同じ出来事の起こった時刻をまったく同じ時計で計る場合でも、わずかに異なる基準系で計ると結果が違ってくる。しかもどちらの測定結果も正しい。静止しているアイザックのほうが正しいはずだといいたくなるが、そうではない。アイザックもアルベルトも空間の中を猛スピードで運動している。２人とも時速およそ１６００キロメートル（赤道からの距離によって異なる）で自転する地球の表面にいるし、その地球も時速２万キロメートルで太陽の周りを公転しているし、太陽系も時速80万キロメートルを超える速さで天の川銀河の中心の周りを公転しているのだから。

時間に関するこの異常な現象には通常は気づかない。違いが生じるほどの高速で運動する物体にはめったに出合わないからだ。

しかしこれは現実の効果である。

あくまでも私のおぼろげな記憶だが、十代の頃にテレビで、ウラン鉱の小さな塊が示す放射性壊変の速度を、ガイガーカウンターで測定するという実験を見た。

カリッカリッという音が規則的に聞こえている。そこでそのウラン鉱を遠心機に入れ、超高速で回転させる。ウラン鉱は遠心機の外にある物体よりもはるかに速いスピードで運動しはじめた。私やスタジオで見つめる人とは異なる基準系に置かれたことになる。アインシュタインの思い浮かべた列車に乗ったアルベルトと同じように運動しているが、それよりもはるかに高速だ。

遠心機の回転スピードが上がるにつれて、ガイガーカウンターのカリッカリッという音がゆっくりになっていく。スタジオの基準系で測定する限り、遠心機内部の時間の進み方が遅くなったようだ〔訳注：実際には人間の感覚でわかるほどの違いは生じないものと思われる〕。

科学少年だった私はあっけにとられて心奪われてしまった。

今日、ＧＰＳシステムではこのわずかな違いを考慮する必要がある。地球の周りを高速で周回している衛星と、地上でのろのろ走っている自動車とでは基準系がまったく異なっていて、それを補正するためだ。

欧州原子核研究機構（ＣＥＲＮ）の大型ハドロンコライダーなどの粒子加速器（要するに巨大な遠心機）で研究している物理学者も、素粒子を光の速さに近いスピードまで加速する際にはこの効果をしっかり考慮しなければならない。

アインシュタインは１９１５年に発表した一般相対論において、重力場もまた空間と時間の測定値をゆがめることを示した。その概念を取り入れた２０１４年の映画『インターステラー』（クリストファー・ノーラン監督）では、私たちの知る中でもっとも密度の高い天体、ブラックホールをくぐり抜けて太陽系に戻ってきた主人公クーパーは、娘が自分より何十歳も歳を取っていることを知る。

アインシュタイン相対論は私たちの未来をどう変えるか

ではアインシュタインの相対論は、未来に関する私たちの理解にどんな影響を与えるのか？

そもそも相対論によると、いつ過去が終わって未来が始まるのかを特定する絶対的な方法はない。自分がどこにいてどういう運動をしているかによって答えが変わってくるのだ。私にとって未来に位置する出来事があなたにとっては過去に位置するかもしれないのだから、未来と過去の定義は基準系に左右されることになる。過去も未来も相対的なのだ。

相対論は因果性に関する私たちの理解にも影響を与える。アインシュタインが示したとおり、どんな物体も光より速く運動することはできない。そのため因果的効果が無限の速さで伝わるのは不可能だ。

サッカーワールドカップで私が決勝ゴールを決めたら（確率は低い）、私の勝利の知らせは光の速さで宇宙へ広がっていく。1秒ちょっとで月面の私のファンが喜び、4年と少し経ってから、もっとも近い恒星系ケンタウルス座アルファ星をめぐる惑星上で歓声が上がる。しかしアンドロメダ銀河にいる私のファンが嬉しい知らせを耳にするまでには、250万年もかかる。そのときまで、私の勝利は彼らに何の影響も与えない。まるで、私の勝利によって発生した波紋が、私がゴールを決めた地点から光の速さで広がっていくようなものだ。私から遠い場所ほど、その波紋が届くのに時間がかかるのだ。

光円錐と因果性

アインシュタインとその知人の数学者ヘルマン・ミンコフスキーは、この考え方を「光円錐」という

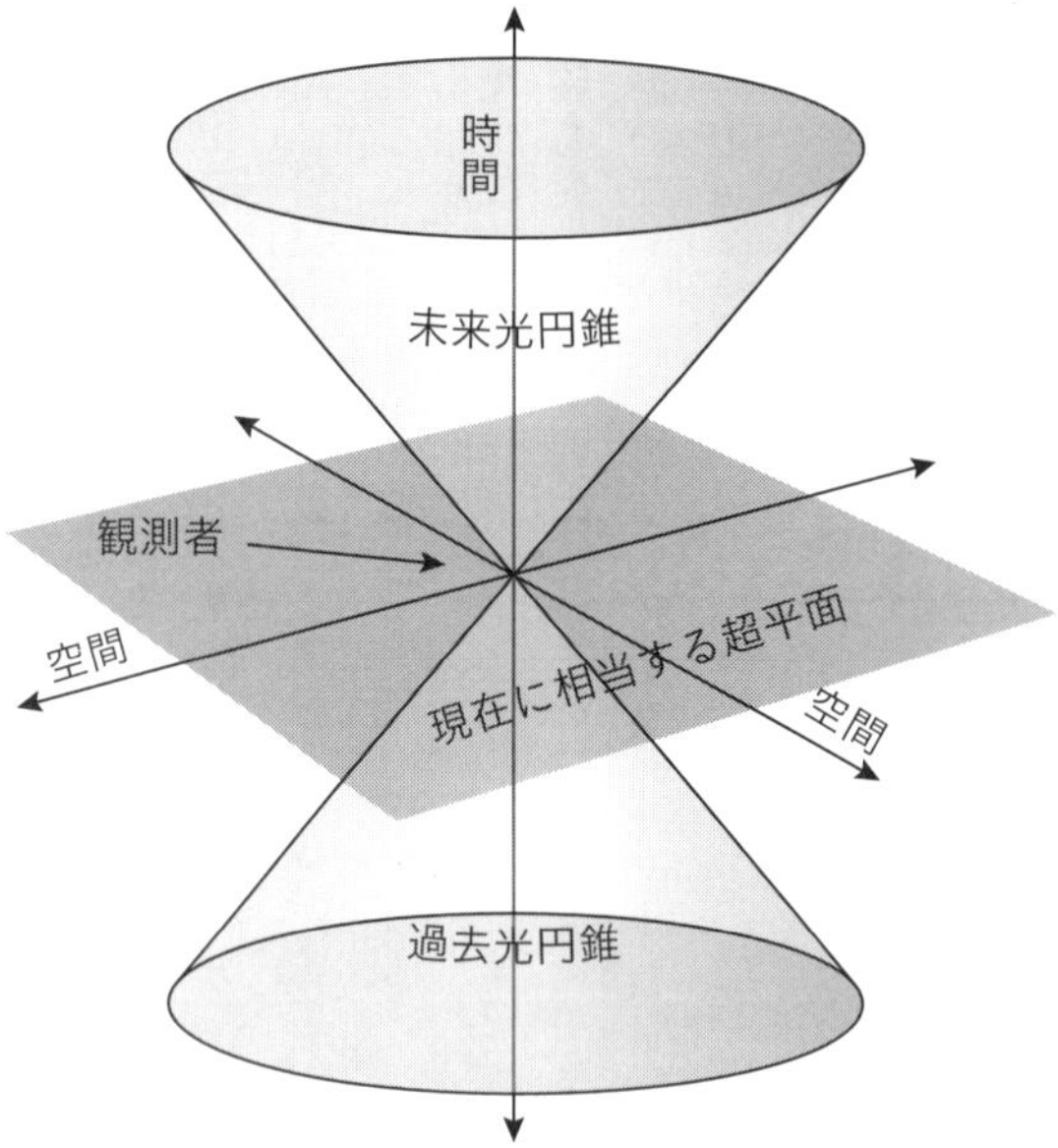

図2.1　アインシュタイン／ミンコフスキーの光円錐と因果性の概念
4次元時空を2次元で表現してある(K. Aainsqatsi, SVG形式: World_line.png, 2007年5月7日, https://commons.wikimedia.org/w/index.php?curid=2210907)。

概念によって模式的に表現した（図2・1）。私が影響を与えることのできる未来の出来事は、未来へ進むにつれて光の速さで広がっていく空間領域、すなわち未来光円錐の中に位置するものだけだ。同様に、私に影響を与えることのできる過去の出来事は、その出来事にとっての未来光円錐の中に私が含まれるようなものだけである。

アインシュタイン／ミンコフスキーの光円錐によってブロック宇宙は、私が何らかの因果関係を持ちうる領域（2つの円錐の内側）と、けっして関係を持ちえない領域とに分けられることになる。

観点主義

要するにアインシュタインが示したとおり、時間や未来に関する疑問について考えるのであれば、どの「基準系」で、すなわちどの立場でその疑問を考えるのかを指定する必要がある。立場が違うと答えが違ってくるからだ。

現在や未来に関する「真理」は、その人の基準系によって変わってくる。

以上の議論に込められている哲学的立場を観点主義といい、哲学者のデイビッド・ダンクスはそれをおおざっぱに、「科学理論やモデル、知識や主張は、客観的で普遍的な真理を必然的に表現しているものではなく、1つの観点に基づくものであるという考え方」と定義している。[8] 相対論によれば、未来と、未来を理解する方法は、観点を踏まえてとらえなければならないのだ。

生物の未来

日常生活では相対論効果は実際上ほとんど違いをもたらさない。あなたもあなたの友人も、あなたの暮らす町もあなたの暮らす惑星も、空間内をおおむね同じ速さで運動していて、ある程度同じ基準系の中にあるからだ。

しかし基準系は運動状態だけで決まるのではなく、ほかの方法でも変化する。何よりも私たち人間の基準系は、私たちが生きているという単純だが深遠な事実によって形作られている。すべての生物は生きていることによって、宇宙、時間、未来とそれぞれ個別の関係を築く。生きていることによって、彼らにとって未来とはどういう意味なのか、どう対処すればいいのかが決まるのだ。

では、生きているとはどういう意味なのか？

この疑問からは、時間に関する議論と同じくらい複雑で難しい議論が生まれている。

生命の定義はいくつもある。たとえばＮＡＳＡは生命を、「ダーウィン的進化をおこなうことのできる自己持続的化学系」と定義している。だが本書では、生物の特徴の中でも未来との関係性を定めているものに焦点を絞る必要がある。

その中でも際立っているものが2つある。

（1）生物は複合体であるため、未来には劣化して崩壊してしまう。
（2）意識的かどうかによらず、生物はあたかも目的や目標を持っているかのように振る舞い、未来を気にかけて方向づけようとする。

生物は「複合体」である

「複合性」と「目的志向性」というこのどちらの概念も、もう少し噛み砕いて説明する必要がある。DNA分子や金魚や私の隣人が複合体であるとはどういう意味なのか？

現代物理学では、重力などのエネルギーやクォークなどの基本的な物質形態を含め、この宇宙のもっとも単純で基本的な構成要素を生み出す、「場《ば》」と呼ばれるものがあちこちに登場する。[9] 場は最大限単純な代物である。何か別のものからできているわけではないが、ほかの力や物体とつかの間出合うことで変化しうる。

この宇宙の大部分を構成する単純な物体や力は、時間の中を前後にランダムに動き回っているかのようだ。そうした単純な物体にとって時間の概念がどんな意味を持っているのかは定かでない。

複合体はそれとは違う。単純な物体よりもすぐれていたり劣っていたりすることはないが、熱力学の第2法則ゆえ、単純な物体よりも稀にしか存在しないし壊れやすい。

しかし私たち人間にとっては、複合体こそがこの宇宙に美や意味や意義を与えている。

複合体を定義するとすれば、多様な構成要素が特定の形で組み合わさって、特有の「創発的」性質を獲得しているものとなる。複合体は、その構造がしばらくのあいだ（数秒かもしれないし数兆年かもしれない）存続するように組み立てられている。存続できなければ私たちはその存在に気づかない。原子や分子は複合体である。星やヒトデもそうだし、結晶や細菌もそうだし、アインシュタインの思考実験で時計と物差しとスピードガンを抱えている観測者もそうだ。

原子は陽子と中性子と電子が特定の形で組み合わさってできており、その組み合わさり方が、さまざまな強さの放射能やほかの原子とのさまざまな反応形態といった創発的性質を与えている。化学者や物理学者はそれらの性質を高い精度で測定できる。原子の構成要素間の関係性は変化しうるため、その構造や性質も変化しうる。

そのため複合体にとって時間には意味がある。時間は変化を意味している。また崩壊も意味している。前の章で説明したとおり、残忍さを秘めた熱力学の第２法則に従って、どんな複合構造体もいずれは構成要素へとばらばらになる。

つまり複合体にとって未来は、いずれ自らが崩壊する時代であって、大きな不安に満ちている。どれだけ存在しつづけるのか？　いつどうやって崩壊するのか？　宇宙全体の物語は、複合体と、それを壊そうとするエントロピーの力とのあいだで繰り広げられるドラマとして語れるのだ[10]。

生物は「目的」を持つかのように振る舞う

生物の持つ２つめの重要な性質は、あたかも目的を持っているかのように振る舞う、つまり「作用」を示すことだ。

ノーベル賞を受賞した遺伝学者のポール・ナースは、「目的志向的な振る舞いが生命を規定する特徴の１つである」と記している[11]。もちろん生物について論じる際には、「目的」や「作用」といった言葉はあくまでも比喩として使われる。物理学における「ダークエネルギー」と同じように、完全には理解できていない現象を指す代用語にすぎないからだ。そのためこれ以降、「目的」や「作用」という言葉は、目的があるように見える振る舞いのことを指していると了解しておいてほしい。

　生きていない複合体は目的を持っているようには見えない。しばらくのあいだは存在しつづけるし、崩壊を免れることもできる。しかしあくまでも、それを形作った物理法則の結果として機械論的に存在しつづけるだけだ。たとえば原子は電磁気力によって、ときに何十億年も結合しあう。しかし恒星の内部などで高温に加熱されればばらばらになってしまうと、自信を持って予測できる。熱を避けたり宇宙と交渉したりするなどということはない。

　生物はそうではない。詩人ディラン・トマスのいうように「おとなしく暗闇に引き下がる」ことはしない。脅威を感じたら「光の死に激しく抵抗する」ようだ。

　細菌が進行方向を変えながら、餌《えさ》となる分子を追いかけたり危険なものから遠ざかったりする様子は、原子とはまったく違っていてもっとずっと予測しづらい。

　細菌の振る舞いはさほど機械論的ではなく、もっと創造的で結果が定まっていない。それもそのはず、細菌はけっして、周囲に渦巻きながらつねに変化する力やエネルギーと均衡状態にはない。ハックルベリー・フィンやジムと同じようにすべての細菌は、変化しつづけるエネルギーと物質の流れの中で、自分の乗った壊れやすい筏を意図的に操って、新たな課題に対する新たな解決法をつねに探しているように見える。細菌はあたかも生き延びたいかのように振る舞いながら、見事な創造性と創意工夫をもって生存を懸けた戦いを繰り広げており、それだけに個々の振る舞いは予測が難しい。

　細菌もあらゆる生物と同じく、エントロピーによる崩壊とつねに戦う運命にあり、そのため未来との関係性はきわめて張り詰めていて不確実でドラマチックである。非生物は未来と受動的に出合うが、生物は弁別力と目的を持って能動的に向き合うように見える。原子や小惑星と違って、向き合う未来を選り好みするようだ。

この外見上の目的志向性はどこから生まれるのだろうか？

完全な答えはいまだ得られていない。多くの伝統的な宗教や哲学では、目的志向性は創造主によって宇宙に組み込まれた属性だとされている。しかし現代科学では、宇宙全体の根底に横たわる目的などというものはいっさい見つけられない。

そこでこんな難題が浮かび上がってくる。目的を持たない宇宙からいったいどうやって、あたかも目的を持っているかのように振る舞う物体が生まれたのだろうか？

目的を持たない宇宙から目的を持つかのような生命が生まれた：自然選択

生物が外見上の目的志向性を持っていることの説明として、今日示されている中でもっとも説得力のあるのは、チャールズ・ダーウィンが「自然選択」と呼んだ盲目的で無目的のメカニズムから生じて維持されているというものだ。

哲学者のダニエル・デネットは、「自然選択による進化のプロセスは……未来を予見する力をいっさい持たないが、……それでも未来を予見する力を持った存在を徐々に作り上げていく」と述べている。[12]

進化のプロセスによって生物は生存のための術を次々に備えていき、それらの生存術を利用できるように設計されていく。生物は自身のコピーを作るので、たとえ特定の個体が死んだとしても、その構造と、その個体がしばらくのあいだ生存のために使っていたスキルは、そのコピーによって維持される。それだからすべての生物は、あたかも生存と増殖という２つの基本的な目的を持っているかのように振る舞うのだ。

自然選択の真の美点は、複製プロセスが不完全なことに由来する。不完全であることによってわずかに異なる変異体が生じ、そのうちのいくつかが新たな生存方法を生み出すかもしれない。そして生き延びたものだけが増殖するため、生存確率を高めるような適応形質が何世代にもわたって受け継がれることになる。

生物が自然選択によって柔軟で幅広い術を獲得し、それによってさまざまな環境における不確実な未来に対応できるようになった理由は、こんなふうに説明できるのだ。

そうした生存術の中でももっとも基本的なものの1つが、まさに「目的」を持つことだ。何が起こるかをいっさい気にしていないように見える生物など見つからない。今日私たちの目にしている生物がここに存在するのは、その祖先たちがあたかも生き延びて増殖したがっているかのように振る舞ったからだ。暗幕に覆われた未来から思いがけない破壊的な力につねに攻撃されながらも、どうにかして生き延びて増殖したからだ。すべての生物がこれほどまでに創造的に未来を思考して操ることができる理由は、40億年におよぶ自然選択によって説明できるのだ。

要するに生物は、おのおの特定の基準系から未来に立ち向かう。第1に、生物は複合体であってつねに崩壊の危険にさらされているため、未来との関係性には必ずA系列時間の動的で不確実な面が伴っている。第2に、生物はあたかも未来を気にかけているかのように、目的を持って振る舞うように見える。また、生き延びて増殖し、さらには繁栄できるような未来を積極的かつ創造的に追い求めているように見える。

生物にとって未来とは、確実な事柄がほとんどなく、危険に満ちていて、運に委ねるしかない領域だ。しかし完全に無力なわけではない。生態学者のカール・サフィナは、トビウオの危険な世界を描いた見事な著作の中でこう記している。

「トビウオの、鳥の、あらゆる生物の成功はすべてつかの間にすぎないが、つかの間の成功がすべてである」[13]

未来を予測して操る：一般的原理

では生物はどうやって、未来のような実体のないものに影響を与えることができるのだろうか？あらゆる生物の未来思考に当てはまる基本原理がいくつかある。すでにいくつか見てきたが、ここでもっと形式的に説明しよう。

第1の原理：未来は証拠にしばられない

第1の原理は単純。未来から証拠など得られないので、日食のような稀なケースを除けば、起こるかもしれない未来の詳細な知識を得ることは期待できないが、それでも過去の知識に基づいて予測することはできる。

歴史学者のR・G・コリングウッドが訴えているように、起こるかもしれない未来に関する私たちの仮説と突き合わせられる未来文書のようなものは存在しない[14]。私の出生証明書には私がいつどこで生まれたかは記されているが、いつどこでどうやって死ぬかを記した死亡証明書は（まだ）ない。

つまり未来に関する主張は、歴史や科学や法律に関する主張と違って証拠に強くしばられてはいない。当然、未来思考のルールもそれらとは大きく異なるのだ。

第2の原理：未来の証拠は過去にしか存在しない

第2の原理は第1の原理から導き出される。起こりうる未来に関する証拠は過去にしか存在しないという、逆説的な原理だ。

私たちはみな、ダンテの『神曲　地獄篇』（河出文庫ほか）に出てくる占い師のように、頭を後ろにひねられている。私たちが本来の許容範囲よりも多用する探求戦略の1つに、過去を調べることで未来を予測しようとする方法がある。私はこれを、トルコの名高い賢人の物語にちなんで「ナシュレディン・ホジャ法」と呼びたい。

> ある晩、ナシュレディン・ホジャが自宅の暗い地下室で結婚指輪をなくした。探してみたが見つからない。するとやがて表に出て、街灯の下を探しはじめた。
> 友人にどうしてそんな場所を探しているのかと尋ねられると、ホジャは答えた。
> 「光が当たっている場所だからね」

ナシュレディン・ホジャ法では、いわば光の当たっている場所を探す。本書に即していうなら、隠された未来に関する証拠を、明るく照らされた過去の世界の中に探すということだ。そのためすべての生物は、過去と現在に自分の周りで渦巻く潮流を感知するために、センサー分子や感覚器官を備えている。その過去と現在の潮流が、未来に隠されている潮流を方向づけるかもしれないからだ。

アウグスティヌスもそのことを理解して次のように述べている。

「未来がわかったという人が見ているものは、まだ存在していない出来事ではなく、……すでに存在しているそれらの原因や徴候なのでしょう。……それらをもとにすれば、精神の中で未来を思い描いて予言することができるのです」[15]

第3の原理：未来思考が未来を方向づける

未来思考にとっての第3の一般的原理は、未来に関する私たちの考えが未来を方向づけるというものである。

時間の川の流れがどんなに激しくても、細菌ですら自らの命を託した壊れやすい筏をある程度操っていて、そのため彼らの振る舞いは未来を方向づける。

今日ほとんどの科学者が、化石燃料を燃やしつづければ世界の気候が危険な状態に様変わりすると確信している。起こりうる未来に関するこの直感は今日の行動に影響を与えていて、それが今後数十年間の気候変動の道筋を方向づけることになる。

過去思考（すなわち歴史）は、過去に関する私たちの考え方を変えることはできるが、わかっている限り実際に過去を変えることはできない。それに対して未来思考は、まさにその対象である未来を方向づけることができるのだ。

第4の原理：トレンドハンティング

第4の原理はもっとも根本的でもっとも複雑である。未来からの証拠は得られないものの、未来に関する有望な手がかりを過去の中に見つけることは可能だ。その方法はおもに2つある。

（1）目的を持ったほかの存在に、何をしようとしているのかを尋ねる。

（2）過去の潮流やトレンドを調べ、それに基づいて慎重に未来を予測する（図2・2）。

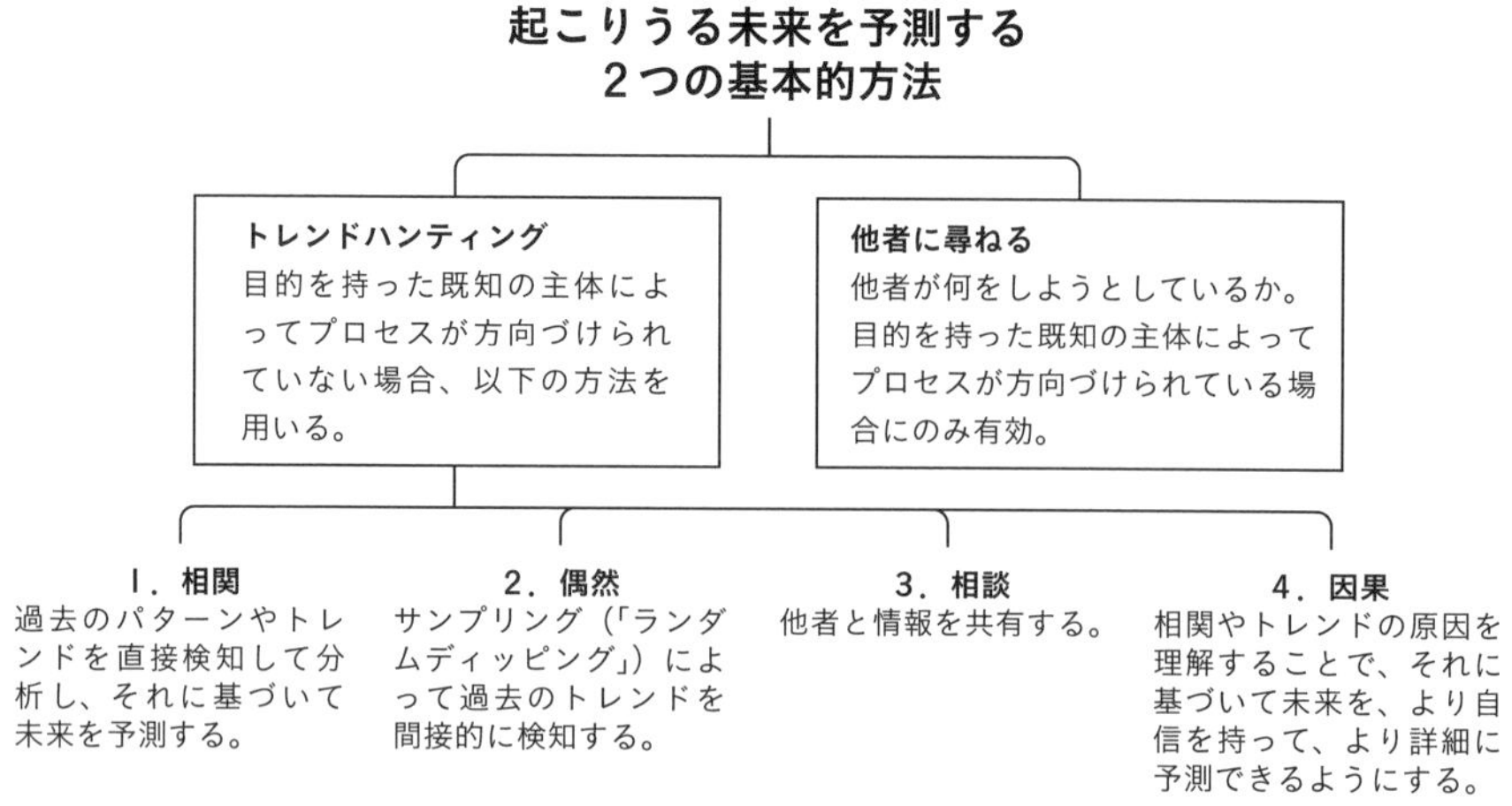
起こりうる未来を予測する
2つの基本的方法
トレンドハンティング
目的を持った既知の主体によってプロセスが方向づけられていない場合、以下の方法を用いる。
他者に尋ねる
他者が何をしようとしているか。目的を持った既知の主体によってプロセスが方向づけられている場合にのみ有効。
1．相関
過去のパターンやトレンドを直接検知して分析し、それに基づいて未来を予測する。
2．偶然
サンプリング（「ランダムディッピング」）によって過去のトレンドを間接的に検知する。
3．相談
他者と情報を共有する。
4．因果
相関やトレンドの原因を理解することで、それに基づいて未来を、より自信を持って、より詳細に予測できるようにする。

図2.2　起こりうる未来を過去に基づいて予測する方法

起こりうる未来に関する手がかりを得るためのもっとも単純な方法は、目的を持ったほかの存在に、何をしようとしているのかを尋ねることだ。

人類は言語のおかげでこの戦略をきわめて巧みに駆使することができる。私たちはたえず他者（超自然的存在を含む）に意図を尋ねている。

「陪審員のみなさん、この人物は有罪と無罪のどちらと判断しますか？」

「アポロンよ、地上から我が敵どもを追い払ってくれないか？」

しかし他者に伺いを立てることで未来のことを知るという戦略は、限られた場合にしか役に立たない。未来が誰かの決定にかかっていて、その誰かとやり取りをしたり影響を与えたりできると考えている場合だけだ。この戦略は、古代の占いについて論じる第6章で重大な意味を帯びてくる。

トレンドハンティングとは何か

過去を未来の道しるべとして用いる方法の中でももっ

とも重要なのが、「トレンドハンティング（トレンドの探求）」である。これはちょうど、自分の乗った船がどんな流れで流されているかを調べることで、どこに流されていきそうか、進路を変えられるかどうかを判断するようなものだ。

トレンドハンティングはすべての生物が実践していて、人間にとっても真っ先に頼る戦略だ。人間の心はつねにほぼ無意識に、もっともらしいトレンドを探したり推定したりしている。トレンドハンティングでは確実な事柄を探すのではない。未来に確実な事柄などないし、たとえあったとしても、それを見つけたと自覚できるまで待つだけの時間もリソースもない。

トレンドハンティングではその代わりに、未来にも続くものと期待される一般的なパターンを探す。競馬で賭けるのに少し似ている。そのため私たちは、自分が操れると考えるような潮流やトレンドを探すことが多い。

経済学者のブライアン・アーサーは、ハックルベリー・フィンも喜んだかもしれないこんなたとえを挙げている。

自分が蒸気船であって、川をさかのぼれると考えているのであれば、それはうぬぼれだ。実際には川を流れ下る折り紙の船の船長にすぎない。流れに抗《あらが》おうとしたらどこにも行けない。逆に流れをじっと観察して、自分がその流れの一部であることに気づき、その流れが絶えず変化していてつねに新しい複雑な場面に向かっていることに気づけば、ときには川にオールを沈めて渦《うず》から渦へと乗り移ることができる。[16]

方法①：相関を直接検出する

トレンドハンティングはそもそも確率論的な性格を持っている。しかし過去のトレンドの中には、きわめて規則的であって、それに基づいて自信を持って未来を予測できるものもある。そのため、トレンドハンティングはきわめて強力な方法になりうる。死、徴税、そして夜明けの日の出は、過去に関するどんな事実とも同じくらい確実に起こる。

トレンドハンティングの方法はおもに4つある。

第1のもっとも汎用的な方法は、気温が下がるとクマは冬眠するといったような、相関やトレンドを直接検出する方法だ。現在起こっていることに関する情報は起こるかもしれない未来に制約をかけるため、どんな形の未来思考においても（すぐれた）情報はきわめて重要である。自分の持ち札にスペードのエースがあれば、ほかのどのプレーヤーもスペードのエースは出さないとわかる。

一般的な規則として、トレンドに関する情報が多ければ多いほどすぐれた予測ができる。新型コロナウイルスのパンデミックのピーク時、各国政府が感染率の変化に関するあれほど詳細な統計データを収集したのもそのためだ。

方法②：ランダムディッピング

トレンドハンティングの第2の方法は、「ランダムディッピング（手当たり次第に取り出してみる）」と呼ばれるものだ。金鉱を探している人と同じように、とりあえずどこか掘ってみて何か出てこないかと期待をかける。有望なトレンドがたまたま見つかることを期待して、ランダムにサンプルを取るのだ。「モンテカルロシミュレーション」などの現代数学の手法には、このランダムディッピングがきわめて高度な形で利用されている。

自然選択もつねにランダムディッピングを利用している。遺伝子のルーレットを回してはランダムな変異を一つひとつ試し、うまくいくものを探すのだ。世論調査員も同じで、ランダムに選んだ有権者に質問することで、起こりうる選挙結果に関する手がかりをつかもうとする。

方法③：共有された知識を活用する

情報を共有できるすべての生物（植物もある程度共有できる）は、トレンドハンティングの第３の方法として、現在起こっていることや近い未来に起こりそうなことに関する共有の知識に基づく方法を駆使する。

方法④：原因を調べる

さらに人間（おそらく人間のみ）は第４の方法として、トレンドの原因を体系的に調べる。私たちは、そもそもなぜトレンドが存在するのかを調べる。それがわかれば、未来にどんなトレンドが現れるかをはるかによく推測できるからだ。

ニュートンの運動法則によって、砲弾やリンゴや惑星が測定可能な正確な形で運動している理由を説明できるようになった。そしてその因果関係を理解することで、それらの軌道をより高い精度で未来に向けて延長できるようになった。第７章では、因果関係の理解の進展によって、現代科学の予測力の大部分を説明できることを見ていく。

帰納論理

１秒にも満たない時間で物事が変化しうることがわかっているというのに、なぜ過去のトレンドを信頼して起こりうる未来に関する道しるべを得るべきなのだろうか?

トレンドハンティングの根底をなす論理のことを、哲学者は「帰納論理」または単に「帰納」と呼んでいる。これは、たとえばエウクレイデスの数学の定理を支える「演繹論理」とは異なる。公理が正しい限り、慎重に演繹をおこなえば、完全に真である結果を確実に得られる。

一方、帰納論理では完璧な知識は得られない。しかし確実に真である公理などほとんど存在しないため、実用上は演繹論理よりも役に立つ。帰納論理では過去のパターンを探して、そのパターンが今後も続くものとほぼ根拠なしに信じる。現在のパターンが今後も続く保証はないので、つねに正しい結論が得られるとは限らない。

帰納主義者の七面鳥

バートランド・ラッセルは帰納法の限界を説明するために、帰納主義者である七面鳥の悲劇の物語を創作した。

> その帰納主義者の七面鳥は、来る日も来る日も朝9時に餌を与えられていることに気づいた。そしてその予測はその後も毎日当たっていた。
>
> そこで12月のある晴れた日、その過去の経験に基づいて、ある一般的な(帰納的な)真理を確信する。これからもずっと朝9時に餌をもらえるという真理だ。
>
> ところが悲劇的なことに、この日は広くおこなわれる人間のとある儀式、クリスマスの前日だった。七面鳥は、未来は明るくて前途有望だと思ったその日に、絞められて焼かれてしまった。
>
> 科学哲学者のアラン・チャルマーズが記しているように、残酷にも「真である前提に基づく帰納的推論

から偽である結論が導き出されたのだ」[17]。

帰納法には確かに限界があるものの、この世界はエウクレイデスの数学ほどには整然としておらず、論理的でも予測可能でもないので、私たちは帰納法を使わざるをえない。帰納的論法は多くの場合正しい結論を導き出すのだから、あの帰納主義者の七面鳥も実際に正しい方向に進んでいたといえる。デイビッド・ヒュームは帰納法の根底をなす原理を、「私たちが経験したことのない事例も私たちが経験したことのある事例に似ているはずで、自然の進む道はつねに同じように斉一《せいいつ》的に続くとする原理」と的確に説明している[18]。

これはまさに、見える事柄が隠れた事柄の手がかりになるという、ナシュレディン・ホジャの原理そのものだ。目に見える時間の側面が、隠れた側面に関する事柄を教えてくれるかもしれない。しかし確実に知ることはできない。

ヒュームのいう斉一性の原理は実際には哲学的法則や科学的法則ではなく、効力のある直感、あるいはもっと率直にいうと「根拠の薄い確信」にすぎない。ヒュームがいうように、「私たちは単に習慣的に、未来は過去に似ていると考える定めにあるのだ」[19]。

私は過去これまで、夜明けに太陽が昇るのを何度も見てきたため、未来にも太陽は昇りつづけると完全に思い込んでいる。保証はいっさいないが、この直感は十分にすぐれており、不完全な知識の世界では賭ける価値がある。それどころか、自分の予測を単に真理として扱うこともできるだろう。

気候変動に関する政府間パネル（ＩＰＣＣ）の２０１０年の報告書では、こんな執筆指針が示されている。

「圧倒的な証拠や合意のある知見は、不確実であることを示す限定詞を用いずに事実の陳述として表現

することが適切であろう」（表2・1を見よ）

なぜ帰納法はこれほど通用するのか

過去きわめてうまく通用してきたがゆえに、私たちが単に真理であるとして扱っているような直感は数多くある。

たとえば仏教では、死に関する思索から次のようないくつもの信用できる予測が導き出されている。

（1）死は避けようがない。
（2）余命は絶えず短くなっていく。
（3）死は、備えていようがいまいがいずれやって来る。
（4）人間の寿命は定まっていない。
（5）死の原因はいくつもある。
（6）人間の身体は壊れやすくて傷つきやすい。[20]

しかし私たちが帰納法を用いているのは、単なる習慣や盲信ゆえではない。帰納法がこれほど頻繁に通用するのにはもっと深い理由がある。

詳細に至るまであらかじめ定まっている事柄など何一つないものの、この宇宙はけっして混沌としてはいない。一般的な法則が存在しているために、天文学で観測される事柄など、未来に向けて合理的に延長できる規則性やトレンドがいくつも成り立っているのだ。

その法則の多くは確率論的である。これから起こるすべての事柄をあらかじめ定めているわけではないが、ときに手綱を緩めて、ときにぴんと張って、さまざまな出来事を導く。

起こりうる事柄にはそんなふうにして制限がかけられており、そのためほかの未来よりも起こる可能性の高い未来が確かに存在する。

たとえばこの宇宙のもっとも基本的な法則の1つによれば、重力は必ず物体を引き寄せ合う。この法則によって、この宇宙では何十億年ものあいだ恒星が生まれつづけているというトレンドを説明できる。重力によって恒星の中心部で陽子がぎゅうぎゅう詰めになるからだ。しかしこの法則は、一つひとつの恒星がいつどこで生まれるのかを定めてはいない。帰納法に基づく直感は、正しいことがけっして保証されてはいないのに、多くの場合正しい。その理由は変化に関する基本的な法則の存在によって説明できるのだ。

ひとたびトレンドを特定できれば、それをもとにして、起こるかもしれない、あるいは起こりうる未来の地図やモデルを描き出すことができる。

すべての生物は、限られた形ではあるが未来のモデルを立てて、もっとも可能性が高いとにらんだ未来に備える。

私たち人間はそれを驚くほど巧みにおこなっている。感覚器官では確実な情報がほとんど得られないため、起こるかもしれない未来のさまざまなモデルを精神の中で組み立てる。

たとえば私たちの目は、電磁波スペクトルのごく一部しか感知できない。しかし第4章で述べるとおり、自然選択によって人間に備えられた未来予測システムは、過去の経験に基づく推測によってその欠損を埋め合わせる。こちらに突進してくるトラックを一瞬目にすれば、その情報だけで、自分が虫けらのように押しつぶされる不愉快な未来のモデルを立てることができる。しかしそれとともにもっと好ましい未来のモデルも立てて、トラックをよけることができる。

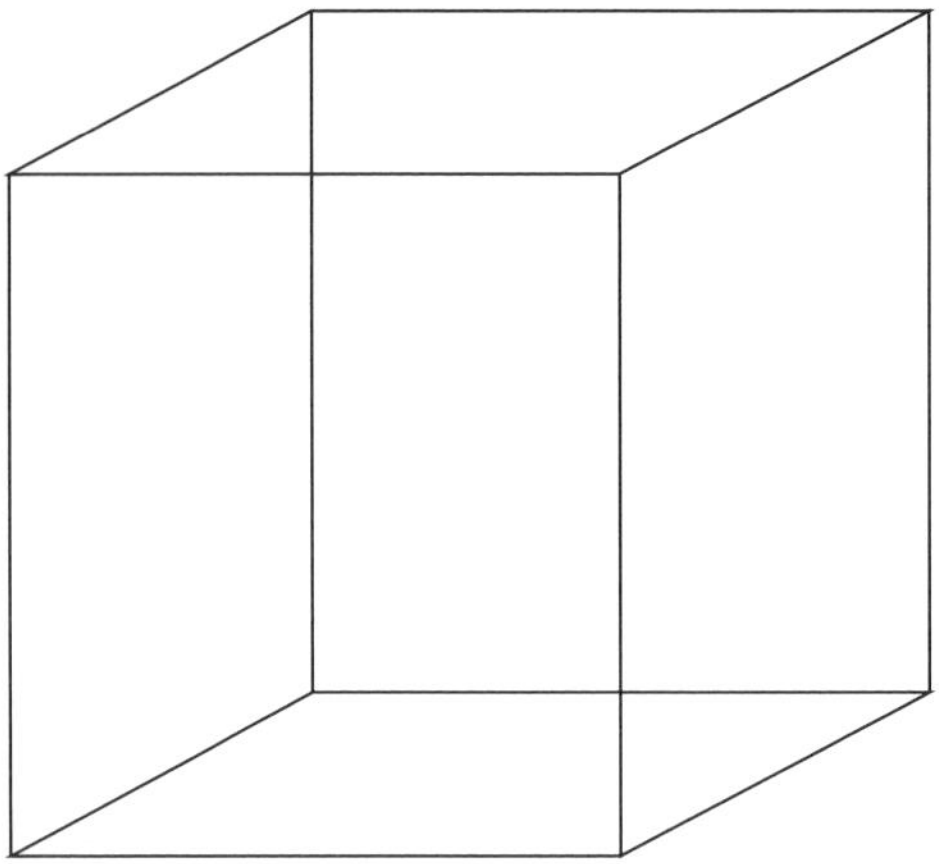

図2.3　ネッカーの立方体を使って、人間の精神がモデルを構築する様子を観察する。

欠けた情報を補う：ネッカーの立方体

情報が欠けている場合に人間の精神は、どうやって埋め合わせをしてモデルを組み立てるのか、それはさまざまな錯視から読み取れる。

図２・３に示した「ネッカーの立方体」は、12本の直線だけからできている。[21] しかししばらく見つめていれば、自分の精神がそのわずかな情報を使って目の前の物体のモデルを立てる様子を観察できる。きっと３次元の立方体が見えてくるだろう。

しかし錯視図形はあいまいな形に作られていて、自分の精神が代わりのモデルを組み立てようと苦心する様子も観察できる。この図の場合は、立方体の正面が左下を向いているのか、それとも右上を向いているのか判断できない。５秒ほど見つめていると向きが反転するはずだ。

子供は遊びの中でこうしたおもちゃの世界をつねに構築している。チェスプレーヤーもゲームのさまざまな展開を推定するし、芸術家や科学者も世界の成り立ちに関する新たな仮説を追求する。

モデルの構築は現代科学の根幹をなしている。そして、過去のトレンドに関する情報に基づいて数多くの未来モデルを構築することが、あらゆる未来思考の礎となる。完璧なモデルなど存在しない。しかしイギリスの統計学者ジョージ・ボックスがいうように、「すべてのモデルは間違っているが、いくつかのモデルは役に立つのだ[22]」。

さまざまなトレンドを区別する

トレンドハンティングをおこなう場合には、さまざまなタイプのトレンドを区別することも重要だ。トレンドにはさまざまな形のものがある。直線状のものもあれば、指数関数的なもの、波のような形のもの、あるいはあまりにも不規則で信頼できる予測ができないものもある。未来思考にとってもっとも役に立つのは、もちろん規則的なトレンドだ。

天文学などいくつかの分野には信頼できる機械論的トレンドが数多く存在し、それをもとに強力でときにきわめて詳細な予測をおこなうことができる。天文学者は、あなたのいる場所で次にいつ月食が見られるか、さらにはどれだけ長く続くかを断言できる。

政治などほかの分野では、人間の行動がすべての生物と同じくきわめて予測しにくいために、規則的なトレンドはほとんど見られない。

現実の分野の中には、信頼できる予測の根拠がいっさい得られないものもある。今後10年間の利率を予測してみろなんていわないでほしい。未来の大部分は真っ暗闇だ。

また、真のトレンドとまやかしのトレンド、統計学者のいう「シグナル」と「ノイズ」を見分けることも必要だ[23]。夕暮れ時の森に何かが潜んでいる。クマだろうか？　それとも茂みが風で揺れているだけだろうか？

起こりうる複数の未来からたった1つが実現する瞬間とは

私たちのあらゆる未来思考においてもっとも重要なのは、起こるかもしれない複数の未来がたった1つの現在となる決定的で劇的で謎めいた瞬間である。私たちはその瞬間を予測して行動しなければならない。

未来思考によってさまざまな可能性を絞り込んでその瞬間に備えるが、起こりうる未来をたった1つに絞り込めることはめったにない。

ではどのくらいまで絞り込んだ予測をすべきなのか？　私たちはギャンブラーと同じく、難しい選択に直面する。大勝を期待してたった1つの勝者（ウマかもしれないし企業かもしれない）を予測することにすべてを賭けるべきか？　それとも、いくつものウマや企業に分散して賭けることで、期待される儲けが少なくなる代わりに当たる確率を高めるべきか？

縁日の占い師なら誰でも知っているとおり、予測をおこなう際には、具体的すぎる答えは避けなければならないし（ほぼ確実に外れてしまう）、漠然すぎる答えも避けなければならない（関心を持ってもらえない）。「明日、背が高くて浅黒くてお金持ちの人と出会い、1週間後に結婚します」という占いは、具体的すぎて当たらない。「誰かと出会います」という占いはきっと当たるだろうが、漠然としすぎていておもしろくも何ともない。「なるようになる」という予言は最高に信頼できるが、誰がそんなこと聞きたいだろうか？[24]

哲学者のニコラス・レッシャーはこの関係性を、「ほかの条件が等しければ、情報量の多い予測ほど不確実で、逆に情報量の少ない予測ほど確実であるという、厄介な一般原理」と表現している。[25]どんなタイプの未来思考においても、一般性と正確さのあいだの最適点を見つけることがもっとも難しい課題となるだろう。

驚くことにどんな生物も、自然選択によって未来思考のメカニズムに数多くの改良が加えられているため、この課題をかなりうまくこなすことができる。そのスキルを持っていなかったら、地球上で40億年近く生命が生き長らえることはできなかっただろう。

想像上の未来の地形：未来円錐

起こるかもしれない未来に関する私たちの考えが漠然としているのは、過去に関する考えと違って詳細な証拠や日づけ、名前、出来事にしばられていないからだ。そのため、起こりうる未来を垣間見ようとする私たちは、霧にかすんだ想像上の地形を眺めているのだとみなすことができる。そうした未来の地形の中には、架空の怪物が棲《す》む遠くの陸地を描いた中世の地図のように突飛なものもあるかもしれない。一方、驚くほど的を射ているものもあるかもしれない。

未来の地形をいかに想像するかは重要である。なぜなら、先ほど挙げた第3の一般的原理からわかるとおり、想像した地形が私たちの行動を方向づけ、今日の私たちの行動が明日出合う未来を方向づけるからだ。

その想像上の地形がどんなものかを感じ取るために、再び未来円錐の概念を使うことにしよう。これから説明するいくつかの未来円錐は、本章の前のほうで登場したアインシュタイン／ミンコフスキーの光円錐に手を加えたものだ。実際の未来を表現しようとしたものでないことは念を押しておきたい。この未来円錐が表現しているのは、未来になったときに出くわすかもしれないと考えられるさまざまなタイプの地形にすぎない。

このあと登場する3枚の図は、想像上の未来の地形が持つもっとも重要な特徴のいくつかを表現して

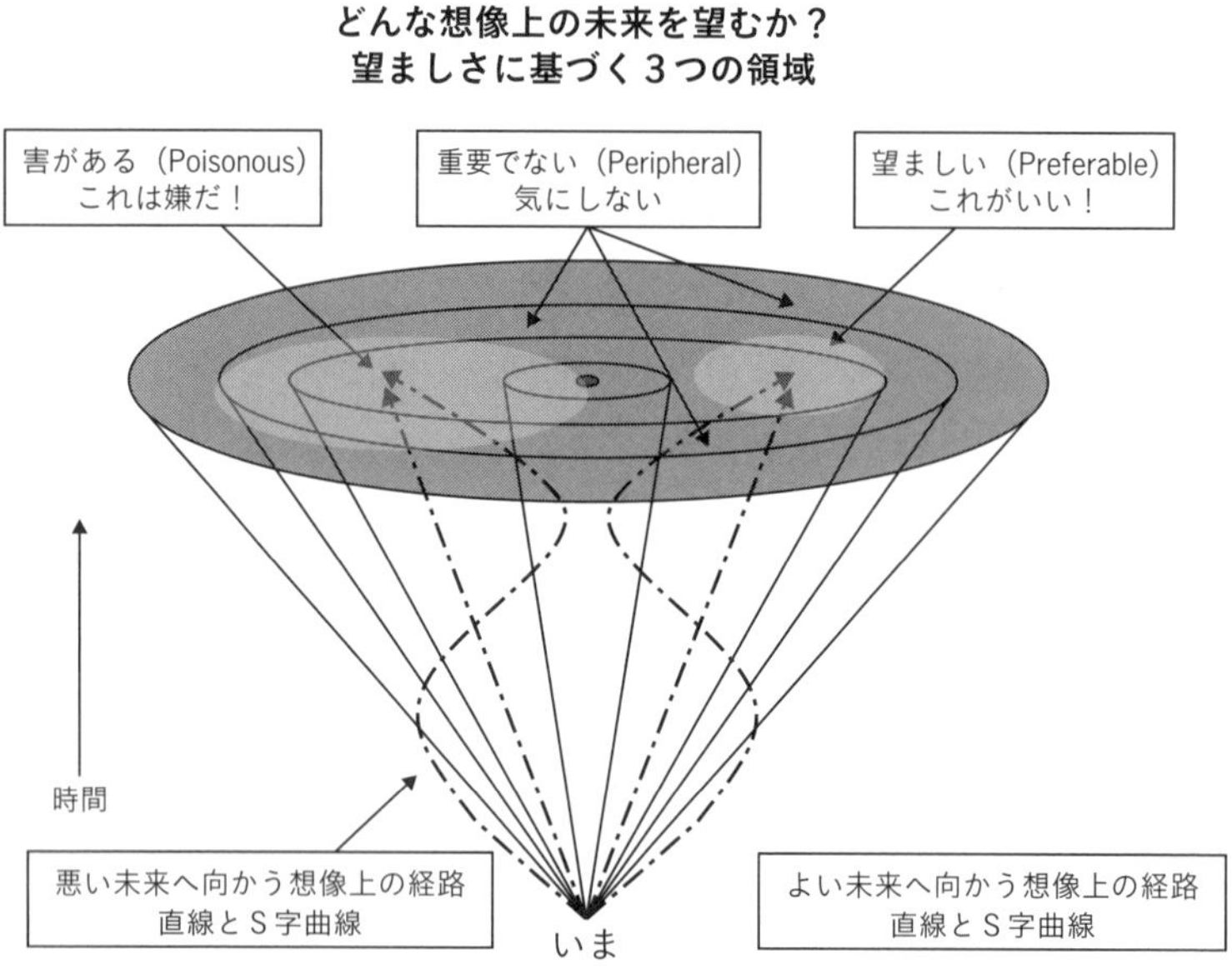

図2.4　未来円錐その1：好みに基づく各領域

いる。未来学者の風変わりな慣習（理由は定かでない）に従って、未来の各領域を〝Ｐ〟（「Probability」（確率）の頭文字だろうか）から始まる形容詞で表すことにする。各領域の正確な位置はとくに定まっていないので、深読みしないように。

未来円錐その1：どんな未来を好むか

目的を持った存在である私たちが未来についてまず考えなければならないのは、どんな未来を好むかだ。

1枚目の未来円錐の図で表現しようとしたのは、未来の地形の中には悪い地域とよい地域、そしてたくさんの中間の地域があるという私たちの直観的感覚である（図2・4）。私たちはたいてい、よい地域、ユートピアを目指し、悪い地域は避けようとする。

第2に考えるべきは、どの未来がもっとも起こる可能性が高いかだ。そこでは過去のトレンドに道しるべを求める。しかし過去のト

表2.1　IPCCによる「結論が現実となる確率」を表すスケール（2010年）

表現	その結論が現実となる確率
ほぼ確実（Virtually certain）	99–100%
可能性がきわめて高い（Very likely）	90–100%
可能性が高い（Likely）	66–100%
どちらも同程度（About as likely as not）	33–66%
可能性が低い（Unlikely）	0–33%
可能性が非常に低い（Very unlikely）	0–10%
ほぼありえない（Exceptionally unlikely）	0–1%

レンドは規則性もさまざまだし、示す道もそれぞれ異なる。天気予報や気候変動予測などの分野では、確率をいくつもの等級に分けた尺度が広く使われている。たとえばＩＰＣＣの２０１０年の執筆指針では、表２・１のような７段階のスケールが提案されている。

本書ではもっと単純化し、予測がどの程度可能であるかに基づいて領域を４つだけに分けることにする。確率の数値は単なる目安なので、重くとらえすぎないように。

未来円錐その2：予測可能性

未来円錐その２（図２・５）における色の濃い外側の領域では、役に立つトレンドがほとんど、あるいはまったく見つからず、起こるかもしれない未来への道しるべがきわめて少ないため、一般的に予測は「荒唐無稽」に思える。

明日、超新星爆発によって太陽系は消え去るか？　まったくわからない。哲学者のトビー・オードは、今後１００年間でそうしたことが起こる確率を５０００万分の１未満と推定している。[26] しかしオード本人ですら、それは単なる当てずっぽうだと承知している。

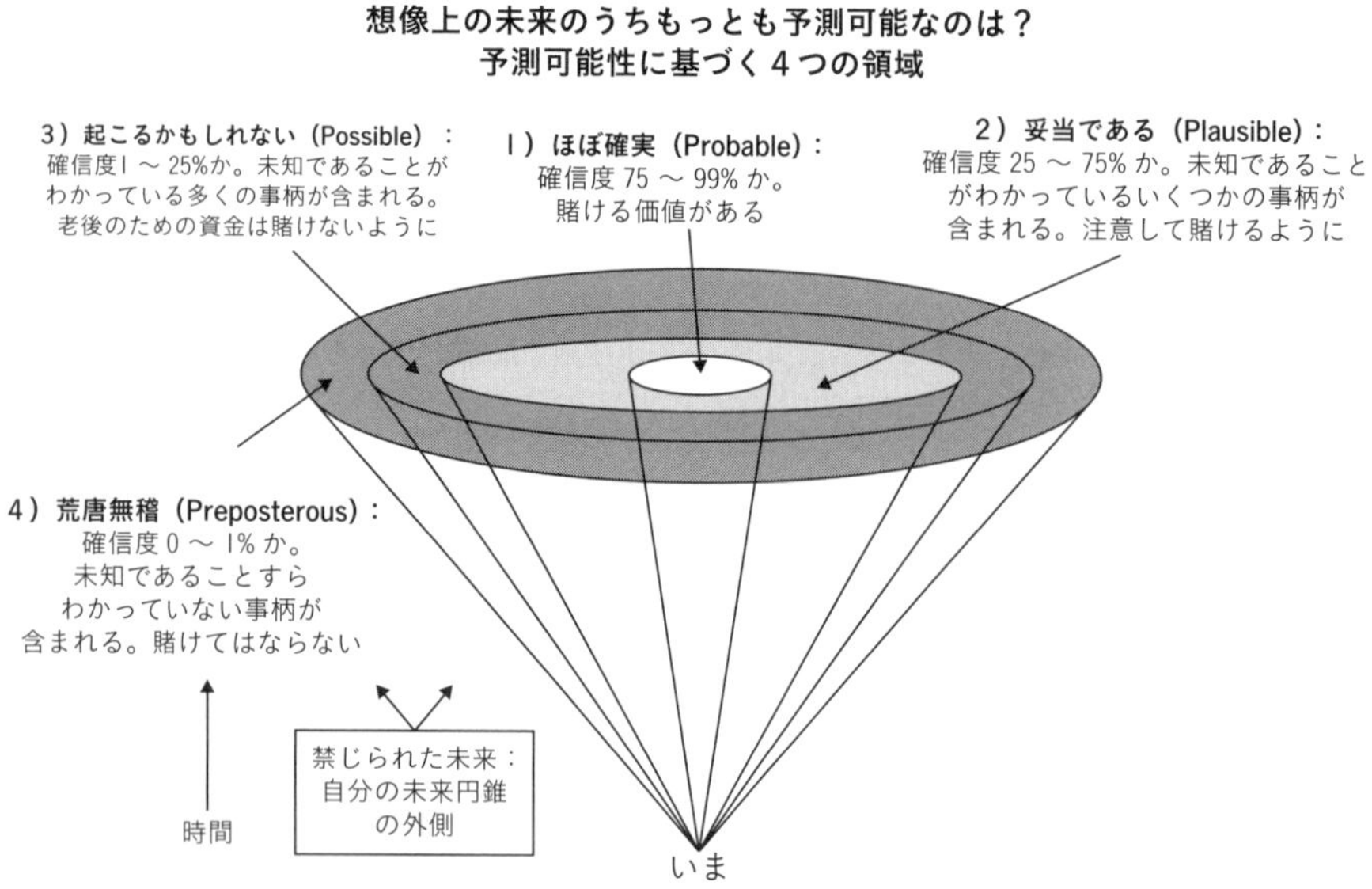
想像上の未来のうちもっとも予測可能なのは？
予測可能性に基づく４つの領域
3）起こるかもしれない（Possible）：
確信度1 〜 25%か。未知であることがわかっている多くの事柄が含まれる。老後のための資金は賭けないように
1）ほぼ確実（Probable）：
確信度 75 〜 99% か。賭ける価値がある
2）妥当である（Plausible）：
確信度 25 〜 75% か。未知であることがわかっているいくつかの事柄が含まれる。注意して賭けるように
4）荒唐無稽（Preposterous）：
確信度 0 〜 1% か。未知であることすらわかっていない事柄が含まれる。賭けてはならない
禁じられた未来：自分の未来円錐の外側
時間
いま

図2.5　未来円錐その2：予測可能性に基づく各領域

次に未来円錐を1つ内側に入って、「起こるかもしれない」の領域では、出来事の起こり方はまだかなり不規則で、自信を持った予測に役立つような信頼できるトレンドやパターンは見られない。この領域に含まれる未来は確かに起こるかもしれないが、あまり大金を賭けるべきではない。いまから30年以内に核融合技術が完成して、汚染を引き起こさない豊富なエネルギーが得られるようになるか？　なるかもしれないが、それ以上のことはあまりいえない。

未来円錐をさらに1つ内側に入ると、もっと信頼できるトレンドが見られて、「妥当である」手がかりが得られるが、確実ではない。この領域に数多く含まれる確率論的なプロセスでは、多数の結果の全体的傾向については予測できるが、個々の出来事は予測できない。ウラン鉱の塊の半分が壊変するのにかかる時間には賭けてもいいが、ある特定の原子がいつ壊変するかには賭けたくない（その予測は

「荒唐無稽」の領域に含まれる)。

「妥当である」の領域では、賭けるのはいいが注意が必要だ。競馬のメルボルンカップで贔屓《ひいき》のウマが勝つか？　人間や競走馬のような、目的を持った生物の行動は、「起こるかもしれない」の領域と「妥当である」の領域の両方にまたがっている。そのため、政治に関する予測はとくに興味深いものの、かなり油断ならない。世界中の政治指導者が地球温暖化対策に真剣に取り組んで、２０５０年までに二酸化炭素排出量をゼロにできるか？　できるかもしれないが、はたしていくら賭けたいだろうか？

最後に、未来円錐の中心には「ほぼ確実」の領域がある。この領域では、規則的で機械論的で法則に則ったプロセスを対象とするため、たった1回の出来事の結果にもある程度の自信を持って賭けることができる。この領域には、毎朝太陽が昇る、政府が税金の支払いを催促する、そしていずれエントロピーによって私たちはばらばらになるといった出来事が含まれる。化学者にとってはなじみ深い領域だ。ある程度の量の2,4,6-トリニトロトルエン（ＴＮＴ）に点火すれば爆発する。この領域における私たちの予測は「信念に基づく確実性」を持っていると考えることができる。

第7章で述べるとおり、現代科学や、未来に関する現代的な思索によって、予測可能性の低いいくつかのプロセスがもっと予測可能性の高い領域に移動している。いまでは天文学者は地球近傍の小惑星の運動を追跡することができ、小惑星の地球衝突に関する予測は「荒唐無稽」の領域から「妥当である」の領域へと移っている。特定の病気による死亡率の予測など、医療に関する多くの予測、そして人口増加や地球の気候に関する予測も、同様の方向へ移動している。

実際には予測可能性の程度は無限に細かいグラデーションをなして異なっているため、起こりうる未来かどうかの見極めは、この4分割スケールよりもはるかに微妙だ。

政治やスポーツに関する予測システムを構築したアメリカの統計学者ネイト・シルバーによると、ア

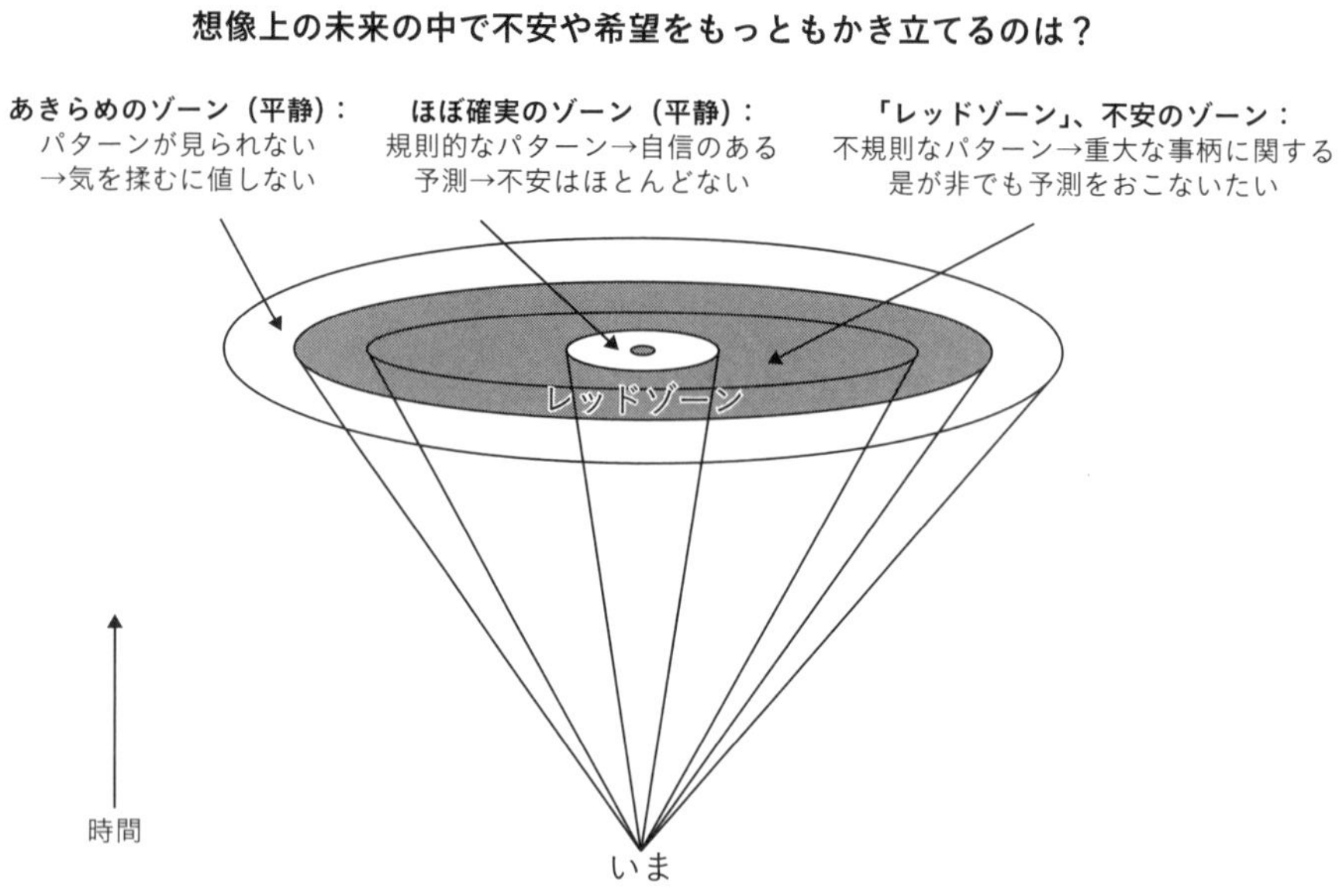
想像上の未来の中で不安や希望をもっともかき立てるのは？
あきらめのゾーン（平静）：
パターンが見られない
→気を揉むに値しない
ほぼ確実のゾーン（平静）：
規則的なパターン→自信のある
予測→不安はほとんどない
「レッドゾーン」、不安のゾーン：
不規則なパターン→重大な事柄に関する
是が非でも予測をおこないたい
レッドゾーン
時間
いま

図2.6　未来円錐その3：不安の程度に基づく各領域

メリカの選挙の専門家は各種選挙の予測可能性をそれぞれ違ってとらえているという。「下院議員選挙よりも上院議員選挙のほうが正確に予測でき、それよりも大統領選挙のほうが正確に予測できる。そして予備選挙よりも総選挙のほうがかなり正確に予測できる[27]」

ここで挙げた予測可能性の4つの領域は、トレンドの規則性や各種プロセスの予測可能性の違いについて考えるのには役に立つが、微妙な差異まで正確に表現しているわけではない。

未来円錐その3：不安の度合い

最後の未来円錐その3（図2・6）は、好みと確率を結びつけたものだ。大きい脳を持つ哺《ほ》乳類《にゅうるい》である私たち人間は、強い願望や恐れなどの感情を持っていて、それらがほとんどの未来思考を操っており、ときには意識的な精神の指令を覆すこともある。

そのため私たちは、好ましい未来と起こりそうな未来を取り違えてしまうことが多い。

経済学者のケネス・アローはあるとき軍の将校に、軍で使っている天気予報は統計学的にランダムで価値がないと指摘した。するとその将校は、「司令官もこの天気予報がよろしくないことは十分に承知している。しかし計画立案のためには必要なのだ」といったという。[28]

未来思考と感情：カギは「レッドゾーン」

私たちの未来思考の大部分は強い感情によって引き起こされる。予測しようのない未来、つまり未来円錐その2における外側の「荒唐無稽」の領域に位置する未来について考えることに、感情的・知性的エネルギーはほとんど注がない。「ほぼ確実」のゾーンに含まれていてきわめて予測可能である未来についても、さほど気にかけない。これらの領域では、死刑執行を待つ囚人のような不動心が求められる。
強い感情がもっとも大きく関わってくるのは「起こるかもしれない」の領域と「妥当である」の領域で、これらの領域では私たちが気にかける未来を予測して方向づけられる見込みが多少はある。この領域を「レッドゾーン」と呼ぶ。レッドゾーンでは強い感情をかき立てられ、起こりそうな未来を是が非でも予測して操ってやろうと思わされる。占星術師や易者に占ってもらったり、現代の経営者なら莫大な報酬を払って経済予測をしてもらったりする。専門家から自信のある予測を聞けば、未来がわからないことによる不安は和らぐが、予測が大きく外れたら責任をなすりつけられかねない。[29]
切迫性と予測可能性の出合うレッドゾーンは、人間以外の生物と未来との関係性をも方向づけている。それが次の章のテーマである。

パート2

未来を操る

細菌、植物、動物はどのように未来を操るのか

第3章

細胞はどのように未来を操るか

複雑な物理系のコンピュータシミュレーションによって得られたもっとも驚くべき知見は、複雑な振る舞いに必ずしも複雑な源は必要ないということだ。それどころか、魅力的できわめて興味深い複雑な振る舞いが、きわめて単純な構成要素の集合体から創発することもある。

——クリストファー・ラングトン、サンタフェ研究所、1989年[1]

細胞の未来思考はすべての土台

あなたや食虫植物のハエトリグサと大腸菌とを比べるのは、ドバイの超高層ビル、ブルジュ・ハリファとその正面階段にいる1匹のアリとを比べるようなものだ。細胞はとてつもなく小さく、そのほとんどは肉眼では見えないくらいだ。それなのに、よりよい未来を求めて身体をくねらせているように見えるし、起こりうる未来を探る際には正確さと一般性の危ういバランスを取らなければならない。小さいながらも、かなり巧みな未来思考をおこなわなければならない。そうでないと長いあいだ生き延びられないからだ。

では、そんなにちっぽけな空間にどうやってそれほど大量の未来思考を詰め込んでいるのだろうか？すべての生物は細胞からできているため、細胞の未来思考を理解するのはきわめて重要なことだ。あなたも私も数十兆個のちっぽけな細胞の巨大集合体であって、生き延びるためにはその一つひとつの細胞がそれぞれの未来にかなりうまく立ち向かう必要がある。そのため細胞の未来思考は、あらゆる未来思考の土台といえる。

もちろん細胞レベルの未来思考は意識的なものではない。生化学的・神経学的メカニズムに基づいていて、意識のような手の込んだものはいっさい必要ないようだ。

厳密にいうと、細胞の未来「思考」というのは比喩にすぎない。しかし細胞が未来に立ち向かう方法はかなり目的志向的ではっきりと定まっており、正直いって賢いように見えるので、この比喩を使っていきたいと思う。

あらゆる生物が取り組む「3つの問い」

どの生物も未来を操るという課題に取りかかる前に、（比喩として）次の３つの疑問を考える（図３・１）。

（１）どんな未来を望むか？
（２）もっとも可能性の高い未来はどんなものか？
（３）自分の望む未来に向かって進むにはどうすればいいか？

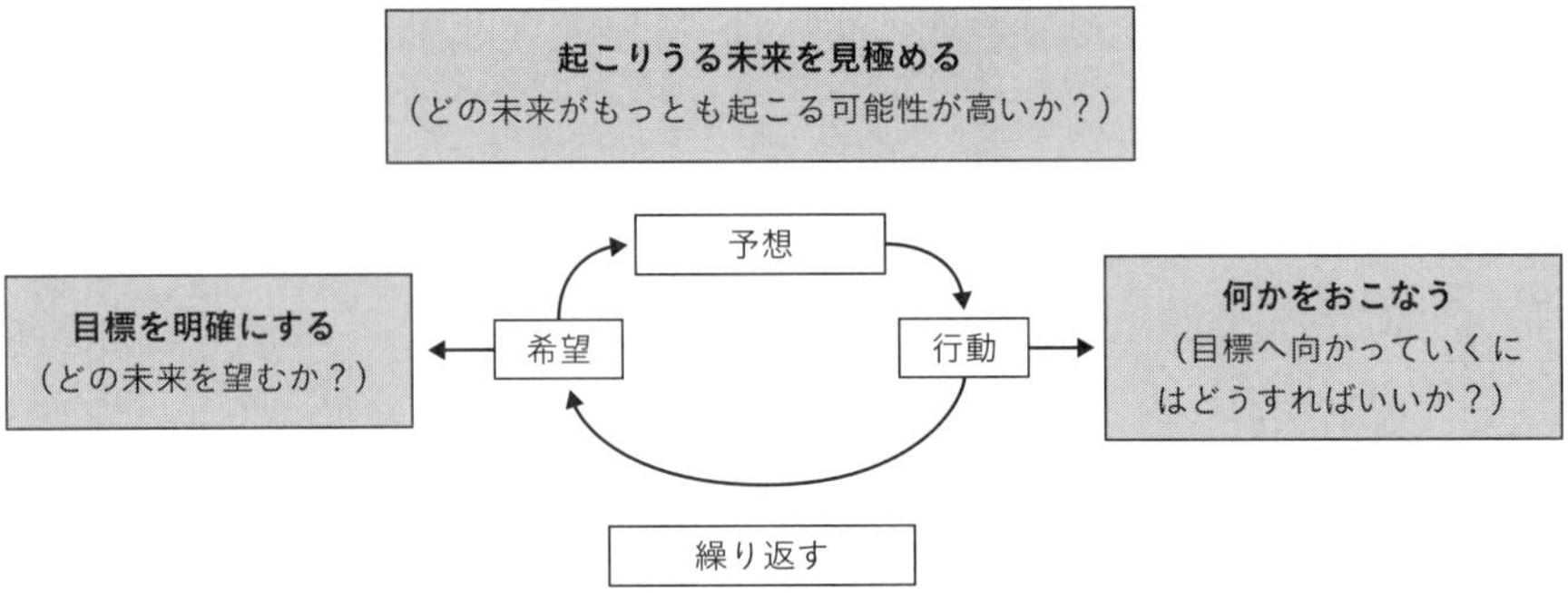

図3.1　基本の未来操作キット：汎用的な３つのステップ

①自分はどんな未来を望むか?

第1のステップとして生物は、自分が何を望んでいるかを見極める。自分にとってのユートピアは何か?

私はこの「ユートピア」という言葉を、あらゆる未来思考を促《うなが》す目的や希望を表すものとして勝手に借用している。この言葉が初めて使われたのは、イギリスの思想家トマス・モアが1516年に世に出した、南アメリカ沖に浮かぶ架空の島の社会を描いた本においてである。モアはよい社会のモデルのつもりでユートピアを描き、この言葉は想像上のあらゆる理想世界に対して使われるようになった。

比喩的にいえば、すべての生物が自分なりのユートピアを持っている。それは未来円錐その1における「望ましい」の領域に相当する。そうした未来では生物は安全で、十分に餌を取ることができ、居心地がよく、過剰なストレスから解放されていて、生き延びて増殖することができる。きわめて単純な生物ですら、よい未来と悪い未来を区別できる。ユートピアとその反対のディストピアが、あらゆる生物の未来思考に方向性と切迫性を与えているのだ。

②もっとも可能性の高い未来とは？

第2のステップで生物はトレンドハンティングをおこなう。つまり、可能性の高い未来の予測に役立つようなトレンドに関する情報を集める。

中でもとりわけ調べるのは、未来円錐その2の「ほぼ確実」と「妥当である」の領域に含まれる規則的なトレンドである。というのも、そうした規則的なトレンドからもっとも確実な道しるべが得られるからだ。

意味のあるトレンドを特定してそのトレンドの強さを把握したら、帰納論理を用いることで、そのトレンドに基づいて想像上の未来を予測しようとする（もちろん比喩だ）[2]。

細菌のような単純な生物は、ゲノムに組み込まれた汎用的なアルゴリズムを使ってトレンドを把握する。

たとえば大腸菌の持っているアルゴリズムの中には、周囲にラクトースが少なかったらラクトース分解酵素を生成しても無駄になると教えてくれるものがある。こうした規則は、自然選択によって数千万世代をかけて大腸菌のゲノムに組み込まれ、維持されてきた。そのアルゴリズムを受け継いだ個体のほうが生き延びて増殖する可能性が高かったからだ。

しかしその規則をいつ適用するかを判断するためには、いま何が起こっているのかを知ることも欠かせない。ラクトースの濃度は上がっているか下がっているか？　トレンドを特定するにはセンサーが必要だ。

しかしそれと合わせて、現在の状況と一瞬前の状況とを比較できるよう、何らかの形の記憶も必要となる。そもそも記憶が存在するのは、おもに未来思考をおこなえるようにするためなのかもしれない。

近年の神経科学の研究によると、神経系を持つ生物では記憶と未来思考は脳の同じ領域で処理されているそうで、記憶力の衰えた人が複数の未来を想像する能力も失ってしまうのはそれで説明できそうだ。[3]

ジョゼフ・ルドゥーはいかにも神経生物学者らしい凝った正確な物言いでこう述べている。

「記憶は第1のもっとも主要な細胞機能であり、現在または未来の細胞機能に役立つ情報を過去から得るのを可能にすることによって、生き延びることを容易にしている」

いまから200年以上前にカントもこの深遠な真理に感づいていた。

「過去を振り返る（思い出す）のは、それによって未来を予見できるようにしたいと思ったときだけだ[4]」

③自分の望む未来に進むにはどうすれば？

第3のステップで生物は、しばしば未来円錐その3のレッドゾーンによる不安に急かされながらも、賭けをおこなう。つまり行動するということだ。世界に干渉し、周囲の流れにオールを沈めて自分なりのユートピアに向かって進もうとする。もしもあなたが細菌だったら、正面に餌が見えなければ単に新たな方向へ泳いでいくだろう。

経済学者のブライアン・アーサーがいうように、未来を操るのは武道に似ている。

「観察して勇敢に行動し、きわめて正確にタイミングを取ることが肝心だ[5]」

第3のステップには勇気が必要だ。つまり、結果に関する確信がなく、ことごとく賭けに負けることもあるとわかった状況で、決然と行動する勇気である。クリシュナもアルジュナに「思い悩むな、戦え！」といったのだった。

3つのサイクルを繰り返す：ベイズ分析

そして以上のサイクルが再び繰り返される。しかしすでに新たな情報が得られたので、計画に手を加えることができる。当初の目標が達成不可能か、コストがかかりすぎるか、あるいはもっとよい目標があると判断したら、目標を手直しすることもできる。

このように、起こるかもしれないそれぞれの未来の実現可能性をたえず評価しなおしていくという方法を、統計学者は「ベイズ分析」と呼んでいる（第7章で簡単に振り返る）。とっつきにくい用語だが、基本的な考え方自体は単純だ。初めに、ある出来事が起こる確率をとりあえずおおざっぱに推定する（当てずっぽうでもいい）。ベイズ統計学ではこれを「事前確率」という。そして新たな情報が得られるたびに、その事前確率を調節して賭け方に手を加えるということを繰り返していく。アメーバからハエトリグサまですべての生物は、かなりすぐれたベイズ統計学者なのだ。[6]

現実の世界では以上3つのステップは重なり合っている。しかし分けて考えることによって、きわめて不確実な世界の中で生物が生き延びるために何をしているのかがはっきりと見えてくるだろう。

生物とは「予測する存在」である

すべての生物が持っている未来操作キットは、「認知」と呼ばれるもっと幅広いスキルの重要な部分を占めている。認知生物学者のパメラ・ライアンはこう記している。

「生物の認知は感覚機構などの情報処理メカニズムの複合体である。生物がそれらのメカニズムを持っているのは、環境に精通し、把握し、作用することによって、自身の存在に関わる諸目標に到達しようとするためだ。その諸目標の中でももっとも基本的なのが、生存、成長や生育、増殖である」[7]

きわめて単純な生物の認知ツールキットの中にすら、起こりうる未来の出来事を予測して、周囲の環境の中で起こっていることを感知・把握し、記憶・学習をおこなう能力が含まれている。さらに、同種のほかの個体と情報を共有する能力もある程度含まれている。

あらゆる生物が認知をおこなっていることが、徐々に明らかになっている。[8] 認知はさまざまな学習スキルから構成されており、そのおかげで生物は、起こりうる未来に巧みに備え、生存をおびやかすような千変万化の脅威に対して創造的に反応することができる。ダニエル・デネットが人間の精神について述べた次の言葉は、すべての生物に当てはまるのだ。

「精神とは詰まるところ、予測するもの、予想を生み出すものだ[9]」

もっとも単純な形の未来操作が見て取れるのが、単細胞生物である。そのしくみを感じ取ってもらうために、本章ではこれ以降、単細胞生物がどうやって未来を操作するのかを説明していく。その際に単細胞生物が用いている生化学的な手法や道具は、私たちの身体を構成する1つひとつの細胞の中で働いているものと似ている。

微生物の世界

小さすぎて肉眼では見えない生物が存在するなどという発想は、数百年前までなら空想にすぎないと思われていたことだろう。しかし今日では一つひとつの細胞が、生きていると呼べる最小の存在、すべての生物の基本構成部品であるとみなされている。生物学者にとって細胞は、化学者にとっての原子と同じように基本的な存在だ。

顕微鏡で初めて細胞を観察した「自然哲学者」は、イギリスのロバート・フックだ。1665年にフックはコルクの薄片の中に細胞を発見した。そして一つひとつの細胞が独自の壁または膜で外界と隔《へだ》てられていることから、ラテン語で小部屋を意味する「cella」と命名した。

一つひとつの細胞が生きているのではないかと初めて気づいたのは、オランダのレンズ研磨職人アントニ・ファン・レーウェンフックだ。レーウェンフックが発見したのは、それまで想像だにされていなかった、たった1個の細胞でできた生物からなる世界である。それらの生物はあまりにも小さくて、1滴の水の中に100万匹も生きていられる。レーウェンフックはそれを「animalcule」(極微動物)と命名した。[10]

この地球には私たちのような大きな生物とともに、それまで知られていなかった微生物からなる微小世界が広がっているという発見は、地球以外の天体で生命が見つかること(いまから数十年のあいだにはあるかもしれない)と同じくらい重大なことだったはずだ。しかし細胞がすべての生物の構成部品であることが明らかとなったのは、それからかなり経った1839年のことである。この年にドイツの植物学者マティアス・シュライデンと動物学者テオドール・シュワンが、「すべての生物は基本的に同様の部品、すなわち細胞から構成されている」と断言したのだ。

1858年には病理学者のルドルフ・フィルヒョウが細胞説の最後の仕上げとして、すべての細胞は個別の生きた存在とみなせると指摘した。分子2個分の厚さしかない細胞膜が、生きた内部の世界と外界とを分け隔てている。それと同時に、外界と接点を持って、エネルギーや栄養分、情報や廃棄物を交換できるようにもなっている。[11]

たった1個の細胞からなる生物なんて単純なはずだと思われるかもしれない。しかしいまでは、1個の細胞も何百億個もの原子と何万種類もの分子からできていることがわかっている。それらの構成要素はすべて綿密に設計されていて、この上ない正確さで化学的なダンスを踊りながら作用し合っており、その振りつけの詳細はいまだ完全には解明されていない。一つひとつの構成要素は単純に見えるかもしれないが、発展中の複雑系研究の分野によって示されているとおり、単純な構成要素が複数のフィードバックループを介して相互作用することで、とほうもない複雑さが生まれることがある。[12]

単細胞生物も未来を操る

今日では、単細胞生物も巧妙かつ複雑な形で自身の未来に賭けられることがわかっている。過ちから学ぶこともできるし、一瞬前に起こったことも記憶できるし、ベイズ的に確率を計算することもできる。さらには、温度や酸素濃度などの外的条件の内的モデルを分子で作り、そのモデルをもとに適切な行動を決定することもできる。[13]

もちろん細胞が1個しかなければ思考することはできない。私たちの思考を担っている脳は何百億個もの細胞から作られているし、その細胞のほとんどは細菌1個よりも大きいので、細菌にとって脳を持つという選択肢はない。その代わりに細菌は未来を操るために、生化学反応のネットワークを使って、何が必要か、これから何が起こりそうか、いま何をなすべきかをいわば計算できなければならない。

全生物の最終共通祖先（LUCA）の未来操作

細菌の持つ最低限の未来操作ツールキットは、いまから40億年近く前に地球上で初めて生命が誕生した頃から存在していたと思われる。何種類もの細菌のゲノムを比較した研究によって、未来操作ツールキットは幅広く存在しており、今日生きているすべての生物の祖先である想像上の生物、いわゆるＬＵＣＡ（最終共通祖先）も持っていたであろうことが示されている。[14]

LUCAはいまから40億年近く前に生きていたが、それでもセンサーを持っていて、身を守るために行動することができた。さらに分子スイッチからなる計算ネットワークを備えていて、次のような目的を持った選択をおこなうこともできた。「餌を感知したら（A）、その餌が豊富にある場合に限って、それに向かって移動せよ（B）。餌がほとんどなかったら（-A）、移動することで無駄な労力を費やすな（-B）」

どんな複合系でもそうだが、LUCAの持っていた複合システムにも、正のフィードバックループと負のフィードバックループ、およびシステム間の連結機構が備わっていたのはほぼ間違いない。正のフィードバックループは積極的で動的なプロセスを促し、負のフィードバックループはそのプロセスを抑制して安定性を維持する。そしてシステム間の連結機構があることで、システムのほかの部分からのフィードバックに応じてもっと微妙な反応を生み出すことができる。つまりLUCAもすべての生物と同じように、不確実な未来に直面したときに計算をおこなう上で欠かせない基本論理回路を備えていたのだ。

大腸菌はどのようにして不確実な未来に立ち向かうのか

本章の主役である大腸菌は、今日では何億兆個も生きていて、あなたの腸の中にも何千万個も棲んでいる。人間の腹の中が大好きなのだ。

ここ数十年で大腸菌に関するさまざまなことが明らかとなり、何種類もの変異株のゲノムが解読された。大腸菌と同じくらい詳しく研究されている生物は私たちヒトくらいかもしれない。[15] その理由の1つは、大腸菌に手を加えて生物工場として使い、インスリンなどの物質を生産させる方法が明らかになってきたことにある。だがそれとともに、悪者になった大腸菌が私たちをひどく痛めつけるからでもある。

大腸菌の学名エシェリヒア・コリは、大腸菌を初めて特定したオーストリアの生化学者テオドル・エシェリヒの名前にちなんでいる。この学名はたった1種類の細菌を指しているのではなく、過去1億年ほどにわたってさまざまな道筋で進化してきた何種類もの菌株をまとめて指している。[16] 生物学ではすべての生物を細菌、古細菌、真核生物という3つの超界（ドメイン）に分類していて、細菌はその中の1つだ。細菌と古細菌は単細胞で、いずれも原核生物に分類される。1個の細胞が1つの個体である原核生物は、「何でも屋」でなければならない。その1個の細胞が、未来に備えることを含め、生き延びるのに必要なことをすべてこなさなければならないのだ。

大腸菌の細胞は棒状で、長さは1000分の数ミリメートル（数マイクロメートル）しかない。縦に30個から40個並べてようやくヒトの髪の太さ（約80マイクロメートル）くらいになる。[17] それでも一つひとつの細胞には100兆個もの原子と、多数の興味深い生体分子が収まっている。

細胞の内部ツアーへようこそ

大腸菌の細胞がどうやって未来を操るのかを理解するには、ガイドを雇ってタンパク質分子1個のサイズに身体を縮め、細菌の原形質からなるねっとりした奇妙な世界を案内してもらうのがいいだろう。確かに不安な旅かもしれないが、あらゆる未来操作の基本的なメカニズムを観察できるので、しっかりとガイドについていく価値はある。

しかもそのメカニズムは、あなた自身の身体を作る一つひとつの細胞の中に存在するものときわめて似ている。そこは奇妙な世界だ。あたり一面がどろどろしていて、ランダムで無秩序な熱エネルギーによってゆらゆらと振動しているが、あなたの身体はもっと秩序立った電磁場によって引っ張られたり押されたりしている。あたりに見える分子の大集団は、まるで大規模な泥レスリングのトーナメントに参加しているようだ。複雑でときに荒れ狂う世界だが、同時に目を見張る協力関係とチームワークの世界でもある。

ようやく気持ちが落ち着いてきたので、ガイドに案内してもらおう。最初に向かうのは細胞のゲノム。大腸菌の細胞を構成する４０００種類ほどの分子を作るのに必要な情報を収めた場所で、このおかげで細胞は自身の未来を操ることができる。ゲノムのところへ行くには、ねばねばした原形質をかき分けて、自信満々にせっせと働く分子（そのほとんどがタンパク質）の大集団をすり抜けていかなければならない。

そうしてようやく、細胞の中に自由に漂うねじれたリング状の巨大なＤＮＡ（デオキシリボ核酸）にたどり着く。到着すると、らせん形の古びた宇宙ステーションに降り立とうとしている宇宙飛行士のような気分になる。

よく見るとそのＤＮＡのリングは、ぐらぐらしたねじれらせん階段が一周してつながっているように見える。その分子階段の左右の側板どうしは数段ごとに踏み面《づら》でつながれていて、その踏み面は水素結合で弱く結合しあった2個の塩基でできている。一つひとつの塩基はたった十数個の原子からなる。塩基は4種類しかなく、それぞれに赤・白・青・黒と色を塗ったとすると、その4色（踏み面ごとに2色使われる）が一見ランダムにはるかかなたまで４０００万回以上も連なっているように見える。

しかしランダムであるというのは勘違いだ。１９６０年代に遺伝学者が明らかにしたとおり、塩基の並びは実は4種類の文字からなる暗号になっていて、健康な大腸菌の細胞を機能させている各種働き者分子を作るのに必要な情報がすべてそこに収められているのだ。

その暗号を読み取るにはまず、ＤＮＡ分子の踏み面を1枚ずつ半分に割っていかなければならない。

しかし踏み面の左半分と右半分をつないでいる水素結合は弱いため、割るのは難しくない。そうすれば、左右それぞれの側板から突き出した塩基を読み取っていくことができる。

塩基3個からなる各グループが、それぞれ特定のアミノ酸1個を表す暗号となっている。たとえばとりあえず反対側の側板を無視して、DNA階段の一方の側板に沿って上から下にたどっていくと、塩基がGAT（グアニン、アデニン、チミン）と並んでいるかもしれない。このDNA暗号はアスパラギン酸というアミノ酸を表している。次の3つの塩基は別のアミノ酸を表しているかもしれない。それが繰り返されていくが、塩基の3つ組の中には「ここで読むのをやめよ」といった指令を表しているものもある。

塩基の正確な順番はきわめて重要だ。というのも、暗号のほとんどの部分はタンパク質の作り方を指示していて、そのタンパク質が細胞の未来を操る作業の大部分を担っているからだ。タンパク質はアミノ酸が正確な順番で長く連なってできている。

この暗号を構成する数千万個の塩基は数百個または数千個ごとにまとまりをなしていて、そのそれぞれのまとまりが、生物に欠かせない特定の分子を作るのに必要なアミノ酸配列を（3つ組ごとの単位で）表現している。それらの塩基のまとまりを「遺伝子」といい、すべての遺伝子をひっくるめて「ゲノム」という。

大腸菌の細胞にはおよそ3000個の遺伝子がある（私たちヒトもそれに比べてすごく手が込んでいるわけではなく、ヒトの遺伝子はおよそ2万1000個から2万5000個）。ほとんどの遺伝子はタンパク質分子をコードしているが、中にはRNA分子をコードしているものもある。RNAはDNAに似ているが1本鎖で、DNAと同じく情報を運ぶとともに、タンパク質と同じく重要な働きも担っているため、きわめて重要な分子だ。各生物種は生き延びる上でそれぞれ独自の働き者分子の組み合わせに頼っているため、生物種ごとに遺伝子のリストは異なる。

DNAに書き込まれた「細胞の目標」

どんな未来思考においてもその第1段階は、目標を明確にすることだ。

細胞の場合、目標は事実上DNAに書き込まれている。もちろん文字どおりにではない。「生き延びて増殖せよ！　そのために食べろ！」などと書かれたプラカードはどこにもない。

ゲノムに収められているのは、通常の環境で細胞が生き延びるのに必要な、タンパク質などの分子を作るための指令だ。つまり、生き延びて増殖するという長期的目標を達成するために実現しなければならない、短期的目標に関する情報が収められている。たとえばどこかの時点で大腸菌の細胞はラクトース分子を分解しなければならなくなる。するとどうだ！　ゲノムにはまさにその能力を持ったタンパク質を作るための指令が書き込まれているのだ。

DNAは司令塔ではなく「レシピ本」

ここまでめぐってきた限り、DNAは細胞の中で起こることを決定していて、まるで宇宙船エンタープライズ号のコントロールデッキのようだと思われたかもしれない。しかしここ数十年で、話はそう単純ではないことが明らかになってきた。DNAは情報を収めているだけであって、ちょうどレシピ本のようなものだ。実際に何かをすることはできない。

ある瞬間における細胞の振る舞いは、実際にその瞬間に使われる遺伝子の組み合わせによって決まる。そしてその組み合わせを決めているのは、「転写因子」と呼ばれる働き者分子だ。転写因子は細胞の内外で起こっていることを感知し、その情報に基づいてどの分子を作ったり壊したりするかを「判断」する。そしてＤＮＡの内部に潜り込んで、必要な分子を作るための指令の鍵を開け、その分子の製造プロセスを開始させる（あるいは、必要なくなったタンパク質の製造を停止させる）。

どの瞬間にも、ゲノムの中で「発現」している（タンパク質を作るために使われている）遺伝子は一部だけだ。残りはスイッチがオフになっており、読み出されて使われるのを待っている（ときには永遠に）。

エピジェネティックプロセス

特定の瞬間にどの遺伝子が使われるかを決定するプロセスのことを、いまでは「エピジェネティックプロセス」と呼んでいる。これはゲノム自体を変化させることはないが、特定の遺伝子がいつどのように発現するかに影響を与える。各遺伝子がいつどのように使われるかを決定する非遺伝子的な要素、それを研究する学問がエピジェネティクスだ。

エピジェネティックプロセスは、いま何が起こっていて何に備えるべきかを細胞に教えており、細胞の未来思考にとって欠かせないものである。

ＤＮＡのリングのすぐ外側を漂っていると、大量のエピジェネティック作用が働いているのが見えるだろう。迫り来る脅威や機会に関する情報を持ったタンパク質やＲＮＡの分子が、分子レベルのレンチやバールを使ってＤＮＡの特定の踏み面をばらしては、その部分の遺伝暗号を読み取ったり、その発現をブロックしたりしている。

新たなタンパク質が必要になったら、特別な転写因子の分子がＤＮＡのリングをたどっていって特定の遺伝子を探す。見つけたら、塩基対でできた踏み面を何枚か２つに切り離して、その部分のらせん階段を２本の側板にばらす。そうしたらメッセンジャーＲＮＡ分子の一団を呼び寄せる。するとそれらの

ＲＮＡ分子が、あらわになったその遺伝子をなす塩基対の文字列を読み取って保存する。その後、２つに切り離されていた踏み面は再びつながる。

順番どおりの塩基列、つまり新たなタンパク質のレシピを手にしたメッセンジャーＲＮＡ分子はどろどろの原形質の中に向かっていき、３Ｄプリンタのような機能を持った、タンパク質とＲＮＡでできた大きな塊、リボソームにドッキングする。メッセンジャーＲＮＡ分子を捕らえたリボソームは、ＤＮＡからコピーされたアミノ酸のリストを読み取りながら周囲の原形質に釣り糸を垂れ、泳いできた目的のアミノ酸を捕まえて、特定のタンパク質を作るための正しい順番でそれらをつなぎ合わせていく。

リボソームは仕事が早い。リボソーム1個でアミノ酸３００個からなるタンパク質をわずか1分で作ることができるし、どの瞬間にも細胞内には何千万個ものリボソームが存在しているため、細胞1個だけでも同時に膨大な種類のタンパク質を作り出すことができる。[18]

この複雑な製造作業がすべての生物のすべての細胞の中でつねにおこなわれている。迫り来る危機に立ち向かったり、起こりうる未来に備えたりするのに必要な分子の組み合わせはたえず変化しており、それに合わせてこの製造作業がせっせと進められているのだ。

細胞のトレンドハンティング

では細胞は、どのタンパク質の製造を開始・停止すべきかをどうやって知るのだろうか？

そこに未来操作の第2のステップが関わってくる。過去のトレンドを感知して、起こりうる未来に関する手がかりを把握するというステップである。つまり細胞がトレンドハンティングをおこなうのだ。

細胞は外界のトレンドを感知するために、細胞膜に特別なセンサー分子をつまようじのように突き刺していて、その分子の一部分は外界に、一部分は細胞内部に突き出している。大腸菌の細胞1個の細胞膜に1万個ものセンサー分子が突き刺さっていて、そのほとんどは最初に新たな環境に出くわす前方に位置している。大腸菌の細胞はそれらのセンサーを使って50種類もの化学物質を感知できる。そして各種センサーからの情報を組み合わせて、化学物質の濃度変化を高い精度で判断できる。前に述べたとおり、現在のトレンドに関する情報が多く手に入れば入るほど、トレンドハンティングの威力は高まる。

そこで私たちはガイドについてどろどろの細胞質をかき分けて進み、センサー分子の働きを観察できる細胞膜へ向かうことにしよう。さらにセンサー分子の外側部分にたどり着くために、細胞膜に開いた分子サイズのトンネルをくぐり抜けて、細胞のすぐ外側の広々とした世界へ出ていく。あたりには細胞の偵察兵、スパイ、探知犬、門番がひしめいている。センサー分子は細胞の働き者分子の大部分と同じくタンパク質でできているので、その働きぶりを観察すればあらゆるタンパク質がどんなふうに働くのかも感じ取れるだろう。

タンパク質は細胞の体積の半分近くを占めている（水分子を数えなければ、細胞の分子の70パーセント近くを占める）[19]。大腸菌の細胞1個にはつねに何千万個ものタンパク質分子が含まれていて、その一つひとつのタンパク質はそれぞれ何万個もの原子からできている。製造途中のものもあれば、せっせと働いているものもあるし、仕事を終えて分解され、新たな働き者分子へとリサイクルされるものもある。

タンパク質はどうやって仕事をするのか？

一つひとつのタンパク質は、リボソームによって正確な順序でつなぎ合わさせた何千個ものアミノ酸からできている。タンパク質に含まれる数千個のアミノ酸は化学的・電気的性質がそれぞれわずかに異なるため、新たに作られたアミノ酸の鎖は細胞内部でもみくちゃにされてあっという間に折りたたまれる。その形はスチールウールを丸めたように不規則に見えるが、実際にはきわめて特定の構造をしている。そこには野球のグローブのような特別なくぼみがあって、特定の分子を捕まえるのに役立っている。

たとえばヒトのヘモグロビン分子（最初に構造が解明されたタンパク質の1つ）には、酸素分子を捕まえて運ぶためのポケットがある。

タンパク質はまた、捕まえた分子を切ったり叩いたり、曲げたり壊したりつなぎ合わせたりして、変化させることもできる。そうしてタンパク質は酵素として働き、本来なら起こりえない化学反応を可能にする。

最後に、分子を捕まえたタンパク質は、足を通した靴下のように形が変わる。その形状変化（「アロステリック効果」と呼ばれる）によって出来事やトレンドに関する一種の短期記憶が実現し、そのセンサー分子の形状変化にほかの分子が気づくことで短期記憶が次々に伝えられる。

化学の言葉で1つの世界像を描き出す

さて、私たちのいる大腸菌の細胞の表面に突き出した1個のセンサー分子に話を戻そう。

そのセンサー分子の持つポケットは、大腸菌の細胞がおいしいスナックとみなすアミノ酸であるアスパラギン酸を捕まえるようにできている。このセンサー分子はアスパラギン酸分子を見つけるとそれを捕まえ、自身の形を変える。その形状変化が、喜んだ人の身振り手振りのようにメッセージとして発信され、そのメッセージが細胞内部に突き出したタンパク質の反対側からほかの分子に受け渡される。

アスパラギン酸分子を捕まえたというそのメッセージは、センサー分子がアスパラギン酸分子をしっかりつかんで新たな形状を取りつづけている限り持続するため、そのタンパク質の形状変化によって一種の記憶が実現する。

細胞内部では別の分子がそれに反応して自身の形を変え、原形質のあちこちに漂っていって、アスパラギン酸分子を捕まえたという嬉しい知らせを全体に伝える。その分子もまた記憶力を持っている。

それらのメッセンジャータンパク質は、原核細胞の中にあるほとんどの分子と同じく、熱エネルギーによって小突かれてねばねばの原形質の中をランダムに動き回る。ちょうど、ぎゅうぎゅう詰めのバスの中で押されまくってあらぬ場所に行ってしまうのに似ている。

こうして何千万個ものメッセンジャータンパク質が、外界のトレンドや潮流に関する情報を広める。「アスパラギン酸の濃度が上がった。きっと宴会だ」とか「アスパラギン酸の濃度が下がった。腹ぺこになるかもしれないぞ」などと叫んで回るのだ。生物学者のデニス・ブレイは、「あたかも一つひとつの生物が、単語や画素でなく化学の言語で1つの世界像を描き出すようなものだ」と記している。[20]

細胞は目的達成のためにどう行動するのか：「オペロン」の発見

どんな未来操作においても3つめのステップは、行動すること。つまり、目的を達成するために世界に干渉することだ。細胞はセンサーでとらえた情報をどうやって把握して、行動に変えるのだろうか？

細胞が情報に基づいて自らの振る舞いを調節するしくみを初めて明らかにしたのは、フランスの研究者フランソワ・ジャコブとジャック・モノ、そして大学院生のジャン・ピエール・シャンジュ、1960年代のことだ。形状を変化させたタンパク質が、酵素（細胞内では本来起こりえない反応を加速したり可能にしたりする分子）と、情報の運び手の両方として働くしくみを解明したのだ。さらに、タンパク質がチームまたはネットワークとして働くとそのパワーが何倍にも増幅されることも明らかにした。

こうしたメカニズムを持った遺伝子群を、ジャコブとモノは「オペロン」と名づけた。

ジャコブらが最初に調べたオペロンの1つに、ラクトースの代謝を調節するものがある。[21] その立役者は、遺伝子の発現をブロックすることに特化した、リプレッサーと呼ばれる転写因子タンパク質だ。

そのタンパク質にはポケット、つまり結合部位が2つある。1つは原形質の中でぶらぶら揺らしてラクトース分子を探す。ラクトース分子を見つけられないと、もう一方のポケットがラクトース代謝酵素をコードしているDNA領域に結合して、その発現をブロックする。

ラクトースを検知したリプレッサーの数によって、細胞は周囲のラクトースの量を知る。ラクトースを見つけられないリプレッサーが大量にあると、ラクトース代謝酵素の生成がある程度止まる。しかしリプレッサーがラクトース分子を捕まえはじめると、そのタンパク質は形状を変えてDNAから手を放し、ラクトース代謝酵素遺伝子の発現が可能になる。再びラクトース濃度が下がると、以上のプロセスが逆方向に進む。

よくできた負のフィードバック機構で、ラクトースが大量にあるときには代謝が進むし、少量のときにはエネルギーやリソースが無駄にならない。近い未来に細胞が必要とするものを確率論的に判断する、高度な未来思考だ。

細胞は「確率計算」をしている

どの瞬間にも一つひとつの細胞の中では、おそらく何千万ものオペロンがありえないほど複雑な形で組み合わさって働いている。

いま説明したものよりはるかに精巧なものもある。たとえばいくつものタンパク質スイッチから構成されていて、新たなタンパク質を作りはじめるにはそのすべてのスイッチをオンにしなければならないものもある。つまり、条件A、B、Cがすべて満たされて初めてそのタンパク質が作られるということだ。これはいわば、「Aかつ《and》BかつCならばD」というタイプのスイッチである。

ほかに「Aまたは《or》BまたはCならばD」というスイッチもあるかもしれない。

このようにタンパク質のチェーンやネットワークは、論理回路のように作用することができる。そしてコンピュータのように十分な数のスイッチを連結させれば、大量の計算ができる。複雑系理論学者のメラニー・ミッチェルが指摘するように、多数の「ａｎｄ」、「ｏｒ」、「ｎｏｔ」スイッチを適切な形で連結させせられるマシンは、計算可能な事柄をほぼすべて計算できるのだ。[22]

生体分子からなる大腸菌の細胞の単純なスイッチ群もそうやって、起こるかもしれない未来に関する確率計算を含め、すさまじく繊細な計算をおこなうことができる。しかも同時に多数のオペロンが働くため、細胞は並列計算をおこなう。そのためきわめて単純な細胞ですら、餌の濃度、温度、内部の塩分濃度、移動の有無などに関する多数の確率を瞬間ごとに計算できるのだ。

未来思考によって大腸菌は数千万年生き延びてきた

そうした計算によって引き起こされる行動の一例として、移動を取り上げよう。

大腸菌の細胞はなめらかで強力な最大６個のプロペラを使って、前進したりランダムに「転げ回ったり」できる。それらのプロペラはセンサー分子と同じく細胞膜に突き刺さっている。細胞の外側には鞭《べん》毛《もう》と呼ばれる鞭《むち》のような尻尾が伸びていて、１秒間に数千回も回転させることができる。[23]

このプロペラ分子の細胞内部側の末端に、「前方にアスパラギン酸がたくさんあるぞ」と叫ぶメッセンジャータンパク質がたくさんやって来たとしよう。するとプロペラがすべて同じ方向に回りはじめて、細胞は前方へ進んでいく。しかしアスパラギン酸の濃度が下がると、いくつかのプロペラが回転方向を変えて、細胞が一時的に「転げ回りモード」に入る。そしてランダムディッピングで選ばれた新たな方向へ進みはじめ、よりよい釣果を目指す。

何が起こったのだろうか？　小さすぎて肉眼では見えない生物が目標を設定し、現在の状況を把握し、未来とどう向き合うかをかなりうまく判断したのだ。

長期的目標はゲノムの中に組み込まれており、餌を見つけるなどの短期的目標を達成するのに必要な分子の道具を作るためのコードという形を取っている。センサータンパク質がアスパラギン酸などの餌の探索に関する情報を細胞に提供しつづけ、タンパク質のネットワークが現在の状況を把握し、そのタンパク質の組み合わせと形状の変化によって細胞のすべきことが決定される。転げ回るべきか回らないべきか？　その手順全体は何千万年もかけて進化してきた。転げ回ったほうが賢明なときに転げ回らなかった細胞は、そうでない細胞よりも生き延びる確率が低い。

そうしてその生物種のゲノムには、功を奏するアルゴリズムが組み込まれていった。細胞の未来思考メカニズムがたいていとてもよい働きをするのも、大腸菌の系統が何千万年も生き長らえてきたのも、そのおかげなのだ。

なんて賢いのだろう！

次の章では、多細胞生物が未来操作という課題にどんなふうに取り組むかを探っていく。そこには数百億個の細胞の活動をつなぐ新たなタイプのメカニズムが関わっていて、しかもその一つひとつの細胞は大腸菌の1個の細胞と少なくとも同じくらい賢いのだ。

第4章

植物や動物はどのように未来を操るか

旱魃《かんばつ》が始まると植物は深い土の層へと根を伸ばして、新たな水源を探す。それと同時に、たいてい土がもっとも乾燥している浅い場所の根の生長を止める。そうして防衛策を取り、水の見つかる可能性がもっとも高い場所への生長に専念する。

——ダニエル・チャモビッツ『植物はそこまで知っている』[1]（河出文庫）

多細胞化することで未来思考はどのように変わるか

あなたや私のような多細胞生物は何兆個もの細胞からできていて、それらが協力しあって大きな1個の個体を生かしている。多細胞生物が繁栄していたのは地球の歴史の6分の1、いまからおよそ6億年前以降にすぎない。多細胞化したことで生命は新たな形態、新たな大きさになることができた。

多細胞生物の一つひとつの細胞も、細菌とほぼ同じ未来操作メカニズムを利用している。しかし細胞自らの未来を操るだけでなく、新たな課題にも直面する。数億個、数兆個の細胞と活動を調和させて、それらのすべての細胞がよりどころとするいわば超生命体、すなわち個体の未来を操らなければならないのだ。

ではどうやって何百億個もの細胞が、集団としての好ましい未来に関して意見を合わせ、情報を共有し、その情報から読み取れるトレンドを把握し、すべての細胞が属する個体の利益のために集団的に振る舞うのだろうか？　どうやって何百億個もの細胞が、ライオンから走って逃げたり、地中深くに根を伸ばしたりするのにエネルギーを注ぎ込むのはまさにいまだという同じ意見を持つのだろうか？

こうした集団的課題は単細胞生物の直面する課題とはあまりにも異なるため、集団的な未来操作のためには新たな生物学的メカニズムが必要となる。そのメカニズムの構築に何億年もかかったことが、地球史の中でもごく最近になってから多細胞生物が出現した理由を解き明かすためのヒントになるだろう。

多細胞生物のゲノムが細菌のものより大きくて、何種類もの新たなタンパク質をコードしている理由ももちろんそこからわかる。単純な線虫であるC・エレガンス（のちほど再び登場する）は、体長わずか1ミリメートル、約1000個の細胞でできている。しかしその1万9000個の遺伝子のうち約90パーセントは、細胞間の良好な関係を維持することに使われている。[2]多細胞生物の細胞は集団として生き延びるために、意思疎通、交渉、協力にかなりの労力を注ぎ込む必要があるのだ。

私たち人類は、各個人の未来が人類全体の成功にかかっていることに一人ひとり気づきはじめた。そんな私たちは、多細胞生物に組み込まれたこの複雑な集団的未来操作メカニズムから何か新しいことを学べるのだろうか？

多細胞生物の細胞はなぜこんなにうまく協力しあえるのか

多細胞生物の未来思考を理解するにはまず、何兆個もの細胞がどうしたらこれほど効果的に協力し合えるのかを理解する必要がある。

多細胞生物はごくわずかな例外を除いて原核細胞でなく真核細胞でできており、第3の超界である真核生物に属する。

真核細胞が最初に進化したのはいまから20億年近く前、すでに存在していた原核生物どうしが合体したことによると考えられている（生物学者のリン・マーギュリスが提唱したこの革新的な説は、いまではほとんどの生物学者に受け入れられている）。

原核細胞を小作農の小屋にたとえれば、真核細胞は宮殿のようなものだ。原核細胞より何百倍も大きいし、特別な用途や機能を持ったいくつもの内部区画、いわば部屋に分かれている。その中でももっとも重要なのが細胞核、細胞のＤＮＡを守るいわば要塞化された聖所だ。

カギは細胞の「自己犠牲」と「分業」

多細胞生物の真核細胞が互いにうまく協力しあえるのには、おもに2つの理由がある。

第1に、多細胞生物1個体中の細胞はすべてまったく同じＤＮＡを持っている。そのため、個体へのいわば忠誠心があらかじめ組み込まれている。それどころか多細胞生物の細胞は、まるで特攻する戦闘機パイロットのように、ときに個体のために死ぬよう命令を受け、ほとんどの場合それに従う。この自己犠牲のことを生物学の用語で「アポトーシス」という。あなたの手に指が生えているのは、子宮の中で成長している最中に指と指のあいだの細胞が死ぬよう命令を受け、それに従ったからだ。[3] がん細胞はそうした命令に従わない。協力関係が崩れると多細胞生物にどんな危険が襲いかかるかがよくわかる。

多細胞生物の細胞がこれほどよく協力しあっている第2の理由は、各細胞が専門化（分化）して、いわば細胞版の医者や配管工、音楽家やファッションデザイナーに姿を変えられるからだ。一つひとつの細胞は分化することで、ほかの細胞に身を委ね、個体の生存に運命を託す。

現代社会に暮らす人間と少し似ている。農民は食物を育て、看護師は病人の面倒を見る。彼らは協力しあわないと生き延びられない。農民が看護師に食物を提供し、看護師は農民の子供が病気になったら面倒を見る。そして農民も看護師も、自分の属する大きな社会が秩序正しく機能することを頼りにしている。

それと同じように多細胞生物の細胞も、侵入してきた細菌と戦ったり、筋肉を収縮させたり、あるいは未来について考えたりするといった任務を分担しあっている。

しかも細胞の分業体制は人間社会のものと同じくらい複雑だ。動物の場合、赤血球細胞は酸素の輸送に特化し、骨細胞は個体の身体を支え、筋細胞は重いものを引き上げ、皮膚細胞は前線の防衛に当たり、神経細胞は情報を伝えてその重要性を判断する。ヒトの身体には合計でおよそ30兆個の細胞が存在し、それらがおよそ200種類に分かれている。

同じDNAを持つ細胞はどのように専門分化していくのか

多細胞生物1個体に含まれる細胞はすべて同じDNAを持っているが、そのDNAには何種類もの細胞を作るための指令が書き込まれている。真核細胞が分化できるのはそのためだ。

多細胞生物の発生初期、すべての細胞は互いにまったく同じで、何種類もの細胞に変われる力を秘めた幹細胞だ。

しかし1週間から2週間経つと幹細胞の塊が大きくなって、各細胞がそれぞれわずかに異なる環境に置かれるようになる。塊の内側にあるか縁のほうにあるかによって、受ける圧力や、感じる化学物質の濃度および温度が違ってくる。

各細胞の内部では、そのわずかな違いによってそれぞれ異なる反応を示した転写因子がDNAの中に潜り込み、一部の遺伝子をブロックして一部の遺伝子を発現させはじめる。ここでもエピジェネティック作用が働き、各細胞はそれぞれわずかに異なる遺伝子を発現させる。そしてその違いが積み重なるにつれて、それぞれ独自の道をどんどん進んでいく。

DNAのうちかなりの領域が、ときに半永久的に働かなくなり、残りの領域が活性化する。ひとたび筋細胞に変わりはじめたら、それに専念する。それで未来は決まってしまう。どの種類の筋細胞になるかを指示する信号を受け取ることはあるが、もはや神経細胞や血球細胞に変わることはできない。

このように分化することからわかるとおり、多細胞生物のほとんどの細胞は持っている遺伝子の半数も使っておらず、すべての細胞が使っているのは基本的な機能調整（ハウスキーピング）に必要な遺伝子だけだ。[4]

エピジェネティックプロセスは、親細胞と同じ種類の子細胞ができることにも寄与している。DNAがコピーされるときに、そのDNAに取りついている転写因子のパターンも新たなDNAコピーに引き継がれ、そのため子細胞は親細胞と同じ遺伝子しか発現させない。骨細胞から骨細胞が、神経細胞から神経細胞が、筋細胞から筋細胞が作られるのはそのためだ。

各細胞はつねに「耳をそばだてている」

分化によって生じるこの極端な依存関係を踏まえれば、各細胞が細胞膜の外側から伝えられる信号に熱心に耳を傾けている理由も説明できる。各細胞はそばにある細胞を念入りに監視するとともに、センサー分子のもとに流れてくる化学物質や栄養分、エネルギーや情報を採取して、遠くから届けられるメッセージを読み取っている。そのメッセージは全国発表のようなものだ。電気パルスや、ホルモンなどの特別な分子として届けられることもあれば、単にそばの細胞から小突かれるだけのこともある。

要するに多細胞生物の細胞は自ら積極的に、ほかの細胞や個体全体と一緒に働いて情報を共有しようとする。こうした協力関係が、すべての多細胞生物における未来思考の基礎となっている。多細胞生物の細胞が共通の目標を持ち、起こりうる未来を見極めるために協力しあい、最適な行動が決まったら一緒に働くことができるのはそのためだ。

次の節では、植物が未来を操るために使っている方法をいくつか見ていこう。その後で私たちヒトにもっと近づき、動物がどうやって未来のための計画を立てるかを見ていく。そうしてようやく、真の未来思考についての説明が始まる。

植物はどのように未来を操っているのか

植物は自ら行動することはないと考えられがちで、未来を操るなんて奇妙に思えるかもしれない。しかしその思い違いの裏には、目的を持った高度な未来操作が数多く隠されている。

植物が動物と大きく違う点は、エネルギーの大部分を光合成と呼ばれる複雑な生化学反応によって太陽から直接得ていることだ。子猫がミルクを舐めるのと同じように植物はいわば太陽光を舐めているが、太陽光は至るところに降り注いでいるため、移動しなくても得ることができる。
光合成は、生命に必要な生化学的エネルギーの流れの大部分をもたらしている。太陽光の高エネルギー光子によって駆動され、植物細胞の中にある葉緑体によって進められる。光合成には水と二酸化炭素も必要だが、これらも光と同じく植物のいわば玄関先にまで届けられる。それ以外の必須元素、たとえば窒素やリンやマグネシウムも、たいていは土の中から根によって調達できる。

このように必要なエネルギーや栄養分に取り囲まれているため、ほとんどの植物は家に留まって「固着」している。幼いうちは胞子や種子としてあちこちに行くことができるが、ひとたび1カ所に留まったらたいていは同じ場所で一生を送る。

だからといって植物も気を抜くことはできない。生き延びて繁殖するためには、すべての生物と同じように情報を得て、確率に基づいた賭けをしなければならない。[5] しかし賭けるのは現金でなくエネルギーや栄養分という通貨で、ほとんどの場合その賭けは自身の身体をどう操るかに基づいている。

隣の木よりも高く生長するためにどれだけのエネルギーを賭けるべきか？　いまはもっと葉を生やすべきときか？　それとも花をつけるべきときか？　甲虫の攻撃を防ぐ準備をするべきか？　シダレヤナギもマツユキソウもジャガイモも、起こりうる未来に人間のギャンブラーと同じくらい日常的に賭けをしていて、その未来は賭けに何回勝ったかによって決まるのだ。

植物もあらゆる生物と同じ3つのステップによって未来を操る。第1に、大小さまざまな目標を定める。第2に、環境のトレンドを探して分析し、次に何が起こりそうかを導き出す。そして第3に、行動して賭けをする。

植物の「目標」設定

マツユキソウもジャガイモも自分なりのユートピアを持っている。だが細かく見ると、何をもって成功とするかは植物種ごとに異なるし、成功を目指すステップも異なる。そのためそれぞれの植物は独自の小目標を持っていて、そのほとんどは遺伝子という形でゲノムに組み込まれている。そしてそれらの遺伝子によって作られるタンパク質や細胞は、各植物種が特定の生態的地位で生き延びて繁栄して繁殖するのに必要なものである。それらの小目標はいわば生化学的な術や作戦のリストで、過去何世代ものシダレヤナギやサボテンが役に立つと気づいたものだ。

植物のトレンドハンティング

ステップ2はトレンドハンティングに相当する。植物表面の細胞は、体外で何が起こっているのかを知るために、周囲の分子やエネルギーや香り、さらには音の変化を感じ取るセンサータンパク質を備えている。太陽光にかけては目利きである植物は、光の周波数の違いを見分けるのにとくに秀でている。植物学の実験に広く使われているシロイヌナズナは、少なくとも11種類の光センサーを持っている。「発芽する頃合いを伝えるものもあれば、光のほうへ身体を曲げる頃合いを伝えるものもある。花を開かせる頃合いを伝えるものもあれば、夜になったことを知らせるものもある」[6]

現在のトレンドに関する情報が感知されると、はるか遠くにあるものを含めほかの細胞にその情報を伝えなければならない。隣の細胞に情報を伝えるのは簡単だ。細胞の中には、細胞膜を介して転写因子などのタンパク質を隣の細胞に直接渡すものもある。[7]

維管束《いかんそく》植物は、水や栄養分、あるいは情報伝達分子を根から葉へ輸送するために、「木部《もくぶ》」と呼ばれる丈夫な管を使う。身体の上のほうでは蒸散によって圧力が下がっていて、液体はその圧力差によって下のほうから吸い上げられる。

　維管束植物はさまざまな物質を含んだ液汁も輸送しており、それによって、情報を伝えるホルモンや、エネルギーに富んだ光合成の生産物を身体中に分配している。液汁は「師部《しぶ》」と呼ばれる特別な組織によって葉から下のほうへ輸送される。樹木の場合、師部は樹皮のすぐ内側にある。

　植物は情報を電気的に伝えることもできる。１９９０年代にイギリスの植物学者ダイアナ・ボールズ率いる研究チームが、トマトの傷ついた葉がほかの葉に電気信号を送って、いわば電話をかけていることを明らかにした。その電話を受けたほかの葉は、自分も攻撃された場合に備えて防御タンパク質を生産する。

　その後スイスの研究者たちがシロイヌナズナを使って、この植物版の電話に使われている電気パルスは、ほとんどの種類の細胞が持っている「化学浸透」と呼ばれるメカニズムによって発生していることを明らかにした。細胞は特別なポンプを使って、細胞膜内外でのカリウムイオンとカルシウムイオンの濃度をコントロールしている。それによって生じる細胞膜内外でのわずかな電位差などを使って、電気パルスを発生させるのだ。[8] この細胞版の電池については、この章の後のほうで神経細胞について説明するときにもっと詳しく見ていくことにする。

植物は互いに「情報交換」している

　植物細胞はホルモンなどのシグナル分子や電気的なメッセージを使って、いま何が起こっているか、何をする必要があるかに関する大量の情報を共有している。

　葉や根は空気中や土壌中の化学物質を感知して、ほかの細胞にその存在を知らせる。また植物は触れられたこともわかる（ハエトリグサに小さなカエルが乗ると、棘《とげ》の生えた葉が閉じる）。近年の研究によると、近くを流れる小川などの音も聞くことができるという。

またほかの植物と情報を共有することもできる。たとえば、近くの植物が発する「フェロモン」と呼ばれるタンパク質や化学物質の濃度や組成が変化すると、それを感じ取ることができる。甲虫に襲われた植物は、甲虫を追い払うタンパク質や化学物質を放つかもしれない。すると近くの植物はその化学物質を嗅ぎ取って、迫り来る脅威を把握し、独自の防御物質を生産するなどして対応する。

もっと効率的な意思疎通の手段を持っているヒトでは、フェロモンは端役にすぎない。しかし植物にとっては、いわば化学的な言語だ。人生の意味や時間の哲学について議論するのには使えないが、起こりそうな未来に関する情報を共有するのには役立つ。

さらに最近になって森林科学者のスザンヌ・シマードが、樹木は根から菌類の巨大なネットワークを介して情報や栄養分を共有していることを明らかにした。そのネットワークはワールド・ワイド・ウェブ（WWW）にかけて「ウッド・ワイド・ウェブ」と呼ばれるようになっている。[9]

災難に遭った近くの植物の放つフェロモンを嗅ぎ取って毒素を生産しはじめた植物は、起こりうる未来に関する情報を得たことになる。それまでは起こるかもしれないだけだった脅威が、ほぼ確実に起こるものになったということだ。植物はその情報に基づいて、新たな化学物質を生産するのに必要なエネルギーを賭けるのだ。

植物はどのように情報を「記憶」するのか：ハエトリグサの短期記憶

起こりうる未来を見極めるには、トレンドを探す必要がある。そしてトレンドを認識するには、何らかの形の記憶、つまり、たったいま起こったことと以前に起こったことを比較する能力が必要だ。

では植物はどうやって物事を記憶するのだろうか？[10]

ローテク時代の輝かしい生物研究者であるダーウィンは、ハエトリグサのような食虫植物が葉を閉じるかどうかを判断する際に一種の記憶を使っていることを明らかにした。自前の温室でハエトリグサを育て、1875年にこのテーマに関する画期的な書物を世に出したのだ。

ダーウィンはその中で、ハエトリグサが甲虫やハエや小型のカエルなどの小動物を捕食するのは、瘦《や》せた土壌に生えていて窒素やリンを必要としているからだと考えた。しかし顎《あご》のような罠をパチンと閉じて再び元どおりに開くのにはエネルギーを要するため、餌と捕食者を見分ける必要がある。そのためには、葉の上に乗ったものを捕まえるべきかどうかを判断できなければならない。

ダーウィンはハエトリグサの上に水滴や、小さすぎて逃げ出せるような生物を置いてみたが、だますことはできなかった。

いまではわかっているとおりハエトリグサは、葉の内側に少数ある小さなセンサーのうちの2個以上に、間髪を入れずに連続して何かが触れたときにだけ罠を閉じる。1回目に触れると、何か大きなものが乗っかった「かもしれない」と判断して準備をし、その情報を記憶する。そして2回目に触れると、「ほぼ間違いなく」大きいものが乗っかったと判断して葉を閉じるのだ！

その際には化学浸透が用いられることが、近年の研究によって明らかになっている。

1回目に何かが触れると、それを引き金にしてセンサー細胞の細胞膜をカルシウムイオンが通過するが、それだけでは電位差が低く、罠を閉じるのには十分でない。ハエトリグサは賭け屋の前で二の足を踏んでいる。

1回目に何かが触れたことは、それによって生じた電位差が残っている限り覚えている。ただし電位差が小さくなるにつれて、賭けをしようという意欲は弱まっていく。

しかし、新たな情報が電気パルスという形で入ってくると意欲は復活する。それがまさに、2回目に何かが触れたという情報だ。

2回分の電位差が足し合わされると、罠が閉じるだけの大きさの電気パルスが発生する。この記憶は短時間のあいだに2回分の電位差が足し合わされることで生じる。ちょうど、だまされやすい客が賭け屋へ向かう途中で有力なたれ込みを2回聞いたようなものだ。計算科学の言葉で表現すれば、「AかつBならばC」というタイプのスイッチである。間髪を入れずに2回連続して何かが触れたら、罠を閉じろ！　罠を閉じたら消化液を分泌し、ダーウィンいわく罠は「一時的な胃袋」になる。[11]

植物はいつも「2つ以上のデータ」を活用している

植物はさまざまなメカニズムを使って、短期や長期の記憶を生み出したり保存したりしている。ハエトリグサが短期記憶を利用しているのはいま見てきたとおりだ。

植物は長期記憶も持っている。数時間、さらには数カ月や数年も記憶しておくことができる。ほとんどの植物は昼と夜の長さの違いに気づいて季節変化を感じ取る。[12] しかしそれだけでは、昼と夜の長さがほぼ同じときにどの季節なのかはわからない。気温が上昇傾向なのか下降傾向なのかも知る必要がある。そしてその傾向を感じ取るにはデータ点が少なくとも2つ必要で、うち一方は記憶の中に保存しておかなければならない。一部の植物は少し前に寒かったか暖かかったかを覚えていて、それを手がかりに秋（葉を落とさなければならない）か春（葉を伸ばさなければならない）かを区別するのだ。

植物の長期記憶に関する決定的な研究には、寒い日がしばらく続かないと花を開かないシロイヌナズナが用いられた。ここでもエピジェネティックメカニズムが働いている。真核細胞ではDNA分子は細胞核の中に閉じ込められて、ヒストンと呼ばれるタンパク質のまわりに効率的にきつく巻きついており、ちょうど糸巻きに毛糸が巻かれたようになっている。そしてその毛玉がいくつも束になって、「クロマチン」と呼ばれるさらに大きな毛玉を作っている。

ある遺伝子を発現させる必要が出てくると、転写因子がクロマチンの中に潜り込んで目的のDNA領域を見つけ、その部分をほどく。そうして初めて、その遺伝子を読み取って発現させることができる。したがって、DNAがどんな形で束になっているかによって、特定の遺伝子をどれだけ容易に発現させられるかが決まってくる。シロイヌナズナなどの植物は寒い時期が続くと、開花に必要な遺伝子を容易に利用できるような形でクロマチンを折りたたむらしい。[13] しかし開花が終わるとヒストンを束ね直して、それらの遺伝子の発現が翌年までブロックされるようにする。このタイプの長期記憶は、細胞のDNAを収めているクロマチンの構造変化に由来するのだ。

植物の体内時計

植物を含めすべての生物は、ほぼ24時間周期で動く概日時計を体内に持っており、外界で起こりうる変化の予測にそれを役立てているらしい。[14] 昼夜のリズムは、気温の変化から捕食者の行動まで地球上の数多くのリズムを決定づけているため、とりわけ重要度が高い。サンゴ礁に棲む一部の魚は、太陽光に目が慣れるまでにおよそ20分かかる。そこでその魚の体内時計は、夜明けの20分ほど前になるとこんなことを語りかけてくる。

「まだ夜中みたいに見えるけれど、あと20分で日の光が当たりはじめる確率が高いし、明るくなったら悪い魚が狩りを始める確率も同じくらい高いから、いまのうちに目を覚ましたほうがいい![15]」

植物に概日リズムが存在することを示す初の証拠は、18世紀初めにフランスの科学者ジャン=ジャック・ドルトゥ・ド・メランによって報告された。

ド・メランは、ミモザの葉が太陽の位置に応じて開いたり閉じたりすることに気づいた。さらに、暗い戸棚の中に入れておいても同じように開いたり閉じたりしたが、ただし日が経つにつれてそのリズムが太陽のリズムからずれていった。

その周期的な振る舞いが何らかの体内時計に基づいているのは明らかだ。

シアノバクテリアの中には、わずか3種類のタンパク質で周期的サイクルを生み出しているものもいる。

もっと複雑な生物は何種類もの概日時計を持っていて、「エントレインメント（同調）」と呼ばれるプロセスによって更新したり同期させたりしている。哺乳類は脳のある部位に一種のマスター時計を持っており、その脳部位は「視交叉上核《しこうさじょうかく》（SCN）」というもったいぶった名前で呼ばれている。この視交叉上核がグリニッジ標準時のように多くの体内時計を同期させている。[16]

しかしどんな概日時計も完璧ではない。意地悪な実験科学者が昼夜のリズムを人工的に変化させると、概日時計がリセットされて植物は時差ぼけを起こしてしまうのだ。真夜中に人工的な太陽光を当てると、植物はだまされて葉を開く。しかし底意地の悪い科学者がいつまでも時計をずらしつづけない限り、すぐに調節して新たなリズムを刻むようになる。

今日では国際宇宙ステーションの中で人工的に昼と夜を作り出す特別な環境を整えて、レタスやエンドウ、ジニアやヒマワリが栽培されている。それらの植物はその環境に合わせて概日時計を調節するのだ。

植物に「脳」がある？

植物の情報収集能力と分析能力があまりにも見事だったため、めったに妄想をめぐらせなかったダーウィンも、植物は伸び出した根の先端（幼根）の中に脳のようなものを持っているのではないかとまで考えた。

「幼根の先端は……隣接した部位の動きを指揮する力を持っていて、下等動物の脳のように働くといっても大げさではないだろう」[17]

いまではダーウィンが珍しく大げさなことをいっていたように思える。植物は起こりうる未来を予期し、それに備えて計画を立てることができるが、そのために中央調整システムのようなものは必要なさそうだ。調整システムは身体中に分散している。植物の計算能力も細菌と同じように、何百億もの生化学反応の相互作用から生じる創発的性質であるらしい。

しかしだからといって、不確実な未来に対処するために植物が用いる感知能力と計算能力、それに対する尊敬の念が小さくなることはないはずだ。私たち自身の身体が未来を操るためにおこなっている数多くの決定も、それと同じような形で進められているのだから。

植物はバレエダンサーのように動く：回旋運動

最後に、植物は行動する。ヒマワリやミモザなど多くの植物は太陽に正面を向ける。根は土壌中の水や栄養分の存在を嗅ぎ取り、深く掘り進めてそれを手に入れる。植物体の各部位は伸びたり縮んだり、色を変えたり芽を出したり、変わった香りを発したりする。それらの行動の多くは身体を変化させるたぐいのもので、驚くほどたくさんの行動に運動が関わっている。

ダーウィンは植物の運動に魅了されるあまり、『植物の運動力』（森北出版）という書物を著した。そこには、植物が未来を操るためにバレエさながらの手の込んだ運動をおこなうことが示されている。

その運動の多くは、ダーウィンが「回旋運動」と名づけた形を取る。これは何かを探すための一種の回転運動で、たとえば「つる植物の茎がある範囲内の各点で次々に曲がることによって、先端が旋回する」。

さらにダーウィンは次のようなことにも気づいた。

「どんな植物でも生長中のすべての部位が、しばしば小さいスケールではあるものの、たえず回旋運動をおこなう。地面から顔を出す前の苗の茎や、地中の幼根ですら、周囲の土圧が許す限り回旋運動をおこなう[18]」

回旋運動について考えてみると、未来操作のすべてのステップが連鎖していることがよくわかる。根や小枝や葉など植物の各部位は回旋運動によって、周囲の様子を探り、さまざまな出来事の流れに対してランダムティッピングをおこない、機会やトレンド、そして何が起こりつつあるかの手がかりを探すことができる。

ネナシカズラはどうやって「獲物」を仕留めるのか

回旋運動は行動にもつながる。

アサガオに近縁のつる植物の一種であるネナシカズラは、まるで吸血鬼のように近くの植物の液汁を吸う。ネナシカズラの若芽はランダムにらせんを描いて上に伸びながら、空気の匂いを嗅いで獲物を探す。センサータンパク質に空気中の特定の化学物質が結合すると、ちょうど上質のワインのデカンターから漂ってきた分子が私たちの鼻の内側に付着したのと同じように、どんな獲物がありそうかを特定する。トマトの匂いがしたらその方向に曲がって茎に巻きつき、小さなドリルで穴を開ける。液汁を運ぶ師部にまでドリルが達すると、獲物から栄養分を吸いはじめる。ネナシカズラは育ってトマトはしおれる[19]。

ネナシカズラのこの行動は私たちには卑劣に見えるかもしれない。しかしバトントワリングのように美しいこの回旋運動に見事に表れているとおり、植物、ひいてはすべての生物は、未来の暗闇に向かって手探りで慎重に進み、ゲノムの規則と記憶している過去の手がかり、そして根や葉から更新される情報を踏まえてランダムな機会をとらえ、起こりうる未来に賭けるのだ。

動物はどのように未来を操っているのか：神経系と脳

動物は頻繁に移動するため、植物よりもはるかに複雑な難題に直面する。動物が移動するのは、ほかの生物を食べることで栄養分を得るためだ。植物は太陽光と雨と栄養分が玄関先に届けられるのを待っていればいい。菌類もその程度で暮らしていける。ほかの生物を食べるが、動物と違ってほとんどの菌類は獲物が死ぬまで行儀よく待っている（ただし中には、獲物に向精神薬を注入してゾンビに変え、生きたまままむさぼり食うものもいる）[20]。死骸は逃げたり反撃したりだましたりしないので、死骸を食べていれば容易に生きられる。しかも死骸は地面の上に豊富に散らばっているので、菌類は植物と同じようにたいして動いたり必死で考えたりしなくてもたいてい栄養分を見つけられる。そのためほとんどの菌類は植物と同じように固着性であるし、動物にとっては必要である特別な計算システムを持たなくても生き延びられる。

食うか食われるかの世界で動物が生き延びる「戦略」とは

動物にとって問題なのが、ほかの動物を含めほとんどの大型生物は食べられるのを嫌がることである（数少ない例外が草や一部の植物の果実で、草食動物の脳が肉食動物よりも小さいのはそのためかもしれない)。

ダグラス・アダムスのSF『宇宙の果てのレストラン』(河出文庫)に登場する遺伝子組み換えウシは、自分のおいしい肉を客に勧めてから撃たれに行く。しかしほとんどの動物は食べられそうになると逃げたり隠れたりするし、多くの植物は棘で刺したり毒を含ませたりする。そのためほとんどの動物は、知力や走力、あるいは筋力が獲物よりも上回っていないと食べ物を手に入れられない。

食べるためにはこの世界の中で這ったり登ったり、泳いだり飛んだりしなければならず、入り組んだ長い旅に出なければならないことも多い。そしてようやくごちそうになりそうなものを見つけたら、それと戦ったり、防御を突破するために必死に考えたりしなければならないかもしれない。

要するに、動物でいることは骨の折れるもので、動物にとっての未来はヒナギクやキノコよりも全般的に多様で予測不可能である。植物や菌類と同じく動物も、明確な目標と大量の情報を持ち、急速に移り変わる状況に対して取りうる反応を多数取り揃えておく必要がある。

しかし動物にとって最大の難題となるのは、3段階の未来思考プロセスにおける中間のステップ、すなわち周囲のトレンドを見極めて分析するというステップだ。

そこで本章のこれ以降では、動物が起こりうる未来をきわめて高度にモデル化するための精巧な神経学的メカニズム、すなわち神経系に焦点を絞ることにする。

幼いアンテロープが泉で水を飲んでも安全かどうかを判断する前に、その精神にはどんな想像上の未来がよぎるのだろうか? そしてそのイメージはどうやって作られるのだろうか?

神経系の進化

動物の神経系は、ときに長距離におよぶ効率的な情報伝達に特化した細胞、いわゆるニューロン(神経細胞）のネットワークからできている。

ニューロンは大きく次の3種類に分けられる。「感覚ニューロン」は情報を検出し、「運動ニューロン」は筋肉に何をするかを指示する。そして感覚ニューロンと運動ニューロンのあいだには「介在ニューロン」が存在する。介在ニューロンのネットワークが感覚ニューロンからの情報を分析して、起こりうる未来を計算し、何をすべきかを決定して、その決定を運動ニューロンに伝える。単純な状況や、考える時間がない状況では、介在ニューロンを介さずに感覚ニューロンから運動ニューロンに直接指令が送られる。

その感じをつかむには、赤く焼けた鉄に触れたときに自分の身体が何をするかを観察すればいい。あれこれ考えにふけることはないだろう。

しかしもっと複雑な状況の場合は、介在ニューロンのネットワークが分析をおこなったのちに決定が下される。

動物にとって入念な未来思考がどんどん重要になっていったことを物語るのが、大きくて複雑な動物ほど介在ニューロンの重要度が高くなっていることだ。

線虫C・エレガンスのニューロンはわずか302個で、感覚ニューロン、運動ニューロン、介在ニューロンの割合はおおむね等しい。[21] しかしもっと複雑な神経系が進化するにつれて介在ニューロンの割合が増え、私たちが「脳」と呼ぶ特別な計算器官に介在ニューロンがどんどん集積されていった。

脳の最大の役割は、正確さと一般性のちょうどよいバランスを取って起こりうる未来について考え、モデルを立てることである。哲学者のパトリシア・チャーチランドがいうように、「脳の究極かつもっとも広範な機能……それは予測することだ[22]」。

単純な神経系の存在を示す最古の証拠は、いまからおよそ6億年前、最初の動物が繁栄したエディアカラ紀に見られる。それ以降ニューロン自体はさほど変化していないが、次々に数多くのニューロンが統合されてどんどん複雑なネットワークが構築されるにつれ、神経系の計算パワーは桁違いに高まっていった。

カイメン（海綿）などのきわめて単純な動物は、ニューロンも神経系も持っていない。ニューロンを必要としないのは、植物と同じく固着したままで一生の大半を過ごすからだ。クラゲなどの腔腸《こうちょう》動物にはニューロンがあるが、中枢を持たないネットワークをなしていることが多い。[23] しかしヒドラなど一部の腔腸動物では、たくさんの出来事が起こる口や触手などの部位のそばにニューロンがリング状に集まっている。

もっと複雑な神経系が進化したのは、身体に前後・上下・左右の区別がある左右相称動物においてである。脳もそうだ。今日では左右相称動物は、蠕虫《ぜんちゅう》や魚、ロブスターや昆虫、ワニやヒトなど、動物種の大半を占めている。[24] 扁形動物ですら、たいてい最初に新たなトレンドと相まみえる身体の前部にニューロンが集中していて、「神経節」と呼ばれる塊を作っている。

多くの無脊椎動物は神経節をいくつも持っていて、それぞれ身体の異なる部位を操っている。無脊椎動物の中でもおそらくもっとも賢いタコは、ほとんどのニューロンを腕の中に収めている。昆虫や甲殻類を含む巨大な動物群である節足動物は、2つまたは3つの神経節が融合してできた、複数の部分からなる脳を持っている。[25] その働きの大部分は、目や触覚や口を操ることに充てられている。

脊椎動物の大きな脳は高度な未来モデルを作る

神経系と脳がもっとも贅沢に発達したのは、脊髄を持った動物、いわゆる脊椎動物の系統においてだ。その変化をもっとも単純な形で見て取るには、今日生きている各動物種のニューロンの数を数えてみればいい。先ほど述べたとおりC・エレガンスの神経系にはニューロンが３０２個しかなく、それらのあいだの神経連結の様子は残らず解明されている。アメフラシのニューロンは約２万個。ショウジョウバエは脳の中に約20万個、昆虫の中でももっとも賢いミツバチでは約１００万個だ。タコは５億５０００万個ものニューロンを持っている。[26]

哺乳類の脳はとりわけ大きく、ヒトの脳には１０００億個のニューロンがあって、それらのあいだの神経連結は１０００兆カ所にもおよぶ。そのニューロンの一つひとつが信号を1秒間に最大50回送ることができるため、ヒトの脳は1秒あたり10^{15}回ほどの論理演算をおこなえることになる。[27]

大きい脳は、現在の現実や起こるかもしれない未来を詳細にモデル化するのにきわめて都合がよい。喉が渇いた幼いアンテロープの両耳のあいだにあるぐにゃぐにゃしたニューロンの塊は、泉に向かって歩くにつれて生み出される何千万もの信号を３次元のバーチャル動画に変換する。その動画に映っているのは、風にそよいで甘い匂いを放つ草、ブンブンうなる昆虫、自分以外の何頭ものアンテロープ、そして、泉を見回るライオンの群れの匂いと姿だ。まずい！

もちろんこれらの計算がすべて脳の中でおこなわれるわけではない。多くの計算は背骨の中や身体中に伸びたニューロンのネットワークの中でおこなわれていて、そのためアンテロープの脚はすぐさま走る準備を整える。

脊椎動物の脳は前脳、中脳、後脳の３つの部位に大きく分かれていて、後脳に脊髄が直接つながっている。中脳と後脳は、歩行や通常の呼吸など、意識的にコントロールすることのないプロセスを操っており、そのためほとんどの未来思考を担っている。前脳はもっと複雑な情報を処理することができて、起こるかもしれない未来のモデルを立てるのにとりわけ秀でているため、神経系の各部位から寄せられる提案のよし悪しを判断する管理者的役割を演じることができる。[28]

前脳がとくに急速に大きくなったのが、哺乳類の中でも霊長類の系統においてだ。私たちヒトの進化では、前脳の中でも新皮質と呼ばれる部分がわずか２００万年あまりで劇的に大きくなった。大きさが3倍近くになり、中でももっとも速く大型化した部位である前頭皮質は、「作業記憶、行動計画立案、知能」にとってもっとも重要な部位だと考えられている。神経学者のガーハード・ロスの概算によると、ヒトの皮質ニューロンがおよそ１５０億個なのに対し、その点で私たちにもっとも近いクジラやゾウではわずか１１０億個、私たちにもっとも近縁のチンパンジーではおよそ60億個だという。[29]

神経系はどのように機能するのか

トランジスタがいくつもつながりあってコンピュータができているのと同じように、神経系の中ではニューロンがつながりあって巨大なネットワークを作っている。そして神経系もコンピュータと同じように、（おもに）電気パルスを使って情報伝達をおこなっている。ニューロンはトランジスタと同じく、複数の電気信号を受け取って評価した上で、次のニューロンに信号を送るかどうかを決定する。

ニューロンがうまい具合につながりあって巨大なネットワークになると、すさまじく複雑な計算をおこなったり、この世界の豊かなモデルを構築したりできる。またニューロンのネットワークの中に記憶を保存して、数時間や数日、あるいは何年ものあいだ保持することもできる。

ニューロンがどんなふうに働いているかを知るには、再びタンパク質サイズに身体を縮めて、細胞のどろどろした原形質の中に入らなければならない。またもや電磁場に押されたり引っ張られたりするとともに、さまざまな任務に邁進するタンパク質などの分子にたえずぶつかられることになる。

しかし今度は大腸菌の細胞よりもスケールが大きい。私たちがいるのは村のような原核細胞でなく、都市のような真核細胞だ。住人はもっと多様だし、さまよう距離ももっと長い。

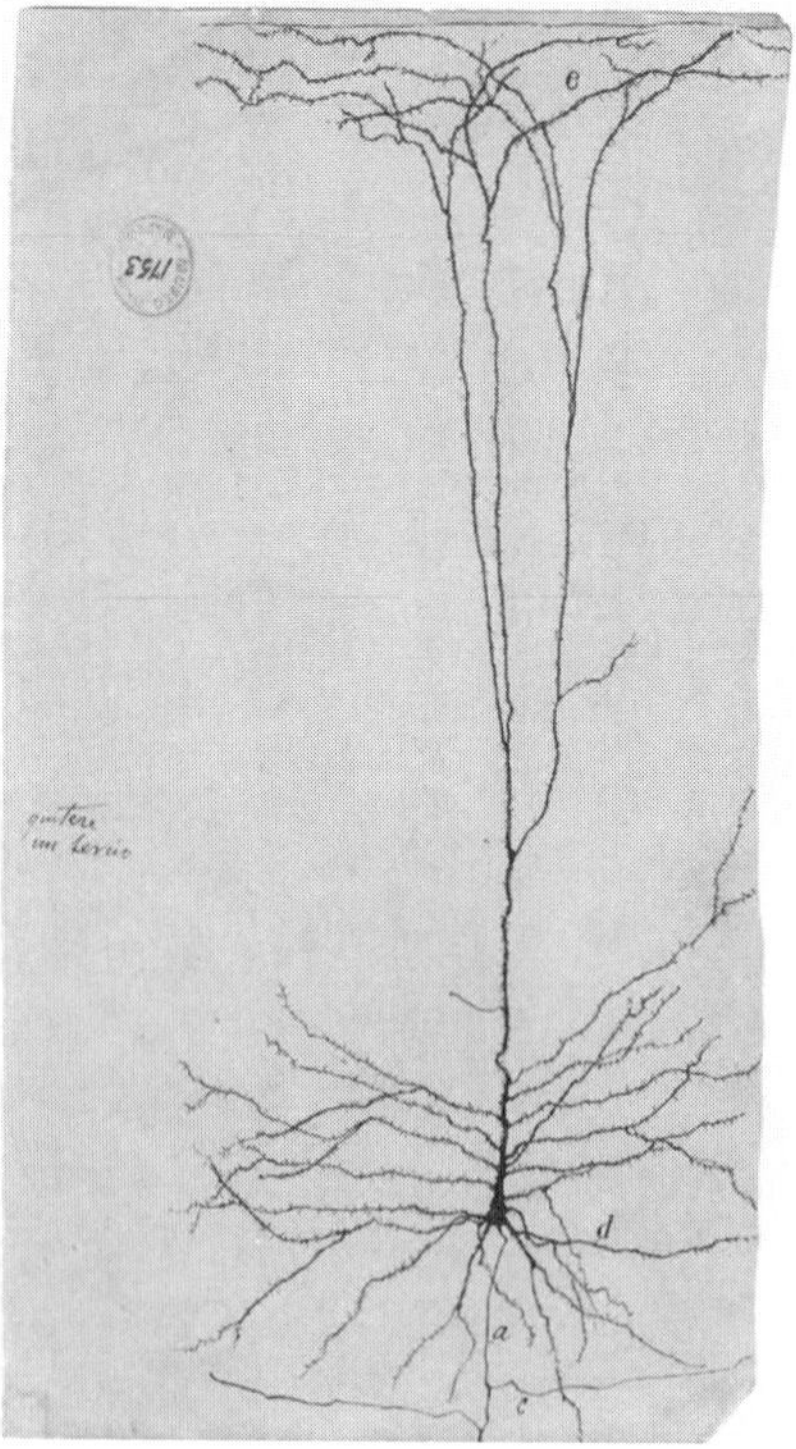

図4.1　ヒトの大脳皮質の巨大錐体ニューロンのスケッチ、1899年（紙にインクと鉛筆で描かれている）

下方中央の黒い塊が細胞体。上に伸びる長い樹状突起は1ミリメートル以上の長さがあり、脳の表面にまで達している（e）。別の何本かの樹状突起（d）が細胞体を取り囲んでいる。樹状突起をよく見ると、シナプスがまるで産毛のように数多く見て取れる。このニューロンの軸索（a）は枝分かれしている（c）。

　ニューロンの基本構造が描き出されたのは20世紀に入ってからのことで、スペインの神経生物学者サンティアゴ・ラモン・イ・カハル（1852〜1934）が顕微鏡でニューロンを観察して美しいスケッチを描いたことによる[30]（図4・1）。

　カハルは、すべてのニューロンが共通した3つの部分からできていることを明らかにした。

　1つめの部分である細胞体には、細胞核と基本的な機構の大部分、およびエネルギーを供給するミトコンドリアなどの細胞小器官が収められている。

　ニューロンがほかの細胞と違うのは第2と第3の部分、すなわち樹状突起と軸索だ。これらは糸状の構造をしており、細胞体から伸びて別の細胞と接触している。情報は多数の樹状突起の上にある「シナプス」からニューロンに入り、細胞体に伝わって、1本だけある軸索から出ていく。軸索はときに何本かに枝分かれしていて、細胞の基準からいうときわめて長いこともある。ヒトの座骨神経の軸索は脊椎の基部から足の親指まで伸びている。

「活動電位」の発見

１９２０年代に生物学者のエドガー・エイドリアンが、ニューロンどうしは「活動電位」と呼ばれる電気パルスによってメッセージを交換していることを明らかにした。活動電位は継続時間が１０００分の数秒で、軸索を通って特定の目的地へ伝わり、ときに長距離におよぶこともある。活動電位は強度や継続時間がすべてほぼ同じで、違いは回数と繰り返しの速さだけだ。エイドリアンはこう述べている。「インパルス〔活動電位〕は、そのメッセージが明るさ、触覚、痛みのどの感覚を引き起こすかにかかわらず、どれもほぼそっくりだ。インパルスどうしのあいだが詰まっていれば感覚が強くなる。あいだが開いていればそれに応じて感覚は弱くなる[31]」

活動電位を発生させるには大量のエネルギーが必要で、１９６０年代初めに生化学者のピーター・ミッチェルが、そのエネルギーは往古の生化学的メカニズムである「化学浸透」によって生み出されていることを明らかにした。

化学浸透は前にも登場した。地球上に生命が誕生したときから存在しているプロセスで、いまだに私たちのすべての細胞の中で働いている。

どんな細胞も、カルシウムやカリウムなどの陽イオンを細胞外に汲み出して内部に負の電荷を作り出すことで、細胞膜を隔てたわずかな電位差を維持している[32]。そのため細胞は小さな電池のようになる。その陽イオンを一気に細胞内に流し込めば、活動電位の電気パルスを生み出せる。

しかし、細胞膜を隔てた電位差を維持するために陽イオンを汲み出しつづけるのは大変な作業で、ヒトの脳で消費されるエネルギーの80パーセントがそのために使われている。頭の中をよぎる考え、素晴らしいひらめきやつらい記憶、次のデートや就職面接のシミュレーション、その一つひとつが化学浸透によって引き起こされており、何千万個ものニューロンの細胞膜を通して陽イオンを汲み出すことによって可能となっているのだ。[33]

ニューロンも「複数の情報源」を使って意思決定している

軸索を先端までたどっていくと、軸索と別のニューロンの樹状突起とをつないで情報の受け渡しをおこなっているシナプスにたどり着く。

シナプスを介して情報を伝える方法は2通りある。電気パルスによってすばやく伝える方法は、慎重さよりもスピードが重要な場合、たとえば赤く焼けた火かき棒に触れたときの反応などにおいて威力を発揮する。

しかしもっとゆっくりと慎重に信号を伝えることもでき、その際には神経伝達物質と呼ばれる分子が、まるでスパイドラマでの人質交換のようにシナプスの狭い間隙の中を拡散して移動する。

シナプス間隙を越えた神経伝達物質は、小さなパルスを発生させる。[34] その新たなパルスの極性が負だと、受け取った側のニューロンの内部にある負電荷が増え、そのニューロンが発火（活性化）する確率が下がる。パルスの極性が正だと発火の確率が高くなる。

しかしニューロンが発火する、つまり次のニューロンに信号が送られるのは、数十個や数百個の別のニューロンから伝わってきた「抑制性パルス」や「興奮性パルス」が足し合わされて、それがある閾値を超えた場合に限られる。[35] ハエトリグサが葉を閉じるかどうかを判断するのに少し似ている。ニューロンもハエトリグサと同じように、複数の情報源からの情報を考え合わせた上で発火するかしないかを決めるのだ。

活動電位によって情報が伝わるスピードは秒速25メートル程度で、現代のコンピュータよりもはるかに遅い。しかし地下ケーブルを伝わる電話音声のように中継されながら伝えられ、長距離にわたって強度が保たれるため、信号が劣化することはない。爪先を何かにぶつけるとその痛みが減衰せずに脳まで届くのはそのためだ[36]。

また神経系は並列的に動作する。どの瞬間にも膨大な数の活動電位が発生しており、全体で何千万回もの計算を同時におこなっている。いまだに脳が最高性能のコンピュータよりもある意味強力なのは、この並列計算のおかげだ。

動物が未来について考える上で神経系はどのように役立っているか

こうした活動電位は、動物が起こりうる未来について創造的・生産的に考える上でどう役立っているのだろうか？

ニューロンはコンピュータのトランジスタのように巨大なネットワークを作ることで、感覚情報を収集して分析し、記憶に保存し、ほかの記憶と比較し、欠けている情報を埋め合わせた上で、世界の変化の様子に関するモデルを構築することができる。

ボールをキャッチすることを考えてみてほしい。あなたはそのボールがいつどんな速さで投げられたかを覚えていられる。するとあなたの精神は、そのボールの重さと運動量、風の影響などに関する情報を埋め合わせた上で、ボールの取りうる軌道のモデルを立て、どこに自分の手を構えればキャッチできるかを計算する。

過去のトレンドに関する記憶は、起こるかもしれない未来のどんなモデルにとっても欠かせない構成要素だ。神経系では、連結しあったニューロンからなる、ある程度不変のネットワークの中に記憶が保持される。生物学者のエリック・カンデルは、アメフラシのニューロンのつながり方を調べることで、記憶がどうやって形成されるかを明らかにした。その研究以降、陽電子放射トモグラフィ（ＰＥＴ）や磁気共鳴イメージング（ＭＲＩ、あるいは機能的ＭＲＩ（ｆＭＲＩ））などの新たな撮像技術の開発によって、ニューロン間の連結が作られたり切れたりする様子をリアルタイムで観察し、脳がさまざまな思考をおこなうときにどの部位が活性化するかを調べられるようになっている。

短期記憶はワンナイト・ラブで長期記憶は結婚

ニューロンのネットワークの中で学習がおこなわれたり記憶が保持されたりする際には、シナプスの連結が強化される。短期記憶は一夜限りの関係のようにすばやく容易に結ばれてすぐに解消されるが、何度も出合ったニューロンどうしはもっと長いあいだ続く関係を築くことがある。長期記憶はまさに結婚のように、労力は要するがたいてい長く続くのだ。

植物におけるこの違いについてはすでに説明した。数秒間しか必要のない記憶にエネルギーを無駄遣いしたくはない。そこで短期記憶には、大腸菌の内部で見てきたタンパク質の形状変化や、葉を閉じるかどうかを判断するハエトリグサに見られる電荷の減衰に似た、労力を要しない可逆的なプロセスが用いられる。一方で長期記憶を定着させるには、新たなシナプスをつないだり強化したりするなど、もっと永続的なニューロンの変化が必要だ。物忘れが起こるのはシナプスが切れることによるのかもしれない。[37]

そのように細胞の構造を変化させるには、新たな働き者タンパク質が必要だ。すなわち、細胞のＤＮ

Aの中に転写因子を潜り込ませて特定の遺伝子を活性化させ、長期記憶のための堅牢なシナプス連結を作るタンパク質を生産しなければならない。[38]

3つの学習：馴化、鋭敏化、パブロフ型条件づけ

動物のとりわけ秀でた能力が、「学習」だ。学習とはすなわち、新たな長期記憶を構築したり、起こるかもしれない未来に関する新たな情報を受けて既存の記憶を調節したりすることにほかならない。カンデルは、ニューロンのネットワーク間の連結が作られたり切れたりすることに基づいて、学習の基本的な3つのタイプを説明できることを明らかにした。いずれのタイプも帰納的予測の一種と考えることができる。つまり、記憶に保存された過去に見出される特定のトレンドを踏まえて、起こりうる未来に賭けることに相当する。

1つめのタイプの学習である「馴化《じゅんか》」は、いわば負の学習で、学習したことを捨てるのに用いられる。すなわち、信号Aが必ずしも未来の出来事Bと相関していないことを教えてくれるものだ。空港のそばの家に引っ越したら、「突然ものすごい音！　ぎゃあ！　危ない！」と伝えてくるアルゴリズムに心落ち着かないかもしれない。しかしやがて、ジェットエンジンの轟音が聞こえても攻撃されるわけではないと学習する。

2つめのタイプの学習である「鋭敏化」はその逆だ。すなわち、信号A（赤く焼けた火かき棒に触れる）と出来事B（やけどしてひどく痛む）のあいだには実際の相関があるということを教えてくれる。つまり実際のトレンドが存在していて、それがおそらく未来まで続くということだ。

3つめのタイプの学習である「古典的条件づけ」または「パブロフ型条件づけ」と呼ばれるものでは、恣意的な信号と特定の結果を繰り返し与えられると、それらのあいだに新たな相関やトレンドが存在す

ると学習し、未来でもその信号と結果が結びついているだろうと思い込む。

ロシアの心理学者イワン・パブロフ（１８４９〜１９３６）が、イヌに餌を与える前にベルを鳴らすという作業を何度も繰り返したところ、やがてそのイヌは、ベルが鳴ると必ず餌が出てくるものと期待してよだれを垂らしはじめるようになった（私は学生時代、レニングラード［現在のサンクトペテルブルク］で1年間暮らしていて、レニングラード大学の生物学科の前を通るたびにしょっちゅうイヌの吠える声を聞いていた。話によると、パブロフが何度も実験をおこなっていた実験室で飼われているとのことだった）。起こりうる出来事に関するこの３つのタイプの学習は、単細胞生物である細菌を含めすべての生物が何らかの形で持っているらしい[39]。

バイオリン奏者の脳の一部は一般人の5倍大きい

馴化の際にはシナプス連結が切れるが、鋭敏化やパブロフ型条件づけではシナプス連結が増えて強化される。バイオリン奏者の前頭皮質の中で左手を司る（運指を担う）部位が、一般人の5倍の大きさに達するのはそのためだ。同様の変化は、ロンドンのタクシー運転手の脳における、空間マッピングに関連した部位にも観察されている[40]。

バイオリン奏者やタクシー運転手の場合、あるパターンのニューロンネットワークが未来への対処に役立つと神経系が判断すると、脳の特定の部位に新たなシナプスが形成される。そしてその必要な生化学的変化に脳が労力を注ぎ込み、新たな情報が学習されて長期記憶に固定される。

記憶が更新されると、それに基づいて、精巧で妥当で変更可能な世界のモデルが構築される。しかし多くの場合、ピースの欠けたジグソーパズルのように欠落があるため、埋め合わせがおこなわれる。ネッカーの立方体の例（第２章の図２・３）でわかったとおり、精神は限られた情報から抜け目なくモデルを構築する。

ヒトの視覚系を調べていくと、脳が記憶および、大量の埋め合わせや推量の助けを借りて新たな情報をまとめ上げ、世界の精巧なモデルを構築するさまがよくわかる。

左右それぞれの目にはおよそ1億個の光受容細胞がある。それらの細胞からの情報が脳に伝えられ、色や形、線や角度などさまざまなタイプの知覚へと処理される。すると精神がその情報を集約し、記憶の助けを借りて補正する。さらに整理して、欠けた情報を同様の場面の記憶に基づいて埋め合わせる。たとえば目の中央にある盲点を埋める。その結果、おそらく起こっているであろう出来事の豊かで鮮明なモデルができあがり、そのモデルに見出されるトレンドに基づいて、起こりうる未来を予測する。

「9・11テロを予言した」説がはびこる理由：後知恵バイアス

それらのモデルのうちいくつかは長期記憶に保存され、何度も繰り返し呼び出すことができる。しかし記憶は写真や文書と違って単純な複製物ではない。思い出されるたびに再構成されるため変化するし、のちの出来事によってゆがめられる。そのため後から振り返ると、記憶している出来事を、予想していた事柄と誤って解釈してしまうことがよくある。

いまから２０００年前にローマ帝国の歴史家プルタルコスが、カエサルの暗殺を前もって予言していたとする主張を数多く記録している。ある予言者はカエサルに、３月15日に「大きな危難」に見舞われると警告した。

「元老院に向かうカエサルがその予言者に、『どうだ3月15日が来たぞ』と冗談まじりに挨拶すると、予言者は小声で『ええ、確かに来ましたが、まだ終わってはいません』とつぶやいたという」

古代ギリシアの歴史家ストラボンも、不思議な予兆についていくつも伝えている。たとえばこんな不吉な出来事があったという。カエサルが1匹の動物を生贄に捧げると、その動物には心臓がなかった。また妻のカルプルニアが、カエサルの遺体を腕に抱えている夢を見た。[41]

未来を予言したという記憶がよくあるのは驚くことではない。というのも、私たちは起こるかもしれない未来のモデルを絶えず立てているため、それらのモデル未来のうちのいくつかが実際に起こる未来と似てくる確率はかなり高いからだ。

予言のように思えるこの現象のことを「後知恵バイアス」という。[42] 記憶は後からゆがめられるものなのだ！　９・11同時多発テロや２００８年の世界金融危機など、現代の多くの出来事についても、事前に予言していたという「後知恵の記憶」が当然数多く見られる。

世界とは「精神によって組み合わされた記憶」

私たちにとっては、精神によって組み合わされた記憶やモデルこそが世界にほかならない。色もついているし、ドラマもリアルな活気もある。それどころか現実に限りなく近い。

社会心理学者のダニエル・ギルバートはこう述べている。

> 私たちの脳は情報を収集し、明敏な判断を下してさらに明敏な推測をおこない、物事の最良の解釈を与えてくれる。それらの解釈はたいていきわめてすぐれている。なぜなら、実際に構成されている世界とあまりにも似ていて、私たちは自分の見ているものが1つの解釈にすぎないことに気づかないからだ。
>
> それどころか私たちは、自分が頭の中の椅子に心地よく腰をかけていて、目という透明なフロントガラスを通して外を見渡し、世界をありのままに見つめているかのように感じている。

自分の脳が捏造に秀でていて、その紡ぎ出す記憶と知覚が細部まで説得力を帯びており、それが偽物であるのにめったに気づかないことを、私たちはついつい忘れがちだ。[43]

意識研究者のアニル・セスがいうように、私たちの精神が作り出すモデルはまさに「制御された幻覚」だ。[44]起こっているであろう出来事を、受け取った信号を踏まえて最善の形で予測したものにすぎない。とはいえ、直接間接を問わず、周囲で起こっている出来事に関して集めた大量の情報に基づいているため、実際に起こっている出来事にできる限り近くなっている。いわば世界と未来に向けて開いた窓であって、私たちの未来思考のあらゆる面を方向づけているのだ。

感情と神経系

もちろん私たちの未来予測メカニズムは、ニューロンからなる生身のコンピュータだけで構成されているわけではない。

哺乳類など大きな脳を持つ生物では、過去にうまく機能していたアルゴリズムや経験則が、感情によって強化されている。あの幼いアンテロープの脳と身体は、ライオンの群れから逃げるのが賢明だと語りかけるだけではない。分泌されたホルモンが火災警報のように刺激を与え、恐怖とパニックの強い感情をかき立ててアンテロープを走らせる。つまり、未来円錐その3のレッドゾーンに追い立てるのだ。

人間も同じである。私たちの感情系はなじみ深い状況に対するさまざまな半自動的反応の一部をなしていて、そうした状況では慎重な思考はおそらく必要なく、素早い反応が求められる。息ができなくなったときに感じるパニックを思い浮かべてみてほしい。

神経系と感情とのこうした結びつきから説明できるとおり、よい未来と悪い未来の違いは、単に考えるものだけでなく、強く感じられるものだ。私たちは自分や他者の多くの行動に関して強い感情を抱いており、少なくとも人間にとってはその感情が、道徳や倫理に関するほとんどの考え方の根底に横たわっているのだ。

「速い思考」はときに危ない

実際に起こっている事柄に関する徹底した思考でなく、見慣れたトレンドに基づいて未来に関する助言を与えてくれる高速のアルゴリズムは、感情と密接に結びついている。

そうした手軽なアルゴリズムは、心理学者のダニエル・カーネマンが「速い思考《ファスト》」と呼んでいるものの一部をなしている。[45] 速い思考は直観的で、ほとんどの場合意識下でおこなわれ、意図的な努力はほとんど必要としない。それでも未来に関する私たちの決定のほとんどを担っている。時間や情報やエネルギーが十分でなく、問題について深く考え通すことができない場合には欠かせないものだ。単純な状況では労力を要せずに容易に進めることができ、たいていは正しい方向を指し示してくれる。

しかしそうでないこともある。カーネマンとその共同研究者のエイモス・トベルスキーの研究によって示されたとおり、速い思考はときに速すぎることがある。

たとえば速い思考は容易に入手できる情報に頼るため、カーネマンとトベルスキーが冗談で「少数の法則」と呼んでいるものに基づいて拙速に結論を導き出すことが多い。[46]

あの幼いアンテロープは母親にこういうかもしれない。

「あの泉には4回行ったことがあって、いつもライオンがいたけど、僕を食べようとなんてしなかったよ。どうしてあそこに行っちゃいけないの？」

私たちはみな、単なる最近の経験を一般的に通用するものとみなしてしまう。そのため、2シーズン不調だっただけでコーチを首にするスポーツチームの経営者のように、とんでもなく少数のサンプルから帰納を進めてしまうことが多い。

速い思考を踏まえればわかるとおり、私たちの未来思考は、たとえ洗練された神経系によって進められている場合でも、危険なほどその場しのぎであることがあまりにも多いのだ。

「速い思考」と「遅い思考」の組み合わせで未来に備える

しかし大きな脳を持った動物種は、もしも速い思考でトラブルに陥っても十分な時間と精神力さえあれば、カーネマンが「遅い思考《スロー》」と呼ぶ第2のシステムを発動させることができる。

あのアンテロープの母親はこの遅い思考を使ってこう答える。

「お前のサンプルはあまりにも少なすぎて、そこから帰納することなんてできない。母さんはもっと長く生きてきたし、お前の父さんの最期も覚えてる。あの泉に近づいちゃだめよ！」

遅い思考にはある程度の意識が必要なため、ここからは文字どおりの「未来思考」について語っていくことができる。遅い思考は速い思考に比べて努力と集中力を要するが、問題にもっと厳格に取り組み、もっとたくさんの情報を用い、結論をもっと慎重にチェックする。そのため私たちのように大きな脳を持つ大型生物では、意識的な遅い思考が未来に関する重大な最終判断の多くをおこなっている。速い思考と遅い思考の分業体制はほとんどの場合うまく機能する。カーネマンがいうように、「それによって労力が最小限に抑えられ、性能が最適化されているのだ」[47]。

残された謎

最後にいっておくと、未来思考の生物学的側面についてはまだ数多くの謎が残されている。コンピュータ科学者のスチュアート・ラッセルは（ほんの少しだけ誇張して）、「ニューロンが学習し、知り、記憶し、推論し、計画し、決定するしくみは、いまだにほぼ誰かしらの憶測にすぎない」といっている。[48]

未来に備えるときに頭の中に浮かび上がる鮮明な「リアル感」を、手を取り合った何兆個ものニューロンがどうしたら生み出すことができるのか、それは本当のところ見当もつかない。気づきや意識（心理学者のアリソン・ゴプニックは「麻酔によって奪われるあれ」と定義している）の源も本当のところ解明できていない。[49] 進化のどの時点で初めて意識の光が輝き出したのかもわかっていない。喉が渇いたあの幼いアンテロープは、未来の自分の運命について意識的に考えていたのだろうか？

哲学者のデイビッド・チャーマーズが１９９５年に初めて言及したとおり、多くの哲学者は意識の問題を「ハードプロブレム（難しい問題）」とみなしている。多くの哲学者や心理学者にとって意識は、宇宙論学者にとってのダークマターやダークエネルギーと同じくらい問題をはらんでいる。

しかし意識が何であったとしても、そのおかげで私たちは人生の大部分にわたり、自分が未来思考をおこなっていることに気づいていられるのだ。

パート3

未来に備える

人間はどのように未来に備えるのか

第5章

人間の未来思考はどこが新しいのか

だがネズミよ、お前だけではない。
未来を見越しても無駄かもしれないと悟ったのは。
ネズミと人間が練り上げた計画は
たびたび道を外れる。
そして私たちには嘆きと痛みしか残らない。
喜びが約束されていたはずなのに！

それでもお前は私に比べたら幸せだ。
お前に関わるのは現在だけ。
だがなんということだ！　私は過去に目をやる。
なんと憂鬱《ゆううつ》な眺めだ！
そして未来は、見えないものの
推し量って恐れるのだ！

――ロバート・バーンズ『ネズミへ、鋤《すき》でその巣を掘り返したときに』[1]

2つの変化

人間や、バーンズのいう「小さくてずる賢く、つやつやしていて臆病な獣」を含め、大きな脳を持つ多くの動物種の場合、最終判断レベルの未来思考はその多くが意識的なものだ。しかし人間の未来思考は、関連しあった2つの変化によって、大きな脳を持つほかの動物種と比べても比類ないパワーと重要性を帯びるようになった。

まず、人類が数百万年をかけて進化するにつれてさまざまな神経学的・生物学的変化が起こり、それによって一人ひとりの人間が、起こりうる未来を並外れた技量で考え、想像し、計画し、モデル化できるようになった。

しかしそれらのスキルの影響力は、2つめの変化によって何倍にも増幅された。言語の誕生によって人々が考えを共有しあい、集団として情報を蓄積できるようになったのだ。大勢の人のあいだで情報を共有することで、人間の未来思考と未来操作、そして人類の技術と文化全般はかつてないスピードで発展して変化できるようになり、何十万年にもわたって世代から世代へとどんどん力を増していった。

この2つの変化が組み合わさることで、私たち人類と未来、そして私たちの暮らす地球との関係性が様変わりした。私たちは経済物理学者ディディエ・ソネットのたとえる「ドラゴンキング」になって、突如としてまるで伝説のような新たな振る舞いをしはじめたのだ。[2]

変化その1　生物学的な違い：脳の発達

私たちの属する、飛び抜けて脳が大きくて二足歩行をする霊長類のグループ、「ヒト族」は、数百万年前から進化を続けてきた。

そしてここ200万年で脳が急速に大きくなった。現代のチンパンジーの脳は容積が300から480立方センチメートル。200万年前のヒト族であるホモ・エレクトスやホモ・エルガステルの脳はおよそ900から1000立方センチメートル[3]。現代の人類の脳はおよそ1300から1400立方センチメートル、近縁のネアンデルタール人の脳はさらに大きく、1500立方センチメートル以上あった。

もちろん脳の大きさがすべてではない。知られている中でもっとも大きい脳はマッコウクジラのもので、およそ8000立方センチメートルもある。

もっと重要なのは脳と身体のサイズ比だ。大きな生物ほどたくさんの神経学的資産を管理しなければならない。そのため進化史の中では、身体が大きくなるにつれて脳も大きくなる傾向がある。

だがヒト族の脳はその法則に基づく予測よりも速いスピードで大型化した。ヒトの脳は身体に比べて例外的に大きいのだ[4]。また前の章で述べたとおり、計算や計画立案に特化した脳領域である前頭皮質に飛び抜けてたくさんのニューロンが収まっている。

これらの変化は何によって引き起こされたのだろうか？

「脳の大きさ」と「社会性」のフィードバックループ

進化生物学者がそう問いかけなければならないのは、何百億個ものニューロンが絶えず発火して活動電位を発生させていると、ほかの活動に使えたはずの莫大なエネルギーが浪費されてしまうからだ。そのため大きな脳は高くつき、だからこそ進化論的に稀だ。大きな脳が進化した強い理由が何かあったに違いない。その変化のスピードが（進化論的なタイムスケールでいうと）速かったことから見て、何らかの正のフィードバックループが働いていたと思われる。

1つ考えられるのが、脳の大きさと社会性との関係だ。哺乳類は温血動物なので、体温を維持するために、爬虫類に比べて体重あたり最大で10倍の食糧を必要とする。その食糧を手に入れるための1つの方法が、もっとずる賢くなること、もう1つが協力しあうことだ[5]。そのため、哺乳類が一般的に脳が大きく、多くの哺乳類が群れや集団で暮らしてスキルや筋力を出し合うのは驚くことではないだろう。

しかし集団で暮らすのは、知力の面で骨が折れる。自分の未来だけを考えていてはいけないからだ[6]。他者の未来についても考えなければならない。義理や責任が生じ、それを把握しておかなければならない。群れの雌ボスが何を考えているかや、敵が何を企んでいるかを推測しなければならない[7]。そのため社会性は脳の大型化を促し、大きな脳は社会性をもたらす。強力なフィードバックループだ。

大きな脳はヒトの未来思考をどう変えたか

ヒト族の脳が急速に大型化した理由はさておき、それによってヒトの未来思考は様変わりした。前頭皮質は一般的に作業記憶の中枢と考えられており、その中でももっとも急速に大型化したのが、時間変化の感覚、感情、そして目的や計画の観念を扱う各領域だ。それらの領域はまた、視覚情報などの感覚情報を統合して周囲の環境のモデルを作ったり、想像上の出来事を想像上のタイムライン上に並べたりするのにも役立っている。

後者はまさに代わりの未来のモデルを立てるのに必要なスキルだ。パトリシア・チャーチランドが記しているように、前頭皮質が大きいほど、「社会においても物理界においても予測する能力が高い」[8]。

そして確かにヒトは、起こりうる未来の一連の出来事をモデル化するのが得意で、その能力は、たとえば複雑な石器を作ったり火の面倒を見たりするのに欠かせない。ヒトは長いタイムスケールでの未来を想像するのに飛び抜けて秀でている。この特徴については本書の最終章で深く探っていくことにする。

思考する余裕が多くあれば、慎重に思考する余裕も多くあるはずで、集中してじっくりと物事を考え、「速い思考」から「遅い思考」に切り替えることができる[9]。急かされていないときには脳は、流れてくる膨大な情報の中から一部を選んで焦点を絞ることができる。ヒトは、たとえ気を逸《そ》らすものがあっても注意を集中させるのが飛び抜けて得意だ。瞑想にふける人はそのスキルを磨いている。集中した意識的な思考によって私たちは、複雑な筋道をたどって推論したり、起こるかもしれないいくつもの未来を比較したりする能力を高めている。

要するにヒトの脳は、想像してじっくり考え、起こるかもしれないいくつもの未来を比較する能力を高めることで、大型化する権利を得たようなのだ。

変化その2　社会的・文化的な違い：言語と集団的学習

私たち人類の系統はこうしたスキルを高めたのに加え、進化によって思いがけない賜物を授かった。脳の大型化によってさらに革新的な第2の変化が可能となったのだ。それは「集団的学習」（あるいは文化進化）である。

多くの動物種は言語を使って情報や考えを共有できるため、何らかの形の文化を持っている。しかし人類に特有なのは、きわめて正確かつ大規模に情報を共有することで、集団として蓄積した知識が世代を経て拡大・発展し、最終的にこの世界における私たちの立ち位置を一変させたことだ。

これが私のいう集団的学習である。[10] 私たち人類が歴史を持っている理由はそれで説明できる。集団的知識が蓄積するにつれて、私たちの技術や生活様式、そしてものの考え方が、最初はきわめてゆっくりと、その後もっと急速に根本から変化し、知識の蓄えが増えるにつれて環境や周囲の生物を上回るパワーを高めていったのだ。

集団的学習によって変化が加速した。プレートテクトニクスや太陽と月の動き、あるいは自然選択による進化といった、地球史を動かす大きな力は、もっぱら数万年や数千万年のタイムスケールで作用する。しかし集団的学習は、人々が考えをささやいて伝えることでほぼ瞬時に作用する。

もちろん自然選択も人類史においていまだに役割を果たしている。牧畜民の子孫の多くが成人になっても乳を消化できるのはそれで説明できる。しかし、私たちが自然選択よりもはるかに速いタイムスケールで地球上のあらゆる生物種とこれほどまでに違ってきたのは、集団的学習のおかげだ。文化進化の専門家アレックス・メスーディは、何世代にもわたる知識の蓄積を「人類の文化を規定する特徴」としている。[11]

ヒトの言語はどのように進化したのか

集団的学習と文化進化が可能になったのは、ヒトの言語が進化したことにより、言語学者スティーブン・ピンカーのいう「恐るべき集団的パワーを秘めた言語共有ネットワーク」によって人々が結びつけられたからだ。[12]

ヒトの言語がどのように進化したかは完全には解明されていないが、有望な仮説はいくつかある。たとえば、脳の大型化と社会性を結びつけたのと同じ相乗作用が、ヒトの言語の進化を促したのかもしれない。社会性が向上したことで、他者が何を考えて計画しているかを知りたいと思う個人どうしのあいだに、よりすぐれたコミュニケーションが築かれたということだ[13]。

鳥やクジラや霊長類などすべての社会性動物が、当然ながら何らかの形の言語を持っている。ヒヒは「気をつけろ！　ワシがやってくるぞ！」といった単純なメッセージを使って、危険を警告しあうことができる。しかしヒトの言語は並外れた力を持っている。前頭皮質の容量の大きいヒトは、膨大な数の名前や単語や概念をニューロンのネットワークの中に蓄える余地がある。さらに組み立て台や旋盤の役割を果たす文法によって、それらの単語や概念を現実世界や仮想世界に関するストーリーにまとめ上げることができるのだ[14]。

由来はどうあれ、言語によって私たち人類は、個人としても生物種としてもある重大な境界線を越えた。心理学者のレフ・ビゴツキーは、大量の情報を圧縮している単語によって、私たち一人ひとりが周囲の世界を新たな形でモデル化できるようになったと論じている[15]。

誰かが「ピンクのゾウだ！」と叫んだとき、あなたの頭の中でどんなふうに思考がほとばしるか考えてみてほしい。この短い音の連なりの伝える信号がニューロンのネットワークの中で跳ね回り、精神の中に鮮明で複雑な概念がパッと現れる。しかもその概念は、少なくとも現実世界では1度も見たことがない。文法を用いれば、単語や文節からなる概念の集まりを複雑なストーリーに整理し、それを新たな形に加工して異なる未来をモデル化できる。しかもそれはすべて、現実世界であえてやってみる代わりに、精神の中の安全で仮想的な作業場でおこなうことができる。幼児もおしゃべりを学ぶことで、実際に起こるかもしれない未来のモデルを立て、未来思考の能力を急速に高めていく[16]。

言語によって知識が世代をこえて「蓄積」されるように

しかし言語がもっとも劇的な影響をおよぼしたのは、個人の思考プロセスではなく、集団的な学習や思考だ。

膨大な知識が人類のあらゆる共同体に世代から世代へと蓄積されていき、言語のおかげで私たち一人ひとりがその蓄えの一部を拝借するとともに、それに寄与できるようになった。十分に検証された知識の蓄えを共有することで人類は、周囲の環境やほかの動植物種を上回る並外れたパワーを獲得した。人類のあらゆる共同体が伝統的な知識を重んじて育んできたのはそのためだ。

人類史の大半を通じて知識は、豊富な口伝、歌や物語、記念碑や風景の中に蓄えられていた。伝統的な知識は、ときに儀式を通じて慎重に語り継がれ、完全に会得するには何十年も要した。

自然選択によって生物種がふるい分けられるのと同じように、集団的学習によって概念の検証もおこなわれた。うまく当てはまらなかった概念や時代遅れになった概念の多くは、遅かれ早かれ、科学哲学者カール・ポパーの言葉を借りれば「反証」されたからだ[17]。

早くも18世紀には、アダム・スミスやデイビッド・ヒュームと親交のあったスコットランドの道徳哲学者アダム・ファーガソンが、これらの変化がいかに革新的だったかを見抜いている。

「ほかの種類の動物では、個体が幼体から成体あるいは老体へと進歩する。……しかしヒトの場合は、個人とともに種全体も進歩する。これまでに敷かれた土台の上に次の世代が次々と積み上がっていくのだ[18]」

集団的学習が解き放った「3つの潮流」

集団的学習によって解き放たれた数々の力強い潮流によって、人類史は新たな方向へ舵を切ることとなった。人類史の大半を通してその潮流はあまりにもゆっくりで、気づかないほどだった。その中で際立っていたのは、個々の家族や共同体や帝国の盛衰という循環的なパターンだ。

しかし過去に関する知識をより多く備えた現代から振り返れば、集団的学習によって解き放たれた潮流が人類史全体を方向づけたさまをもっと容易に見て取ることができる。中でも3つの潮流が目を惹く。

①アイデアの拡大

第1に、集団的学習によって人類はどんどん力を増していった。新たな考えや技術が尽きることなくあふれ出ることで、人類は環境をコントロールして未来を操る力を高めていった。

②ネットワークの拡大

第2に、人のネットワークが大きくなるにつれ、集団的学習によって概念が共有される規模が拡大し、やがて大陸全体にまで広がった。今日では、驚くべきパワーを秘めた地球規模の単一のネットワークの中で、概念や商品や人間が行き来している。またネットワークが大きくなったことで人々は、拡大しつづける「関心を持つ人たちのグループ」の中に自分自身を位置づけ、部族や国家といった次々に大きな集団を共同体として感じられるようになった。

③革新がさらなる革新を促す

第3に、集団的学習によって、イノベーションがさらなるイノベーションを促すというフィードバックループが多数形成され、それによって変化のペースが加速した。人類史の大半を通じて、変化はあまりにも遅くてなかなか気づけなかった。それがここ数千年、とくに数百年であまりにも急速になり、逃れられないかと思えるほどになった。

哲学者のアルフレッド・ノース・ホワイトヘッドはこう記している。

「かつて、重要な変化のタイムスパンは1人の一生よりもかなり長かった。そのため人類は一定不変の条件に順応するよう鍛えられた。今日ではそのタイムスパンが人生よりもかなり短く、それに応じて教育も、一人ひとりがまったく新たな条件に直面するためのものでなければならない」[19]

だからこそ現代の時間感覚は、落ち着いたB系列時間でなく荒れ狂うA系列時間になっているのだ。技術力の向上、交易ネットワークの拡大、変化の加速というこの3つの潮流を踏まえれば、時間と未来に関する人類の理解が歴史の流れの中でこれほどまでに根本的に変化してきたことも説明がつく。

時間の考古学と人類学：時間の経験はなぜそれぞれ異なるのか

歴史を通じて私たち人類の未来思考がどんなふうに変化してきたかをたどるのは、すさまじく難しい。というのも、人類の誕生以来数十万年のうちのほとんどの期間を通じて、人々の考えはほとんど痕跡を残してこなかったからだ。

人類学者のチームにレコーダーとカメラ、万能翻訳機（たとえばダグラス・アダムス『銀河ヒッチハイクガイド』（河出文庫）で耳に突っ込んでいたバベルフィッシュ）を持たせて過去に送り出し、私たちの祖先たちに話を聞いてもらうことができたらどんなに素晴らしいことか。しかしそんなことはできないだろう。文字として残された証拠、たとえばいまから5万年前の日記や哲学書だけでもあれば万々歳だ。だが残念ながら、文字で書かれた最古の文書は５０００年ほど前のものにすぎない。

証拠がない以上、光の当たっている場所を探すという、第２章で見たナシュレディン・ホジャの戦略に戻らざるをえない。つまり、時間と未来に関する古代の考え方の痕跡が現代の狩猟採集社会に残されていることを期待して、そうした社会について調べるか、またはそれらの社会を記録しようとした人類学者の文章を読むしかない。

だが、現代のカラハリ砂漠の住人やオーストラリア先住民、あるいは北極圏に暮らす人々の考え方に、最古の形の未来思考といまだ何らかの共通点が残っている可能性は、実際のところどのくらいあるのだろうか？

実は本当のところはわかっていないし、多くの人類学者が懐疑的だ。[20] それでも、人類学研究が明らかにした、時間に対する現代人の多様な向き合い方を踏まえた上で、古代人の未来に対する態度について試しに推測してみることはできるだろう。

時間の人類学

1940年代にアメリカの言語学者ベンジャミン・ウォーフが、時間の感覚を持たない社会が存在すると唱えた。アメリカ先住民のホピ族の言語には「私たちが『時間』と呼ぶ概念を直接指し示す単語や文法形式、構文や表現が存在しない」ことを発見したのだ。[21]

同じ頃にルーマニアの宗教哲学者ミルチャ・エリアーデが、考古学と現代の伝統的社会に関する証拠とを組み合わせて、過去の小規模社会の人々は時間について私たちとまったく異なる考え方をしていたと論じた。[22] 今日の世界における時計時間（時計で計られるような時間）と違い、彼らは時間を動的で直線的なものとはみなしていなかった。エリアーデによると、「俗なる時間」と「聖なる時間」という、互いに関連した2通りの方法で時間を経験していたのだという。

俗なる時間とは表面的な変化の経験のことで、A系列時間に少し似ている。ただしほとんどの変化は、日の入りや冬の到来、生と死のサイクルのように、繰り返される循環的なものととらえられていた。

聖なる時間のほうはＢ系列時間に少々似た恒久的で安定した時間のことで、儀式や夢、宗教的知識や催眠によって感じ取ることができる。エリアーデの見方によると、人々は聖なる時間を垣間見ることで、変化は幻想であると納得していたという。大きなスケールで見ればほとんど何も変化していないということだ。

単一で動的、前方へ向かって進むという、現代の私たちが抱いている時計時間の感覚は最近になって生まれたものであることが、20世紀に人類学者によって明らかとなった。おそらくそのためにウォーフなど何人かの学者は、時間の概念は人間の基本的な思考形態ではないと考えたのだろう。

だが今日ではほとんどの人類学者が、時間に対する多様な向き合い方の根底には重要な共通点が存在すると認めている。ホピ族の言語には時間の概念がないというウォーフの主張も、もはや受け入れられてはいない。

その後の研究によって、文法的な時制を持たない言語にも過去や未来を表現する方法があることが明らかとなったからだ[23]。人類学者のＥ・Ｅ・エバンス＝プリチャードによると、ナイジェリア北部のティブ族には現代の時間の概念に対応する個別の文法範疇（品詞・人称・時制などの文法要素）は存在しないようだが、それでも「ティブ族の思考や会話には時間が暗に込められている」という[24]。

同様に、古代にはいまと違って俗なる時間と聖なる時間が別々に経験されていたというミルチャ・エリアーデの主張も、今日の多くの人類学者だったら大げさだと論じることだろう。第1章で述べたとおり、時間に関する現代の考え方にすら動的な側面と恒久性の感覚の両方が込められている。循環的で反復的な変化のパターンは現代の生活様式にもなじみ深いものだ。また、表面的な変化の奥深くに恒久性が潜んでいるという感覚も、現代物理学の法則や現代の時間哲学の中にはっきりと残っている。

社会人類学者のアルフレッド・ゲルは1992年、時間に関する人類学の文献をまとめた総説の中でこう記している。

人々が［今日の］私たちとは著しく異なる形で時間を経験し、過去・現在・未来が存在せず、時間が静止しているか、または自らの尻尾を追いかけているか、または振り子のように行ったり来たりしている、そんなおとぎの国など存在しない。……異なる時計、遅れずについていくための異なるスケジュール、異なる苛立たしい遅れ、喜びの期待、思いがけない展開、長く単調に続く退屈が存在するだけだ。[25]

人類学者のジャック・グッディは、すべての人間が時間的順序（ある出来事ののちに別の出来事が起こる）と、時間的継続（ある出来事は長いあいだ続き、別の出来事はすぐに終わる）を体験していると論じている。[26]

ではは人類学者が発見したように、各共同体が時間や過去や未来をこれほど多様な形で経験して表現しているのはいったいなぜだろうか?

3つの時間

この多様性を説明する1つの方法として、人間による時間の経験は、「自然時間」と「心理的時間」、そして「社会的時間」という、3種類の異なるリズムの混ぜ合わせになっていると考えてみよう。

私たちは生き延びるために、自身の活動をこれらのリズムに合わせなければならない。しかし人類の社会や技術が変化するにつれて、これらのリズムどうしの相対的重要度も変化し、それぞれの社会が時間と未来をどんなふうに経験して理解するかも変質していった。

自然時間

自然時間は、昼と夜、雨季と乾季、太陽や恒星や惑星の運行のリズムに合わせて刻まれる。これらのリズム、とりわけ毎日繰り返される昼夜のリズムは、あらゆる生物の生き方を決定づけている。自然時間の反復的な側面の中でも日常生活で際立っているのは、昼から夜へ、夏から冬へ、満潮から干潮へという周期的変化である。数万年や数千万年におよぶもっと長くてもっと直線的な自然時間のリズム、たとえば長期的な気候変動や大陸と海洋の地殻運動などを追跡する術は、近年になってようやく編み出されたものだ。人類史の大半を通じて自然時間は、エリアーデのいう俗なる時間のように、永遠と繰り返されるいくつものサイクルから構成されているように思われていた。

心理的時間

心理的時間は気まぐれだ。自身の身体、ホルモンの増減、呼吸、心拍、空腹と満腹、覚醒と睡眠、興奮と退屈、恐怖と安らぎといったリズムに従う。

これらのリズムはそのときどきの経験に支配されている。心拍のように規則正しく刻んでいることもあれば、パニックになったときのように一瞬にして変化することもある。速くなったり遅くなったりもする。退屈なときにはなかなか時間が進まない（それを確かめるには時計の秒針を5分間じっと見つめてみればいい）。歳を取るにつれて時間は速く流れ、誕生日や納税時期が年々早く来るように感じられる。それはおそらく、自分の生きてきた期間を基準にして時間の内的経験の長さを計っているからだろう。1歳の赤ん坊にとっては1年が時間のすべてだが、100歳の人にとっては時間のうち100分の

1だ。

私たちは心理的時間を何らかの形でコントロールしている。酔っ払ったり延々と踊ったり、催眠にかかったり興奮したり、心を落ち着けたりすると、そのコントロールの様子が変化するだろう。瞑想にふける人は、深い瞑想に入ると時間の流れる感覚が消失するとたびたび証言する。現代文学でも、ジェイムズ・ジョイスやバージニア・ウルフ、マルセル・プルーストの独白の中に心理的時間の変幻自在なリズムが表現されている。[27]

社会的時間

社会的時間は自分以外の人間が生み出すリズムから形作られ、私たちはそれに自分の行動を合わせなければならない。

これはすべての社会性動物が持っているものだ。しかしヒトの場合は、それまで独立していた共同体が次々に大きな交易ネットワークを動かす歯車に組み込まれるにつれて、社会的時間がどんどん力を増していった。

今日では社会的時間が自然時間や心理的時間の感覚をつねに上書きしている。シドニーからロンドンへ飛ぶと朝8時に到着する（私は何度も経験している）。身体は「寝なさい」といってくる。しかしスケジュールが詰まっていると、社会的時間が「1日は始まったばかりだ」といってくる。だから無理をして社会的時間に合わせることになる。

今日の入り組んだ社会では、何千万人もの他者の活動に自分の活動を合わせなければならない。祈りの呼びかけや納税時期、学校のチャイムやカレンダーが、社会的時間の感覚をことごとく刷り込んでくる。私たちの社会的時間の感覚は、会話や時刻表、儀式やスケジュール、そして数多くの社会的・法的義務によって植えつけられていくのだ。

社会学者のノルベルト・エリアスは、時間の経験の変化に関する画期的な著作の中で、人間の交易ネットワークの拡大によって社会的時間のパワーが高まり、それが現代の私たちの時間感覚をもっとも強く決定づけてきたと論じている。大きなネットワークによって私たちは、数千万の他者が形作ったリズミカルな枠組みに縛りつけられる。そしてその枠組みが大きくなるにつれて、過去や未来に対する私たちの感覚も決定づけられるようになるのだ。

国家成立以前の社会の場合は、相互依存のチェーンが比較的短かったとともに、現在と異なるものとしての過去と未来の経験もあまり発達していなかった。彼らの経験において、まさに現在、すなわちいまここの場所は、過去や未来よりもくっきりと際立っていた。……一方、その後の社会では、過去と現在と未来はもっとはっきりと区別されている。未来を予見する必要性と能力、ひいては比較的遠い未来を考えることが、いまここで進められるあらゆる活動にどんどん強い影響を与えるようになっている。[28]

同じく社会学者のエミール・デュルケームは、私たちの時間の経験が社会によっておおかた決定づけられていることを初めて多くの学者に納得させた。[29] カントと同じように、私たちの時間の感覚はこの宇宙の属性ではなく、いわばこの世界の投影像であるととらえたのだ。しかしデュルケームにとってその投影像は、個人的でなく集団的、心理的でなく社会的なものである。それは自分の育った共同体に特有のリズムによって植えつけられ、今日では自然や自らの精神のリズムを上書きしていることが多い。[30]

基礎時代における未来思考の推測モデル

私たちの時間感覚の変化に関する以上の単純な考え方を手がかりにすれば、最古の人間社会における未来思考がどんなものだったのか、そのモデルを推測に基づいて組み立ててみることができる。

ホモ・サピエンスが進化した数十万年前から最終氷期の終わったおよそ1万年前までの、人類史における最古の時代は、「石器時代」や「旧石器時代」と呼ばれることが多い。しかし本書では、それ以降の人類史にとっての社会的・文化的・技術的・道徳的基礎が築かれた時代であることから、「基礎時代」と呼ぶことにする。

考古学や人類学の研究によると、この基礎時代におけるほとんどの社会は、親族を含む家族くらいの規模の小集団で構成されていたらしい。人々は知り尽くした縄張りをさまよっては、最低限の食糧を狩ったり集めたりしていた。そのために用いる技術は絶えず進化しながら世代間で受け継がれ、環境に合わせて細かく調節されていた。また、技術革新と気候変動を受けていくつもの小集団が熱帯雨林から北極圏のツンドラへと新たな環境に足を踏み入れ、最終的に人類は数十万年をかけて南極以外のすべての大陸へ徐々に広がっていった。

いまから1万年前の基礎時代の終わり、世界の人口はおそらく600万にも満たなかったが、南アフリカからシベリア、そして南北アメリカの至るところに人々が暮らしていた。[31]

都市化された今日の世界では80億の人々が200近い国に分かれて暮らしているが、基礎時代の世界は数万のごく小さな共同体から成っていて、各共同体が独自の縄張り、伝統、技術を持ち、近隣の数えるほどの共同体とだけ接触していた。現代の狩猟採集民と同じように、近隣の共同体と年に1度か2度だけ会って、贈り物や考え方、儀式習慣や物語、知識や人々、そして遺伝子を交換していたのだろう。そのいわば古代のオリンピックによって、各個人は生涯のうちに数百人と出会い、文化や儀式、技術や言語に関する多様な伝統を目の当たりにしたのかもしれない。しかし大人数が集まれるのは、北アメリカ北西部にサケが遡上してくるときや、最終氷期の終わりに南フランスにシカの群れが移動してきたときなど、狭い地域で大勢の人の食糧を調達できる豊かな時期に限られていた。

「知識」こそが権力の源だった

近隣の共同体との情報交換はあったものの、もっとも重要だったのは個々の社会に特有の知識（ローカルノレッジ）で、そのため基礎時代の社会はきわめて多様だった。何世代にもわたって蓄積されて検証され、物語や歌や儀式を通じて繰り返し伝えられ、ときに近隣の共同体と交換されたローカルノレッジは、実用的で経験に基づき、詳細で正確、そして多くの意味で科学的だった。

人類学者のデボラ・バード・ローズはこう述べている。

「ヨーロッパ人入植前のオーストラリアでは、生きるために最低限必要な基本要素は技術でも労働でもなく、知識だった。その知識としては、食糧などのリソースのある場所、水源、生態学的プロセス、地形の種類、季節変動、動物の行動、成長サイクル、そして技術的道具や食糧、薬や『たばこ』に適した動植物の種類などがあった。その知識の大部分は歌や物語で表現されていた[32]」

基礎時代にはおそらく知識が社会的権力の最大の源だったのだろう。富や威圧力にはほとんど違いがなかったが、どんな小規模社会にも特定の個人しか知ることのできない秘密の知識が存在し、それが権威や権力の違いを拡大させたと思われる[33]。未来に関する特別な知識もそうやって秘密にされたのかもしれない。

基礎時代の「時間」と「未来」はどのようなものだったのか

時間と未来に関する基礎時代の考え方を推測に基づいて再構成する上では、おもに以下の4つの特徴に焦点を絞ることにする。

（1）共同体が小規模で、人どうしの関係性が個人的なものだったため、未来も個人的なものだった。

（2）私たちの祖先は、自分もこの世界の一部であって、この世界独自の法則を尊重しなければならないと考えていた。現代の狩猟採集民も、人間の要求を満たすために未来を操作するといった、現代的な横柄な感覚は持っていない。

（3）ほとんどの人はこの世界を、表面的には変化するものの基本的には安定したものと考えていた。確かに変化は存在していて、大惨事を引き起こすこともある。しかしほとんどの変化は個人レベルの周期的なものであって、その根底には古代ギリシアの哲学者パルメニデスのいうような深い恒久性が横たわっており、その中では未来は過去とほぼ同じであるはずだ。

（4）ほとんどの人はこの世界を、現在と未来の両方を方向づける霊魂や存在や力に満ちたものとして経験していた。それらの存在に対しては、目的を持ったあらゆる存在と同じように交渉したり戦ったりすることができ、その関係性が未来思考や未来計画のさまざまな側面を方向づけていた。

①未来は「個人的」なもの

基礎時代における未来思考の第1の特徴として、小さな共同体で重要な意味を持つのは、自らの共同体の人々や動植物の未来だった。重要なのは地元の天気、アザラシ猟の成否、ヤムイモや塊茎の採集、近隣との関係、健康と病気、獲物となる動物や食用の植物の繁栄、周囲のライフサイクルだった。未来は個人的なものであって、第8章で述べる広域的な未来ではなかった。

②世界は「支配」するものではなく「共生」するもの

第2に、基礎時代の技術に限界があったことで人々は、この世界を支配したり変えたりするのではなく、世界の中で、そして世界とともに生きるという感覚を持っていた。現代の狩猟採集民も、生態学的・道徳的な普遍の規則が存在していて、人間は土地を守って世話をすべきであるという強い感覚を抱いているようだ。

人間は土地を焼いたり、いくつかの動物種を必要以上に狩って絶滅に追いやったりすることで、地元の動植物の構成に影響を与えることはできたし、実際に影響を与えていた。それどころか、基礎時代のほとんどの風景は人間活動によって著しく変えられていた。

しかし人間活動の限界も十分に理解されていて、「規則」を無視したりないがしろにしたりすると懲らしめられると説く物語が数多くあった。物事を滞りなく進めるための儀式を無視するのは愚かなことだった。獲物となる動物種の若い個体を殺したり、無頓着に土地を焼いたりするのは愚かなことだった。

1950年代初めに人類学者のエリザベス・マーシャルが、カラハリ砂漠で狩猟採集生活をおこなうジューホアンシ族（サン族の一部族）を訪ねて一緒に暮らした。ジューホアンシ族はほとんどの農耕民と違って、自分たちの世界を操ったりコントロールしたりすることにはほとんど関心がなかった。

「人々は自然界に何かを押しつけるようなことはしなかった。たとえば雨を降らせたり、動物を繁殖させたり、植物を育てたりしようとすることはなかった。緑の草の生長を促すために乾燥した草をときどき焼くのを除けば、何かを起こそうとするようなことはなかった」[34]

現代では、人間は自然界から切り離されていて自然界を支配しているのだという感覚が一般的だが、狩猟採集民の神話にはそれに相当するものがいっさい見られない。[35] その代わりに人々は、自分たちもこの世界の一部であると考え、自分たちのリズムを周囲に押しつけるのでなく、自然時間と心理的時間のリズムに自分たちの活動を合わせていた。

もちろん社会的時間も重要で、ときには自然時間や心理的時間のリズムより優先させることもあった。おそらくあらゆる共同体が、天文現象や周囲の環境変化に基づいて、社会活動や儀式のための暦《こよみ》を作っていただろう。アメリカの考古学者アレクサンダー・マーシャクは、いまから3万年前のいくつかの遺物が初期のカレンダーとして使われていたかもしれないと唱えている。[36] しかし今日と違って、社会のリズムが時間の感覚を支配することはなかった。

人類学者のリチャード・リーは、1960年代にカラハリ砂漠で調査したいくつかの社会における日常生活のリズムをこんなふうに記している。

女性は家族を3日間食べさせるのに十分な食糧を1日で採集し、残りの時間は集落で休んだり、刺繍をしたり、ほかの集落を訪ねたり、ほかの集落から訪れてきた人をもてなしたりして過ごす。家では毎日1時間から3時間を割いて、調理や木の実割り、薪《まき》集めや水汲みなどの日常的な家事をする。

……狩猟者は女性よりも頻繁に働くことが多いが、スケジュールにはむらがある。男性は1週間せっせと狩りをしてから、2週間か3週間は何も狩らないことも珍しくない。狩りは予想のつかない営みで、神秘的な力に左右されるため、狩猟者は不運が続くと1カ月以上狩りをしないこともある。その間は、ほかの人を訪れたりもてなしたり、とりわけ踊ったりするのが男性のおもな活動である。[37]

古代の狩猟採集民の共同体では、人々は周囲の世界のさまざまなリズム、夢や自分の身体、採集や狩猟、太陽や月や潮の満ち干、動物の移動や共同体の儀式のリズムとともに心地よく暮らしていたのだろう。今日の世界はそれとはまったく違っていて、一様に流れる時計時間の作り出すたった1つの枠組みが周囲のほとんどのリズムを決めている。

③この世界は本質的に「安定」したもの

第3に彼らは、私たちと同じくA系列時間の流れの中で自分たちが生きていることを示す手がかりがいくつもありながら、時間はB系列時間のように基本的に安定していると考えていた。日常生活や個人的経験の変化の裏には、パルメニデスのいう、ほとんど変化しない安定した世界が広がっていると想像していた。

多くの小規模な社会が詳細な歴史的タイムラインにほとんど関心を示さなかったのも、それで説明できる。

口承文化を研究するリン・ケリーは、オーストラリアのアーネムランドに暮らすユールヌ族の時間の概念についてこう記している。

「時間は順番に進んでいくものではない。神話上の出来事は、遠い過去に起こったものであると同時に、連続する現在の一部であるともみなされる[38]」

人類学的証拠から判断するに、過去は現在からどんどん遠ざかっていく単一のタイムラインであるとは考えられていなかった。過去はぼんやりとした原初の時代へあっという間に薄れていくものだった。先祖の時代に関するオーストラリア先住民の考え方を記述する際によく使われるたとえを借りれば、「夢見（dreaming）」の中に薄れていくということだ。

この「夢見」という言葉は、オーストラリア中央部のアリススプリングス近郊に暮らすアランダ族の言葉を翻訳したものだ。しかしこの訳語は誤解を招きやすい。人類学者のロスリン・ヘインズによると、原語が指しているのは「つねに存在しつづける現実、単に一時的で偶然的な物理世界よりも現実的で基本的な領域」であるという。[39] オーストラリアの人類学者W・E・H・スタナーは、その領域は「いつでも存在している（everywhen）」と説明している。

「夢見」と訳されたアランダ族の言葉には、物事がどんなふうに進んでいて今後もどう進んでいくか、どう進まなければならないかを表す、「規則」という意味もある。インドの多くの聖伝に用いられている基本的概念、「法《ダーマ》」に近い。

歴史学者のアン・マグラスはこう記している。

「アボリジニの多くの言語には、『はるか昔』という概念を伝えるための表現がある。その概念は『夢見』すなわち創世の時間と似ているが、実際にはこれは別個の時間ではなく、継続しているプロセスである」[40]

過去は連続したものというよりも、現在のために知識や真理を蓄えておく場とみなされているのだ。パルメニデスのいうような宇宙では、過去と未来は別々のものではなく、特段の意味もない。重要なのは現在だ。

オーストラリア先住民の考え方では、本当に知るべきは自分が「いつ」いるかではなく、「どこに」いるかだ。[41] 自分はどの国に住んでいるか？　出来事や忠義、物語や知識は、時間でなく場所に由来する。

そうした世界では、タイムラインよりも地図のほうが重要だ。人類学者のジャック・グッディは次のように記している。

文字を持たない文化では、過去に関する考え方や態度には現在の関心事が反映されている傾向がある。これはどんな社会でも、とくに記憶に頼る状況ではある程度見られることだ。しかし文化の伝達が完全に口頭でのコミュニケーションに依存している場合には、……過去は必然的に現在の中に飲み込まれる。……文字が幅広く用いられる以前（一部は以後も）、過去は現在を逆投影したものであって、人類や現在の生き方が生まれた神話時代にまでそのまさかのぼる。[42]

このパルメニデス的な時間の感覚は、文字を持つ文化の中でもある程度生きつづけている。旧約聖書『コヘレトの言葉』にはこんな美しい一節がある。


一代過ぎればまた一代が起こり、永遠に耐えるのは大地。

……

かつてあったことは、これからもあり、かつて起こったことは、これからも起こる。太陽の下、新しいものは何ひとつない。

見よ、これこそ新しい、といってみても、それもまた、永遠の昔からあり、この時代の前にもあった。

昔のことに心を留めるものはない。これから先にあることも、その後の世にはだれも心に留めはしまい。[43]

パルメニデス的な世界においては、表面のさざ波の下ではほとんど何も変化しないため、未来は必ずしも謎めいていて恐ろしいものではない。現代の狩猟採集民は未来を心配するのにほとんど時間を割かないようだが、その事実もこれで説明できそうだ。20世紀後半の人類学者はそれを不可解に思ったが、それから1世代をかけてこんなことが明らかになった。一部の観察者が怠惰や無責任と解釈したこうした態度は、この世界を見知ったなじみ深いものとして経験することから生じている。そしてそれは過去と同じように未来にも当てはまる。[44]

人類学者のリチャード・リーは、カラハリ砂漠に暮らすコイサン族の人たちからこう問い詰められた。「この世にはモンゴモンゴの実がこんなにたくさんあるのに、どうして種をまかなきゃいけないんだ？」[45]

とはいうものの、週単位や月単位、あるいは数年単位の短期的未来は昔からずっと重要だった。最低限生き延びるためには、赤ん坊の誕生、シカやカンガルーの移動、あるいはモンゴモンゴの実る時期を予測する能力が必要だった。

そのレベルの予測は既知のどんな社会とも同じように実用的・経験的であって、トレンドに基づいていた。

天文現象は1年間のサイクルを信頼できる形で教えてくれるし、道しるべにも欠かせないため、既知のどんな社会でも天文学の知識は重んじられていた。19世紀にオーストラリアにやって来たヨーロッパ人が気づいたとおり、「天空に関する現地の知識はほとんどの白人の知識を大きく上回っている。夜間に移動するアボリジニにとって、星々の知識や、1年のうち特定の季節における星々の位置に関する知識はきわめて重要で、天文学はもっとも重要な教育分野の1つとみなされている」。[46]

もちろん基礎時代のどんな社会にとっても天文学は重要だったが、そこから彼らが学んだのは、表面の下ではほとんど何も変化していないことだった。

④世界は「超自然的な力」に支配されている

第4の特徴として、おそらく基礎時代におけるほとんどの未来思考を方向づけていたのが、この世界には認識限界すれすれに霊魂や超自然的な力が満ちているという考え方だ。

既知のほとんどの聖典で、霊魂や神が存在するとされている。いまから2000年前にキケロも、「ほとんどの思索家が神々は存在するといい切っていて、その見方が一番もっともらしく、私たちはみな自然の指図によってその見方へ導かれていく」と記している[47]。

この考え方によって説明できる特徴的なタイプの未来思考が、ほとんどの人間社会に存在していた。それは、ほかの人間に尋ねるのと同じように、霊界の存在に未来のことを尋ねたり、未来について交渉したりできるという信念に基づく未来思考だ。

そうした信念があまねく存在しているのには、神経学的な理由があるのかもしれない。すべてのヒト、そしておそらく大きな脳を持つほかの動物も、生物と非生物、主体的存在とそうでない存在を区別している。その違いは重要だからだ。夕暮れ時に葦《あし》のあいだにちらりと見えた物体が丸太であるかワニであるかは大きな違いだ。ヒトの幼児は、動き方や立てる音、そしてほかの物体とどう作用するかといった手がかりを使って、生きているものと生きていないものを区別する術を身につける（イヌは自動車と違う動き方をするし、違う音を立てる[48]）。

しかしその線引きをする神経機構はけっして完璧ではないため、今日の私たちが自然の事物と超自然的な事物と呼んでいるものを区別するのは必ずしも容易ではない[49]。私たちの脳はつねに主体的存在がないかどうか見張っていて、夜中に背後からざわざわという音が聞こえてくるといともたやすく勘違いしてしまう。鉄粉が磁石に向かってゆっくり動いていくのはなぜか？　氾濫した川がひどく怒っているように見えるのはなぜか？

夢や幻覚によって私たちは、目的を持ったさまざまなタイプの存在を信じてしまう。言語もその原因の1つで、文法形式によれば行為には行為主が必要だ。英語の文法では、「the wind blows」（風が吹く）、「the sun shines」（太陽が輝く）、「the world spins」（地球が回る）、「the pandemic spreads」（パンデミックが広がる）と表現するしかない。私たちの精神は主体的存在を実際以上に見つけてしまうというバイアスを抱えている。なぜなら、その逆の間違いよりもたいてい危険性が低いからだ。[50] 丸太をワニに見間違えても少し笑いが起こるだけだが、ワニを丸太に見間違えたら命取りになりかねない。

要するに、目的を持った存在や力の世界があるというほぼ普遍的な信念、19世紀の人類学者が「アニミズム」と呼んだ考え方は、私たちの精神の働き方に由来しているのかもしれない。人類のほとんどの共同体が霊魂の存在を当然とみなしているのも、そのためかもしれない。懐疑心を持ったキケロですら霊魂の世界は経験的に実在すると考え、彼の伝記を書いたエリザベス・ローソンいわく、占いは『自然科学』の1分野、自然界の研究」であるとみなしていた。[51]

ジューホアンシ族の霊的世界

エリザベス・マーシャルが1950年代にジューホアンシ族の霊的世界について記録した文章を読むと、基礎時代の未来思考と未来操作のさまざまな側面が、霊魂の存在を信じる気持ちによって形作られたのかもしれないことがうかがえる。ジューホアンシ族の人々はたくさんの神々、さらには創造神の存在を信じていたが、それらは狩猟採集をおこなう者と考えていた。彼らの神々は力は強いものの、もっと近年の世界宗教における最高神と違って偉大でもなければ自尊心も持っていなかった。

「その姿はふつうの人間サイズの人間のようだった。人間と同じように狩りをして、人間と同じように妻子がおり、火床と草葺《ぶ》き小屋のある集落で暮らしていた」[52]。その神々は人間にとって助言者でも師でもなく、気まぐれに危害を加えてくることもあった。また愚かでもあった。

多くの小規模共同体と同じくジュ―ホアンシ族にとっても、儀式を通じて霊魂の世界と接触することが、不確実な未来、とりわけ健康に関する事柄に対処するための重要な手段だった。

マーシャルは、夕暮れ時、太陽が沈んで東から満月が昇ると人々がトランス状態で踊りはじめるのを目撃した[53]。女性たちが集落の近くで火をおこす。そして1人また1人と、火の近くに正座で腰を下ろしていく。

星が輝き出すと、誰かが手拍子をしながら歌いはじめる。徐々にほかの女性たちも加わっていって、対位法的で複雑なリズムと「心臓が止まるほど美しい」歌が響きわたる。男性はガラガラと音を立てるものを脚のまわりに巻きつけていて、女性のまわりで輪になって踊りはじめる。

やがて何人かの男性がトランス状態に入って、炎の中で「身を清め」はじめる。それから1人の女性に近づいていって胸と背中に手を置く。そして突然叫びながら立ち上がり、その女性の身体の中から何か（病気）を引きずり出すような手振りをして、それを死の霊魂に向かって投げつける。

この踊りはたいてい夜明けまで続き、最高潮に達したかと思うと、日が昇るとともに突然終わる。「12時間近くも正座していて疲れきった女性たちがよろよろと立ち上がった。……そしてしゃべったり笑ったり身体を伸ばしたり、残った薪を探したりした」

いまから数千年前のものと思われるものを含む、カラハリ砂漠の古代の岩絵からは、こうした風習と世界観がはるか昔の基礎時代に端を発しているらしいことがうかがえる[54]。

第6章

農耕時代の未来思考

私は多数の占い手法を編み出した。正夢というものがあるか否かをはじめて判断し、偶然耳にした解釈に迷う人の声、旅先で見かけた予兆の意味について人々にはじめて教えた。鉤爪《かぎづめ》を持つ鳥の飛翔を定義し、その吉凶についても説いた……生贄の内臓のなめらかさ、神様が好む膀胱《ぼうこう》の色、肝葉のまだら模様の美しさについても詳しく説明した。脂肪に包まれた大腿骨と長い脛骨を燃やしたのもこの私だ。

——プロメテウスの言葉

アイスキュロス『縛られたプロメテウス』（岩波文庫[1]）

人類史の農耕時代

人類史の農耕時代は約1万年前（紀元前約8000年）に始まった。この時代が終わりを告げたのは今から2世紀ほど前、新たなテクノロジーと化石燃料時代の思考様式によって今日の世界の基盤が築かれ始めてからのことだった。

人間社会は数十万年にわたって非常にゆっくり変化していたが、農耕時代には目を見張るような激変ぶりを見せた。[2] 農耕時代は人類出現からの時間の20分の1にも満たない。ところが、この短い期間に、集団的学習の速度と規模が飛躍的に増えて農業などの新たなテクノロジーが登場すると、人間社会と思考様式は大変革をとげた。最終氷期後は全般的に気候が非常に安定していたため（地質学者が完新世《かんしんせい》と呼ぶこの時代はおよそ1万１５００年前に始まった）、農業が世界中に広まり、テクノロジーの進化と人口の増加によって近代社会の扉が開かれた。[3]

農業によって狩猟採集時代に比べて単位面積あたりの収穫量が増え、最終氷期に６００万人だった世界の総人口は１８００年までに約９億人に達した。人口増加のペースは1年に平均０・05パーセントだった。その年までには、人々の大半はすでに遊動生活から定住生活に転じ、約７パーセントが都市部で暮らしていた。最大規模の定住地では、人口が当初の１００人以下から１００万人を超えるまでに膨れ上がった。この期間に、世界の総エネルギー消費量は1年に１５００万ギガジュールから1年に２００億ギガジュール超に跳ね上がった。１人あたりのエネルギー消費量は、１年に約３ギガジュールから１年に約23ギガジュールと7倍以上に増えた。

3つのビッグトレンド

一方で、集団的学習の影響を受けた３つの主要なトレンドが勢いを増した。

まず、新たなテクノロジーが人間による環境の支配につながった。

次に、大規模な交易ネットワークが集団的学習を活性化し、社会的時間の重要性を高めた。

最後に、変化の加速によって時間がより動的に見え、未来予測がより難しく思えるようになった。

劇的な変化をもたらす農業というテクノロジーを手にした人類は、さかんに環境を改変していき、世界や未来に対して支配的な立場に立つようになった。農業に携わる人々は、地形に手を入れ、家畜化や栽培によって周辺の動植物を変えれば、その後の生産量が劇的に改善することを知った。

世界には、神が人間に他のあらゆる生物種の支配権を与えたと唱える宗教もあった。地球上の大半の生物を絶滅させた世界規模の大洪水後、ユダヤ教の神は洪水を生き延びたノアとその家族に次のように告げた。

「地のすべての獣と空のすべての鳥は、地を這うすべてのものと海のすべての魚と共に、あなたたちの前に恐れおののき、あなたたちの手にゆだねられる」[4]

農業は責務となった。ある共同体が農業をしないのであれば、やがて農業を受け入れた近隣の共同体がより多くの人手と資源を盾にその共同体を排除するのは間違いなかった。農業を営む共同体間の競争によって、窯業、冶金、輸送、情報伝達の新たな技術が生まれた。

水運、乗馬、ウシやラクダなどの新たな輸送手段によって交易ネットワークが拡大する一方で、文字などの新たな情報伝達手段によって共同体間あるいは世代間のつながりが強化された。

交易ネットワークの広がりでさらに入手できる情報が増え、イノベーションが促進された。交易、儀式、戦争、統治などの進化するネットワークの社会的リズムについていく必要があることに人々が気づくと、時間そのものに変化が訪れた。もっとも人里離れた農村でさえ、生鮮食料品を出荷したり税金を支払ったりするにも遠方の町や異国の人々の生活サイクルを考慮しなくてはならなくなった。

変化の速度は加速し、安定した世界を信じる人々の気持ちは薄れていった。約５０００年前に都市や国家が形成されるようになると、社会的関係は劇的に変化した。巨大で階層的な社会が生まれ、権力を手にした少数の裕福なエリートによって支配された。

国家の成立はきわめて重要な政治上のイノベーションだったが、それは国家とは未来を非常に大きな規模で操作するものだからである。ピラミッドや宮殿などの半永久的な建造物の建設とそこに刻まれた碑文によって、遠い過去に起きた出来事の証拠が後代に残され、そこでどんな変化が起きたかが明示された。

文書は、エリートがヒツジ、奴隷、お金といった自分たちの財産を記録するように進化した。しかし、すぐに未来計画全般に欠かせないものとなった。文書は人間の記憶力をしのぐ大量の知識をより安定した形で記録できるため、遠い過去の出来事をより把握しやすくするからだった。最古の書物ともいわれる『ギルガメシュ叙事詩』(ちくま学芸文庫ほか)では、物語の主人公が「大洪水(以前の)情報」を語っている[5]。

農耕時代の未来思考

農耕時代には、人類史におけるすべての時代と同様に、多くの未来思考は常識的で、トレンドに基づいており、直感的で、経験的で、実践的な能力が尊ばれた。

2000年前、何事にも懐疑的なキケロはこう問いかけた。「君は予言者が嵐の進路を水先案内人より正確に『推測』できると思うか? あるいは『推測』によって、医師より正確な診断をしたり、将軍より巧みに軍隊を指揮したりできるとでも?」

当時の人々はみな占い——霊界の住人に接触して判断を仰ぐ——に頼ったが、キケロは「知識が感覚をとおして得られる場合には占いは役に立たない」と主張した[6]。

農耕時代でも、多くの未来思考は「感覚をとおして得られる知識」に基づいていた。

本章では、今日ではあまり知られていない、農耕時代の未来思考に焦点をあてようと思う。これらの大半は、王子アルジュナや過去の人々に当たり前と考えられていたある前提から生じるのだが、それは霊界の住人や霊魂は私たちの未来を知っていて、その未来を変えることもできるという考えだった。新約聖書の「ヨハネ黙示録」では、パトモス島の洞窟にいたヨハネに、声が「まるでラッパが響くように」こう語りかける。

「ここへ上って来い。この後必ず起こることをあなたに示そう」[7]

占いにはさまざまな手法があった（イギリスの哲学者トマス・ホッブズは、キリスト教プロテスタントが受け入れている占い以外はおおむね軽蔑していて、著書『リヴァイアサン』［岩波文庫ほか］に見事なリストを掲げている）[8]。当時の人々はほぼ全員が占いに重きを置いた。このため、キケロは経験的知識と占いの知識を注意深く区別したが、この区別を真に受けた人はほぼ皆無で、たいていの人は予言者や占い師の言葉を医師、水先案内人、将軍の言葉と同列に見た。

「エリートの未来思考」と「庶民の未来思考」

農耕時代には誰もが占いに頼った。しかし、階級、権力、文化、富が極端に偏った社会においては、教育を受けたエリートの未来思考は、一般人の未来思考から重要な点でかけ離れていた。

人里離れた農村の住人や都市部の労働者階級は、自分たちの将来を案じ、周辺のトレンドを考慮し、地元の神、精霊、魔法使いに伺いを立てた。

しかし、権力の座にある人々は、数百人、数千人、数百万人の未来について考える必要があった。つまり、広域に関わる重要なトレンドを考慮し、より高位の霊的実体の声に耳を傾ける必要があるのだ。「隣人が私たちを呪ったら、バッタが私たちの大麦畑を食い荒らすだろうか？」と問う代わりに、「バッタは我が国に飢饉《ききん》をもたらすだろうか？　私はそれを未然に防ぐことができるだろうか？」と問わねばならない。「いとこが私を呪ったら、私は病気にかかるだろうか?」と問う代わりに、「疫病によって我が国の民は死に絶えてしまうのだろうか? 私に何かできるだろうか?」と問う必要がある。大勢の人の人生を変えるような未来思考は、大きなトレンドに基づく新たな知識と思考様式を必要とした。

そのため、キケロが占いに関して伝統的な未来思考に投げかけたのと同じ疑問に光があてられるようになった。

この時期にはエリート層の未来思考もより野心的になったが、それは皇帝や国王は軍隊を遠隔地に送り込んだり、新たな都市を建設したり、河川を切り回したり、森林を伐採したりすることで、何百万という人の未来を変えることができるようになったからだった。エリートの未来思考は手の込んだ儀式や信念体系を生み出し、たいていの庶民の未来思考に欠けていた権威と格式を享受するようになった。

「普遍」を追求する時代へ

エリートの未来思考の特徴は、重要な政治的、文化的変化が起きた紀元前1000年紀に関する歴史的文献に見られる。[9] ドイツの哲学者カール・ヤスパースはこの時代を「枢軸時代」と呼んだ。

交易ネットワークが広がるにつれて、ユーラシア大陸を横断する初の交易ネットワークが出現し、当時の人々が知る世界の最果てに届くほど広大な帝国群が史上はじめて登場した。つまり、これらの帝国の支配者は自らと自らが崇拝する神を普遍的な統治者と考えることができるようになった。

たとえば、紀元前6世紀半ばに成立したアケメネス朝ペルシアと、紀元前3世紀末に成立した中国初の統一王朝があった。これらの広大で多様性に富む帝国の統治者は、地域の神々と自らの支配下にある多くの民族の伝統にこだわらず、より重要で普遍的なトレンドや原則を追求した。それが普遍的な創造神によって定められたか、世俗的なものかは問わなかった。

ヤスパースによれば、こうして近代の哲学や科学と同じように、地域的な真理ではなく、普遍的な真理を探求する初の宗教的、哲学的文化が生まれたという。歴史学者のアルナルド・モミリアーノがいうように、枢軸時代を特徴づける重要な側面の1つは「物事のより普遍的な説明」の探求である。[10]

この時代には、ユーラシア大陸全域にまたがる覇権と交易のネットワーク内に普遍的な宗教が成立すると、「同じ関心を持つ人々の輪」が広がりを見せ、数百万人規模の「想像の共同体」に宗教的・政治的な帰属意識と忠誠心が生まれ始めた。[11]

枢軸時代にこのような普遍的な世界観を提示した予言者や学者の大半は、学識があり、諸方に旅して人脈を作ることで、エリート層の支援を受けた。ペルシアの予言者ゾロアスターは、世界全体を統《す》べる共通の法則を掲げる神を思い描いた最初の人物であり、アケメネス朝ペルシアはゾロアスター教を国教に認定した。この世に普遍的な秩序が存在するという考えは、一神教のユダヤ教、インドの哲学書『ウパニシャッド』(大東出版社ほか)、仏教、孔子や老子などを始祖とする中国の偉大な哲学思想、そして古代ギリシアの宗教や哲学などにも見られる。

枢軸時代の思潮に見られる普遍性への傾倒は、教育を受けていて権力の座にある人々に限られていた。これらのエリートは自分たちの思考と大半の庶民の思考に隔《へだ》たりがあることは十分に認識していた。僧侶、貴族、哲学者は地方主義、そして庶民の未来思考にうかがえる愚かしい迷信を侮蔑した。ただし、霊魂や神の存在を全面的に否定することには二の足を踏み、キケロのようなもっとも懐疑的な者たちでさえ一部の占いを認めるにやぶさかでなかった。

キケロは次のように述べたという。そもそも神々の存在を肯定するのであれば、神々が占いをとおして意志を伝える可能性をどうして否定できるだろう?

とはいえ、キケロのような思想家は自分たちが一般大衆と考えがちがうことも自覚していた。「我々ローマの卜占《ぼくせん》官は」とキケロは述べる。「民衆の意見を尊重し国務に専心するため卜占の習慣、規律、宗教儀式、法と同様に卜占学校の権威を維持する。ただし、我々は鳥の飛翔などのしるしを観察して未来を占うわけではない」[12]

最側近の呪術師を殺したチンギス・ハーン

エリートと庶民の未来思考のちがいは、両者が衝突したときにもっとも明確になった。衝突が起きるのは、庶民の未来思考が未来の管理者としてのエリートの権威と対立するか、その権威を失墜させかねなくなり、支配者がそれを抑圧しようとするときだった。

ユーラシア大陸のステップ地帯における遊牧社会では、帝国の盛衰はあまりに目まぐるしく、こうした対立は荒々しいドラマを生む。

13世紀初頭、モンゴル帝国のチンギス・ハーン率いる一党は、伝統的な宗教儀礼と信念を重んじる少数の牧畜一族だったが、わずか30年ほどでユーラシア大陸のほとんどを翼下に収め、枢軸時代の普遍的な宗教の影響を受けたグローバルな帝国を築き上げた。

伝統的なモンゴル社会における庶民の未来思考を牛耳っていた呪術師の権威は絶大で、多くは氏族の長だった[13]。彼らは病人を癒《いや》し、トランス状態に入り、天空を観察し、天体の満ち欠けを予測した。ヒツジの骨を燃やしてできたひび割れを占いに用い、魔女を見分け、戦争を仕かける日や遊動に入るのに好ましい日などを決めた。特別な石を使って天気を変えたり、雪嵐を止めたりする呪術師もいた。

チンギス・ハーン自身も自ら呪術の心得があると主張していた。13世紀ペルシアの歴史家ジューズジャーニーは、チンギスについて次のように評している。

「魔法と欺瞞に長《た》け、懇意にしている悪魔もいた。かつては、ときおりトランス状態に入ることがあり、そんな無意識の状態では彼の口はありとあらゆることを語った」[14]

チンギス・ハーン（テムジン）が帝国の最高位に就くと、テングリという人物が一党のなかでもっとも重要な呪術師になった。テングリは灰色のウマに乗って天に駆け上り、厳寒の冬の日に野外を裸で歩き、水を蒸気に変えると噂された。

2人は若いころからの友人どうしだった。テングリは、天がテムジンを未来の世界の支配者に選び、彼に「チンギス・ハーン」つまり「あらゆる部族の支配者」という称号を与えたと広く告知した。[15]

だがチンギスの権力が強大になるにつれ、彼は多くの異なる文化的、宗教的背景を有する人々を支配下に組み入れるようになった。なかには仏教徒、道教信者、イスラム教徒もいて、チンギス自身の哲学的、宗教的視野の裾野が広がった。やがて、普遍性を重んじる枢軸時代の精神も我がものとした。

チンギスの後継者たちによって取り立てられたイスラム教徒の歴史家ジュバイニーが、チンギスについて次のように述べている。「偏見を避け、信仰の好みを口にせず、宗教に優劣をつけない。あらゆる宗教や宗派の見識と高潔を尊重し、そうした生き方を『天』に通じる道と説いた」[16]。チンギス・ハーンのものの見方の変化が、2人の呪術師のあいだに生じた対立を説明してくれるかもしれない。

1210年までには、テングリとその家族はチンギスの権威に楯突《たてつ》くようになり始めていた。彼らはチンギスの末弟オッチギンやその家族を恫喝し、オッチギンらに従う人々を自分たちの側に引き込もうと工作した。

テングリはチンギスの天命は尽きようとしているのかもしれないと予言した。[17]

『元朝秘史』（岩波文庫ほか）によれば、テングリとその兄弟が自分のテントを訪れる予定だと知ったとき、チンギスは弟のオッチギンにこう告げた。

「テングリが今ここにやってくる。あいつをどうするかは、お前が決めるがいい」

オッチギンは3人の「屈強な男たち」と一緒に待った。

チンギスのテントにやって来たテングリに、オッチギンは相撲を取ろうといった。オッチギンはテングリの襟を掴んでいった。

「昨日、お前は私に改心するよう迫った。ここで決着をつけようじゃないか！」

オッチギンはテングリをテントの外に引きずり出した。

そこには3人の屈強な男たちが待っていた。男たちはテングリの背骨を折って彼を放り投げた。これは身分の高い人を流血を起こさずに処刑するやり方だ。

死後3日目の夜、テングリの遺体がそれを安置していたテントから消え去った。チンギスは、天もあの男を拒絶した証拠だと主張した。

歴史家のクリストファー・アットウッドは、こう述べている。

「こうしてチンギス・ハーンは、帝国が天の御心《みこころ》を推し量ったと見せかけてテングリを排除したのだ[18]」

この争いの裏には、多くの政治的、宗教的事情がある。しかし、それはものの見方が地域と人事に限られた古風な呪術者と、より視野が広く普遍的なものの見方をする上り坂の皇帝のあいだに起きた、未来の覇権をかけた争いだったともいえる。

チンギスの考え方は彼の死後も消え去ることはなかった。１２５４年、キリスト教宣教師のウィリアム・ルブルックは、チンギスの孫にあたるモンケ皇帝が異教徒の言葉に真摯に耳を傾けている場にいた。

話を聞いたあと、モンケは次のようにいったという。

「我々モンゴル人は神は1人と信じている……しかし神は手に異なる指を与えたように、異なる考えを人間に与えた」[19]

モンゴルの場合ほど暴力的ではないにしても、異なる世界観と未来をめぐる対立は農耕時代には遍在していた。[20]

農耕時代におけるエリートの未来思考

教育を受け権力の中枢にある人々の未来思考については多くの文書が残されている。ギリシア、ローマ、メソポタミア、中国に関してはとりわけよく見られ、以下の記述はおもにこれらの地域に残された証拠に基づくものだ。

占い：古代ギリシア・ローマにおける未来思考

2000年前の地中海地方には、遠隔地の村々から植民者の都市国家まで多くの異なる共同体や国家が存在したため、異なる未来思考も似通った未来思考もたくさんあった。

占いはあまねく見られた。それはごく一般的で、陳腐で、常識的なものだった。ギリシアにおける占いについての著書で、古典学者のサラ・ジョンストンはこう書いている。

古代には、大半の人は少なくとも数日に1度は何らかの占いをしてもらうか、他人が占ってもらうのを目にしたと考えられる。進軍の是非を決めたいときなどに、神々に生贄を捧げる儀式で占いがかならずおこなわれる。わけのわからない夢の謎を解いたり、ときには病気の診断や治療をしてもらったり、妻となる女性を決めたり、なぜ自分の身体がピクピク引きつり子どもがくしゃみをするのかを知ったりするためだ。

古代の市場を歩いていると、占いをする霊魂が腹に棲みついている「ベリートーカー」、イタチが自分の前を横切ったとしたらそれは何を意味するかを教えてくれる密教僧、公益に関わる件でデルポイの神託所で伺いを立てるためにどこかの国が送り出した使節団を見かけるかもしれない。[21]

『アナバシス』（岩波文庫）は古代ギリシアの軍人クセノポンのペルシア行軍について書かれた散文で、占いが戦略や士気にどんな影響を与えるかについて説明している。

「占い師が動物を生贄として川に捧げていた。敵が矢や石を放ったが、まだこちらに届く範囲にいなかった。しかし、神が生贄を気に入ったとたん、兵士たちが1人残らずアポロン讃歌を口ずさみ、鬨《とき》の声を上げた[22]」

古代ギリシアや古代ローマの偉大な思想家が、正式な神学が定める神々や霊魂に限らず占いをも信じたのであれば、どうして占いに真剣に取り合わないでいられるだろう？　アウグスティヌスは、守護神ダイモンが人間と霊界のあいだでお告げを取り次いでいると信じていた。すでに見てきたように、懐疑的なキケロですら占いめいたものの存在を擁護していた。実際、歴史家のメアリー・ビアードによれば、キケロは卜占にきわめて真剣に取り合ったという。ただし、キケロにとってそれは未来を見通す手段ではなく、神の赦《ゆる》しを乞う手段だった。[23]

ギリシアにおける占い手法の多くは、バビロニアやアッシリアから入ってきたものだ。[24]メソポタミアの占い師と同じく、ギリシアの占い師は神に仕えんと舞い上がる鳥の飛び方を学び、生贄の動物の内臓を観察し、夢の話に耳を傾け、奇妙な出来事に留意し、くじを引き、予兆を解釈した。

デルポイの神託所の「実態」

なかでも厳粛に受け止められるのは、地元の僧侶や貴族によって取り仕切られていたデルポイのような神託所や神殿で巫女《ピューティア》が告げる神託だった。デルポイの神託所に伺いを立てるのは真剣そのものの行為であり、芝居がかっていて、畏怖を感じさせ、お金と時間がかかった。

神託所に向かって道を登っていくと、神のおわす場所近くに来たことに気づく。周りには力が満ちているのだ。パルナッソス山にあるデルポイの神託所は、コリントス湾から望む素晴らしい眺望も手伝ってうっとりするほどだ。遠隔地にあって、そこに行くだけで時間がかかる。

ようやくたどり着くと、その地全体があなたと神託所に仕えているのがわかった。宿泊所、ホテル、行商人たち、生贄用の動物を売っている店があった。[25] 巫女に伺いを立てるために料金を支払うと、彼女たちが年に数度しかおこなわない特別な儀式でアポロンの神託を取り次いだ。

デルポイの神託所における占いの儀式は呪術の要素も含んでいた。巫女は洞窟に満ちた「蒸気」によってトランス状態で神託を取り次いだ。現代の地質学調査によれば、デルポイの洞窟ではエチレン、エタン、メタンガスが漏れ出していて、エチレンの甘い香りはプルタルコスなどの古代人による記述と一致した。[26]

巫女の曖昧な言葉を僧侶が訳すので、客はかならず偉大なアポロン神と少なからず隔てられている。大半の占いを侮蔑するトマス・ホッブズは、古代の巫女の神託は「もともと曖昧になるよう工夫されていて、巫女と客のどちらも自分が思いたいように思うか、硫黄《いおう》の満ちた洞窟から滲み出る、人を酔わせる蒸気のせいで不合理な神託を受け入れる」と手きびしい。

未来学者のウーナ・ストラザーンによれば、実際に神託を告げているのは僧侶だという。「僧侶は知性、広い人脈、ゴシップ、使者がもたらす情報などを駆使して、目端《めはし》の利いた神託を提供して客を満足させる」[27]

当時の人々はどんな「伺い」を立てていたのか

巫女はどんな伺いを受け付けていたのか？ それについてはたくさんの証拠がある。多くの神託所などでは、伺いと神託の詳細な記録を残していたからだ。

驚くまでもないのだが、大半の伺いは不安の程度に基づく各領域を示す未来円錐その3のレッドゾーン（第2章参照）に属したものだ。個人とその家族、彼らの私的な未来に関わることが多い。私たちは健康だろうか？ 幸福だろうか？ 私はなぜ病気になったのか？ 私は誰のせいで病気なのか？ 私に子ができるだろうか？ その子たちはうまくやっていけるだろうか？ この仕事をすべきだろうか？ 私は誰かに騙されているのだろうか？

ギリシアにあったドドナ神託所は、紀元前6世紀から紀元前3世紀までの伺いを鉛板に記録していた。たとえば、次のような鉛板がある。

・ゲリスはゼウスに妻について尋ねた。私は妻を娶《めと》るべきだろうか？
・ヘラクレイデスはゼウスとディオネに尋ねた。妻のエイグルは子を産むだろうか？
・ルサニアはゼウス・ナイオスとデオナに尋ねた。アニラのお腹のなかの子は我が子ではないのか？
・クレオタスはゼウスとディオネに尋ねた。ヒツジを飼ったほうがいいだろうか？ 飼えばもっと儲かるのではないだろうか[28]？

ペロポネソス戦争を引き起こした曖昧なお告げ

より公的な性質を持ち、大勢の人に関わる伺いは都市国家やその使者によって神託所にもたらされた。紀元前426年、スパルタからの使節団がデルポイの巫女にトラキニアのヘラクレイアを植民市とすべきかという伺いを立てた。彼らはそうすべきであるという神託を得た。

紀元前432年から431年には、スパルタの使節団がアテナイを襲撃すべきかと尋ねた。古代アテナイの歴史家トゥキディデスによると、巫女はこう答えたという。

「全力で戦うならば貴国は勝利するかもしれない。それに貴国が助力を求めようと求めまいと、このアポロンも貴国に対する助力を厭《いと》わぬ[29]」

最後の神託を聞くと、有名なデルポイの巫女でさえ、現代のフォーチュン・クッキーほど信用ならない、どのようにでも解釈できる、何の役にも立たない返事をすることがあるとわかる。

だがもっとも曖昧な予言ですら未来に影響を与えることがあることもわかる。なぜなら、スパルタは実際にアテナイに攻め込んでペロポネソス戦争を始め、その戦争は30年近く続いたからだ。巫女が異なる神託を告げたならスパルタは戦争を始めただろうか？

官僚主義の帝国メソポタミアと中国における未来思考

紀元前2000年紀から紀元前1000年紀にメソポタミアと中国に成立した官僚主義の帝国では、より一般的で人事と関わりのない未来思考が上層部に見られる。彼らは個人や家族のみならず社会全体の運命を背負っているからだ。

ギリシアと中国の占いの比較研究をした歴史家リサ・ラファルズがこんなことを述べている。古代ギリシアの比較的小規模な社会では大半の伺いが特定の神に向けて発せられたのに対して、中国王朝では占いは「機械論的で、自然主義的な様相を呈していたように思われる」[30]。

強大な権力を持つ支配者や高官にとって、未来思考はその政治的な重要性ゆえにより厳密に管理される。プロパガンダに堕することもありがちだった。

古代メソポタミアの占い

公的機関が占いを用いた最古の証拠は、紀元前18世紀にメソポタミアの町マリで書かれた一連の書簡だろう。これらの書簡には、出来事の特定の解釈と齟齬《そご》を来《きた》さないように事後に改竄されたとおぼしい神託の間接的な記述が含まれている。多くは神が支配者に与えたお告げだ。

たとえば、ある書簡はシャマシュ神が占い師をとおしてマリ王のジムリ・リム（紀元前1774～紀元前1760年）に与えた神託について述べている。ある節は次のような内容だった。

シャマシュ神はこう告げた。

「クルダの王ハンムラビはそなたに嘘を語り、詭計《きけい》を弄《ろう》している。彼を捕え、その国で即位の勅令を発布せよ。さすれば、その地は残らずそなたのものになる。町を制圧し、即位の勅令を発布すれば、そなたの王政は末長く続くであろう」[31]

これは公的な占いのもっとも簡素な例に見える。権力の座にある人が神の助言を求めたのだ。しかし、このやりとりは一種のプロパガンダであって、強大な神がジムリ・リム王に味方していることを民や敵に喧伝する行為であるともいえる。

1000年後、アッシリアの公的な占い師たちがニネベにある紀元前7世紀の図書館アッシュルバニパルに膨大な記録を残した。なかには３００枚以上もの粘土板が含まれ、現代の印刷物に換算すると全部で数千ページに上る。[32]

この記録では、神の声は抑制されてまるでロボットのようだ。ニネベの占い記録には神との直接的な接触は少なく予兆の解釈が多い。このことから、占い師たちは未来思考に対して経験的で人事と関わりのないアプローチを取っていたことがうかがえる。

たとえば、生贄動物の内臓の解釈に関する占い師たちの説明は技術一辺倒だ。生贄にされたヒツジの肝臓の観察について、次のように述べている。

「ヒツジの左の肝葉を走る溝（プレゼンス）の下部が長く、もう1本の溝（パス）の右側に延びているなら、敵が親王の土地を奪い取り、戦において敵が私を打ちのめし、私の陣地に踏みとどまるだろう」。一方で、「プレゼンスの下部がパスの左側に延びているなら、親王は敵の土地を奪いとり、私は戦いにおいて敵を打ちのめし、彼の陣地に踏みとどまるだろう」。

中東で発見された動物の肝臓を粘土やブロンズでかたどった多数のひな型と同じく、これらの粘土板は公的な占い師の育成に使われた可能性がある。[33]

アッシリアの占い師たちの目に、動物の肝臓の観察から得た予兆が、神からの直接のお告げと映ったのか、人事と関わりのない宇宙のトレンドや規則性と映ったのかはわからない。当時、天空におけるそうした規則性はとくに熱心に研究された。紀元前１０００年紀のメソポタミアでは、天文学や占星術がさかんだったからである。当初、天上界の研究は戦争を始める時期などの吉凶を知るための手段と考えられたが、いつしか宇宙の法則は、帝国を守護する神の意志、あるいは普遍的な規則やトレンドを示しているという枢軸時代の洞察と融合した。[34]

図6.1　卜骨（肩甲骨）
殷王朝の王、武丁の時代にさかのぼる卜骨（数例の甲骨文が記録されている）（キートリー『殷朝』243）

古代中国の占い

中国で占いが最初におこなわれた証拠は、殷《いん》王朝の王、武丁（紀元前約１２００年～紀元前約１１８１年）の時代にさかのぼる（図６・１）。

メソポタミアと同じように、初期の占いは、神とりわけ祖先神との直接の接触によっておこなわれた。しかし中国の場合には、最初期の記録にすらデルポイの例で見てきたような神がかりの状態やトランス状態は見当たらない。占い師の口調は冷静で、観察に徹し、感情を挟まない。

殷朝の占い師は、祖先神を地位、役職、専門を持つ官吏のように扱った。下位の祖先神にはさほど重要でない伺いを立てた。しかし戦争や講和、収穫などの重要な伺いは、最高位の祖先神、あるいは皇帝の霊魂と同一の位《くらい》にあり、雨風を支配できる天帝に託された[35]。

19世紀末までには、中国の考古学者は占いの記録（甲骨文）が刻まれた大量の卜骨《ぼっこつ》や卜甲《ぼっこう》のコレクションを発見していて、大半はウシの肩甲骨かカメの甲羅だった。最初に発見されたのは１８９８年で、河南省北部の安陽近くの村々で「龍の骨」と称して売られていた。

やがて学者たちは、これらの骨や甲羅にある記号のようなものが中国における最初期の文字であることに気づいた。その後も約20万例の甲骨文が中国で発見され、うち約5万例が歴史的文書として記録・保存されている[36]。

骨を焼いてできたひびで占う手法を肩甲骨占いという。この占いの習慣は広く世界に見られるが、とくに紀元前2000年紀後期に中国の公的な占いとしてその重要性を増し、形式化された。

殷朝代々の王や彼らのお抱えの占い師は、伺いをカメの腹甲（カメの甲羅の腹側部分）やウシの肩甲骨に刻みつける。骨や甲羅を焼くと、占いの結果がひびになって現れる。多くの伺いは重要な政策にかかわっていたので、占いは真剣そのものだった。殷朝の王が代々お金と人員と時間を念入りな占いに費やしたのはこのためだ[37]。

時を経て、公式の占い制度は複雑さをきわめた。紀元前3世紀の周《しゅう》王朝の王たちには、占い全般を司る官吏が3人おり、それぞれに占い、祭祀、天文学の人員を抱えていた。最初の官吏が（カメの甲羅や夢を使ったり、ノコギリソウの茎を転がしたりして）占いを実践し、2番目の官吏が霊魂を呼び出し、3番目の官吏が結果を記録した。天文学の担当である太史（のちに有名な漢《かん》の歴史家、司馬遷がこの官職に就いた）は暦を計算し、行事や意思決定のために吉日を選んだ[38]。

殷朝の王たちは大量のウシの骨や甲羅を収集したが、それは貢ぎ物であることが多かった。骨や甲羅は汚れや組織などをきれいに取り除き、占いに使えるように形を整え、清めの儀式をしたのち、占いの伺いと答えを占い師の名前と一緒に刻んだ。使用後、骨や甲羅は特別な保管場所に保存された[39]。

中国史家ディビッド・キートリーによる以下の記述は、帝国の占いの儀式がきわめて入念におこなわれていたことを示している。

> 肩甲骨か甲羅の裏側に慎重に力を込めて穴を穿《うが》つ。穴は閉じている場合も、貫通している場合もある。
> 占い師が穴を焼くと、表側に託宣ひびが入って予期されたパターン紋様が現れる。
> 他の文化における火占いでは、骨が火に投げ入れられたり、骨のとくに決まっていない表面を焼いたりするが、殷朝後期の火占いにはランダム性は少しもない。……殷の占い師が望んでいない場所にひびが入ることはないのだ。力が加わっても予期せぬ方向にひび割れが現れることはない。超自然に見える結果はそうなるべく慎重に導かれるのだ[40]。

骨の整え方のみならず伺いそのものによって、答えの範囲は自ずと限られる。伺いは簡単な選択肢で発せられる。たとえば、次の例のようだ。

・収穫は豊作になる／豊作にならない。
・雨が降る／雨は降らない。
・王はその民族と同盟を結ぶべきだ／同盟を結ぶべきでない。
・王はその氏族に攻撃をしかけるべきだ／攻撃をしかけるべきでない。
・殷の王、武丁の后《きさき》婦好の出産はよいことか／悪いことか?

甲骨占いの実態は「プロパガンダ」だった

王に仕える占い師は結果をかなり自由に脚色することができた。つまり、伺いの多くは実質的には未来に関わる情報を求めるというより、未来を操作する、または力を誇示する試みだったのだ。デイビッド・キートリーが論じるように、占いの儀式の一部はじつは「未来に魔法をかける」ことなのである。

そう考えると、豊作を願って骨や甲羅に穴を穿つ行為は、巧みな類比の魔法によって未来を操作する方法であることにほかならない。[41] むろん、収穫の見通しに影響を与える行為は重要きわまりない。豊作は収入の増加、農奴の未来における繁栄、支配者に対する神の祝福を意味した。

公的な占いの芝居じみた、あるいはプロパガンダともいえる側面は、キートリーが「広告文」と呼んだことから明らかだ。占いは王による未来予測とその結果の正確性に関わる証拠なのである。それは支配者が未来のためにどれほど力を尽くしたかを示すものであり、予言であるとともに自己正当化でもあるのだ。[42]

中国の王や皇帝が立てた伺いは、天気や収穫、計画成功の見通し、重要な役職に就《つ》けるべき人材、奇妙な出来事や夢の解釈に関わっていた。また、支配者の家族、結婚、出産、王位継承、健康にかかわる私的な伺いでもあった。

しかし、帝国という文脈に鑑《かんが》みれば、これらの伺いは私的というだけではない。答えは大きく政治に関わってくるからだ。[43]

伺いの多くは一般的な内容だった。私の行動はよい結果をもたらすか？　今が行動に出るべきときか？

紀元前3世紀末に漢の時代が訪れるまでには、日記が広く用いられ、さまざまな活動や行為の吉日と凶日のリストが付されていた。多くが旅行について助言していた。

故郷に戻るとき：春の3カ月目、子と丑の日は間違っても東に行ってはいけない。夏の3カ月目、午と申の日は南に行ってはいけない。秋の3カ月目、子と未の日は西に行ってはいけない。冬の3

カ月目、午と戌の日は北に行ってはいけない。100里までの旅はきわめて運気が悪い。200里を越えて旅に出れば落命に至る。[44]

「助言」から「科学」へ

ヤスパースが「枢軸時代」と呼んだ紀元前1000年紀においては、中国における公的な占いはさほど祖先の助言を求めなくなり、宇宙のトレンドや規則性に興味を示すようになった。歴史家のリサ・ラファルズが、次のように述べている。

「中国における占いは、しだいに人間と神の直接的な接触に拘泥しなくなった。戦国時代〔紀元前5世紀～紀元前3世紀〕の後期までには、中国における大半の占いの背景にあるものの見方は、自然主義的な探求とぴったり重なっていた」[45]

デイビッド・キートリーはこうした変化を、天と地はどちらも普遍的な宇宙の法則に従っているという確信が強まりつつあったことの証左だと解釈した。中国の公的な宗教と占いは、中国哲学一般の特徴となる「世俗性」を獲得したのである。[46]

紀元前1000年紀の半ばに成立した儒教と道教の哲学体系は、おもに倫理と存在の普遍的原理に関わっていた。こうした人事に関わらない宇宙論への変化は、天文学がますますその重要性を増したことに起因する。天文学は、神の意志や人事とは関わりのない法則と力が未来をめぐって競争する存在論上の境界にあった。彗星《すいせい》や新星（超新星？）のような予期せぬ宇宙の事象は、神のお告げと解釈するべきか、それとも人事と関わりのない宇宙の法則を示す証拠と解するべきか？

中国でも多くの他の農業文明でも、古代の天文学には、天上界の出来事は神とはまったく関わりなく私たちの生活に影響を与えるという直観がつねについて回る。[47]その信念が宿命論や予測につながった。

シェイクスピアの戯曲『リア王』(岩波文庫ほか)に登場する敵役エドマンドは、こんな台詞を吐く。「すさまじい愚行じゃないか。運悪く病に臥《ふ》せる羽目になると——たいていは自分のせいなんだが——その不幸を太陽、月、星のせいにする。まるで、自分たちは悪党になる宿命で、天の定めによって愚か者で、天の力のせいでならず者で盗人で裏切り者なのだとでもいわんばかりに」[48]

中国の天文学者/占い師は2個の主要な部品でできた渾天儀《アストロラーベ》を使った。一方の円形の「天」板は現在の日時に合わせられる。他方の固定された「地球」板は4方位に合わせられている。[49]紀元前3世紀に書かれた『周礼』は、帝国の天文学者がどのようにして天体や星座の運動を知り、その結果「地上で起きるトレンドを突き止め、未来の吉凶を区別する(予測する)か」について説明している。帝国の各地域はそれぞれ別の天体に対応し、その運動が「繁栄または災難」を予測した。西洋の天文学とちがって、中国では北方の空が重視され、おおぐま座(北斗七星)が天空の時計の針のように扱われた。[50]

司馬遷による次の記述を読むと、天文観察が公的な占いにどのように使われるかがわかる。春秋時代の宋王朝を治めた元公は、嫌な夢を見たことから、お抱えの占い師衛平を呼び寄せて夢の意味を説明させた。

衛平は立ち上がり、占いに使う渾天儀を両手で調整した[日時を合わせたと推定される]。天空を見上げて、月の光を眺める。北斗七星の向きを確かめると太陽の位置を推測した。道具に羅針盤、直角定規、錘《おもり》、スケールを使った。4個の節点を固定し、八卦《はっけ》を作り、吉凶のしるしを読み取った。[51]

易経の歴史

『易経』の歴史は、エリートの占いから神や霊魂がしだいに消えていき、人事に関わりのない哲学的な

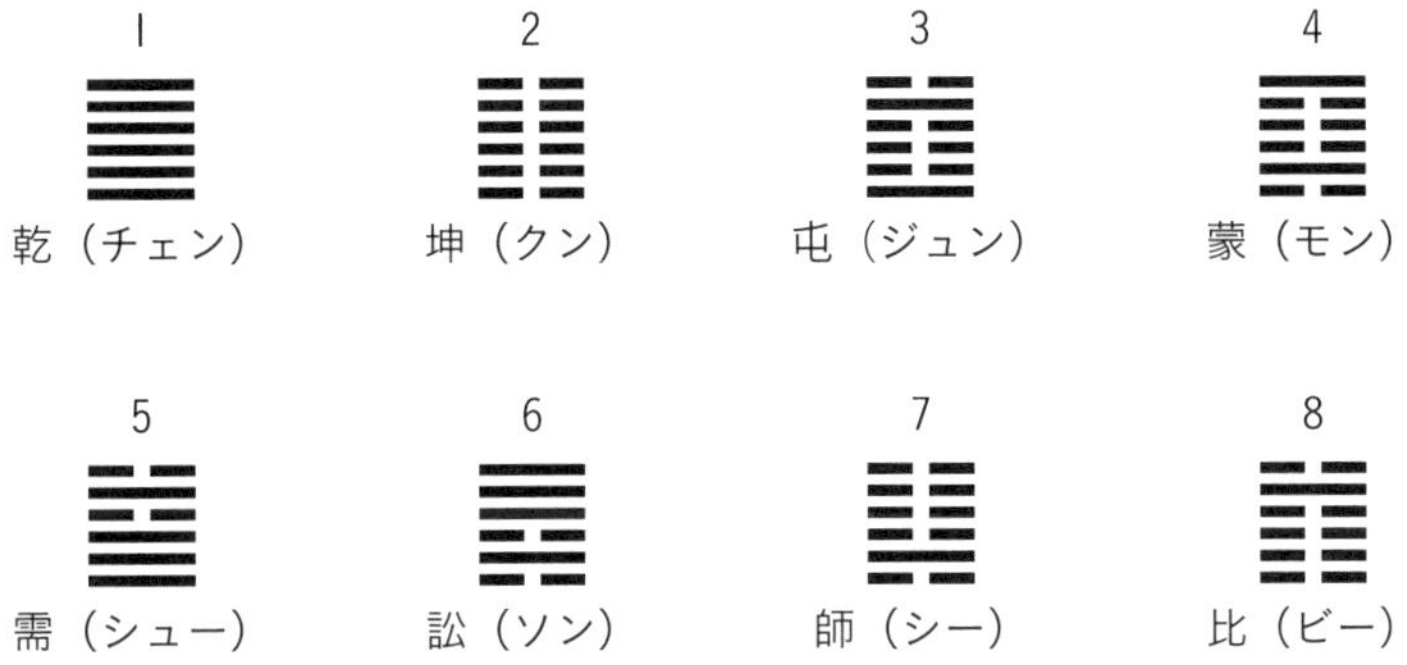

図6.2　『易経』に収められた64卦のうち最初の８卦（Wikipediaの『易経』に関するページ：Wikipedia, s.v. “I Ching” 最終編集2021年10月29日 (UTC), http://en.wikipedia.org/wiki/I_Ching）

未来思考がしだいに重要性を増した経緯を示す。[52]

最古の例は、おそらく周時代（紀元前１０５５年～紀元前７７１年）初期にさかのぼる定式文の集大成『周易』である。文言は64の異なる「卦《け》」に対応し、それぞれの卦は３本の長い線または２分された線から構成された「爻《こう》」２つから成る。

やがて、元の卦に注釈や解説が苔《こけ》がむすように付されていき、きわめて豊富かつ複雑で、ときには難解ともいえる書になった。漢代までには、これらの解説は『十翼』としてまとめられ、卦の標準的な説明を供した。卦に関する豊富な解釈は中国における思想や哲学の中核に取り込まれていき、森羅万象を表わす古代の太極図（陰〈点線〉と陽〈実線〉に２分されている）の形成につながった。

卦と解釈をまとめて、人生と未来に関する一種の百科事典と考えてみるのも悪くないかもしれない。もちろん、この事典は占いに典型的な不透明な言葉で書かれている。

『易経』を使って占うにあたっては、卦をランダムに選べることが肝要だった。そこで、ノコギリソウの茎を投げて乱数を生成し、得られた乱数に応じて卦を下から上に向かって作る。ここまでは楽なものだ。

それぞれの卦から導かれる曖昧な「占い」の解釈はあまりに

複雑で、『易経』に心惹かれた心理学者のカール・ユングがこう述べたことがあるほどだ。「『易経』の理論についてあまり考えない方がよく眠れる」[53]

最初の卦「乾」(「天」に対応する)は6本の実線から成り、「創造」を表わす。2番目の卦「坤」(「地」に対応する)は6本の点線から成り、「受容」を表わす。

最初の卦に対する「解釈」にはいくつかの定式文が含まれる。

「まず、生贄を奉納すべし。占いに有益。龍が潜んでいるので行動に出てはならぬ。龍が野にいる。権力の座にある人に会うと吉。高潔な人は終日懸命に働き、昼夜を問わず警戒を怠らないから非難されることがない。突然騒ぎに巻き込まれたら、逃げた者のせいだ、など」[54]

これらの決まり文句は当時の人にとってもわかりにくかった。しかし、占いの多くの手法と同じく、占いにわかりづらさはつきものだ。わかりづらいことから、占いが的中しなかったといいづらい。また占いに隠れた意味があるかどうか客に慎重に考えさせ、直観や示された意見について考えるよう促す。実際のところ、占いはただの予測ではない。新しい可能性に気づくように人の心を開かせるものなのだ。

中国の公的な占いが、霊的なものから人事と関わりのない未来思考へと変化したことについてはすでに述べた。しかし変化は微妙なものであり、それが与える影響を過大評価してはならない。生贄の儀式はエリート層のあいだでもまだ重要視されていて頻繁におこなわれたし、生贄の奉納という行為はただの物理的な力というより何らかの実体との関係をつねに暗示していた。[55]

いずれにしても、中国社会の下層階層では、占いは高尚なものではなく世俗的で私的であったことは間違いない。「方士」として知られる占い師はそれ相当のお金やコネがあれば誰でも雇うことができる存在だったし、彼らは遠方からでも呪術によって病人を治したり、死人をこの世に甦らせたりできた。

方士は天体の満ち欠けや自分の死までも予測できた。とりわけ霊的だったのは巫《ウー》と呼ばれる呪術師であり、彼らはシベリアの呪術師と同様に魔法とエクソシズムをおこない、天気を意のままに操り、霊魂と話した。

そんな彼らでも公式行事に参加することがあった。

「旱魃《かんばつ》のときには、彼らは踊って雨を降らせた。王妃の弔問を先導し……国家の大事に際しては歌い、泣き叫び、祈祷をおこなった」[56]

こうした霊的な占いが中国社会の上層階層にも見られたのだから、中国の町や村ではさらに伝統的な占いがさかんだったと考えて差し支えないだろう。

庶民の未来思考

農耕時代に大衆がどのような未来思考をしていたのかに関する証拠は少ない。彼らもここまで述べてきたような概念、手法、儀式の多くを共有していただろう。階層間を隔てる文化の壁は薄く、概念やものの見方は容易にその壁をすり抜けただろうし、とくに村々や地方の家庭では主人、労働者、召使、奴隷は日常的に接触があったからだ。とはいえ、教育を受けたエリートなら、もっとも迷信深い人でも自分たちが庶民とは異なる知的な世界で生きていることを知っていた。

当時の庶民の未来思考と占いを垣間見るには、第2章でみたナシュレディン・ホジャの戦略に今一度立ち戻る必要がある。つまり、近代社会に適応した後も伝統的な思考を維持していると思われる共同体に関する今日の研究に目を向けるのだ。

人類学者のアナ・マリエッラ・バチガルポは、チリ南部における現代の呪術師や魔女に関する最近の研究で、こう述べている。

「こうした儀式の原型は古代にたどることができるが、今日の呪医は現代ならではの心配事に対処し、霊界との交信にカトリック教信仰の知識と表象、さらに国家の医療体制や政治体制を組み入れ、組み入れたものを変容させて新たな意味を与える」[57]

この種の研究は、庶民の未来思考が霊的な実体と多くの異なる力によって形成されたことを示している。そうした実体や力は未来に対処するために接触し、対話し、場合によっては戦わねばならない相手だった。そこには、農耕時代のエリートの未来思考においてますます顕著になった人事に関わらない普遍的な原理はまず見当たらない。

20世紀初頭ソ連の小作農たちの未来思考

共通の側面があるとはいえ、庶民の未来思考はきわめて多様である。それらの細々とした部分は地域ごとの伝統によって形作られるからだ。

20世紀初頭のソ連の村々では、未来思考に対するアプローチが何世紀にもわたってほぼ変わっていないことを知って政府の役人が困惑したという。歴史家のモーシェ・レビンが、こんなことを書いている。

盗人を見つけて盗まれた品々を取り戻し、出産(家畜のお産も含む)が無事にすむように計らい、新婚夫婦(誰でも)を「悪意ある目」から保護し、家のなかに葬儀の日まで安置している遺体の悪影響から家族を守るなど家庭内で必要とされる一切合切を、農奴は魔法の儀式、祈り、霊薬、ハーブなどに頼って成しとげた。自然界と人間界の営みのサイクルはすべて守られなくてはならないのだ。[58]

ソ連の小作農にとって、未来のための準備は、予測不能で、危険で、たいていは目に見えない霊魂や力との絶え間ないゲームなのだ。

どの家庭でも死んだ祖先との交流を絶やすことがない。祖先は子孫の家の近くに住んでいて、その人たちの世話をする。

家の霊魂はその家に住み着いている。他の霊魂が庭の世話をし、とくに深夜をすぎると魔法の家になる村の風呂屋を守る。[59]霊魂の多くは危険なので避けるべきだ。とりわけ気味の悪い霊魂は湖や川に潜んでいる。なかには、死んでいるが、生きてもいる（目が動かないのでそれと知れる）水の精がいて、不注意な人がひどい死に方をするように仕向ける。半ば死んだ霊魂や、まだ死んでいない霊魂がいて、なかには洗礼を受けていない子や自殺した人がいる。

小悪魔が辻や暗がりに集まっていた。しっぽを持つ小悪魔や、家族、家、従者を連れた小悪魔がいた。小悪魔であるとはいえ主人の悪魔と同様に危険だった。赤ん坊をさらい、人を重病に陥れる。それでも、抜け目なく立ち回れば、ときにはお金で抱き込んだり騙したりすることもできる。木の精を混乱させるには、服を裏返しに着るか前後反対に着る。[60]

ソ連の村々では多様な占いを各家庭でおこなった。人々は占い師に自分は何歳まで生きられるか、収穫はどれほど豊かか、どうすれば盗人を見つけられるか尋ねた。未来の結婚相手を知るために使われることが多い占いだが、それは結婚がたいていの農奴にとって大切なことだったからだ。ソ連で長く外相の職にあったアンドレイ・グロムイコは、出身地の村の若者たちが鏡と松明を持って風呂屋に行き、深夜に将来の結婚相手のイメージが現われるまで待ったと回顧録に書いている。

一部の村では、未婚の若い女性が水の入ったボウルと大麦を床に並べ、ニワトリを隣に下ろす。ニワトリが鏡をのぞき込んだら、夫となる人はいい人だ。ニワトリが水を飲んだら、未来の夫は酒飲みだ。大麦をついばんだら、未来の夫は金持ちだ。[61]

人類学者のフィールドノートから

人類学者たちは、同じような占い手法を世界中で発見した。

イギリスの人類学者E・E・エバンス＝プリチャードは、1920年代に上ナイル地方のアザンデ族とともに暮らしたとき、「毒占い」が広く使われていたと述べている。毒占いでは、伺いを立てておいてから決まった量の特別な毒をニワトリに与える。ニワトリが死ぬか生き延びるかが占いの結果になる。

占いの多くと同様に、これらの手法は占い師に幅広い裁量権を与える。エバンス＝プリチャードが実際に見た例は次のようだった。

「Xの母親が重い病気だ。病いはバサ族のせいだろうか？　もしそうならば、ニワトリは死ぬ。バサ族のせいでないならば、毒占いをしてもニワトリは死なない。そのときのニワトリは生き延びて、『いいえ』の答えを出した」

次の伺いが出された。

「彼の妻に悪さしている邪気がメカナの家のものであれば、ニワトリが死ぬ。彼の妻の祖父の妻たちのものであれば、ニワトリは死なない。ニワトリが死ななかったので、邪気は妻の祖父の家からのものと確認された[62]」

悩みの原因を確かめて取るべき手だてを決めるため、さらに伺いを立てる。確認のため、同じ伺いが繰り返されることが多かった。

伝統的な占いがうまくいかないか、不適切と思われる場合には、医学、エクソシズム、予測、霊界との交渉などを専門とする占い師に頼る。たいていの村にはヒーラーや、未来を予測したりよい方に変えたりする人がいた。

1925年、ソ連のトベリ州に住むヒーラーについて新聞が記事を掲載した。記事によれば、ヒーラーのアニシア・イワノブナは「何でも知っている人」と呼ばれ、魔法とエクソシズムの確かな腕を持つことで知られていた。

> 夫婦が喧嘩したとき、ウシが妊娠しないとき、人や動物が病気になったとき、若者がガールフレンドと別れたとき、人々は「アニシア母さん」に相談する。
>
> 相談者が家に入る前に、アニシアはこういう。
>
> 「あなたに悪魔がとりついています！　早く、祈りなさい！」
>
> アニシアはスカートを頭の上までたくし上げてオーブンに上るか、腹這いでテーブルの下にもぐり込み、相談者が祈り終えたころに戸口に姿を現わす。そこで、ようやく用向きを尋ねる。そして悪魔を追い払うとされる濁った飲み物を用意するか、相談者が紅茶に入れる水薬、あるいは妊娠しないウシに飲ませる水薬を与える。
>
> 村人たちはアニシアにはどこか「神々しい」ところがあるといって聞かず、彼女に助言をもらうために15から20キロメートル離れた場所からやってくる。[63]

これを読むと、アニシア・イワノブナのような例は農耕時代における民間信仰に関する証拠を示す文献の隅に溢れているとか、古代の未来思考に関するあらゆる証拠の端々に似たような人がいそうだとか考えたくなる。

悩みがかなり深刻な場合には、霊界との交渉で生計を立てている熟練の占い師に頼るのがいい。1660年代にシベリアに流されたソ連の反体制派司祭アバクムは、流刑人の行列の警護にあたっていた刑務官の1人が、地元のツングース民族の占い師に占い（shamanit）を強要したときのことについて自叙伝で次のように書いている。


夜になって、占い師が……生きたヒツジを連れてきて魔法をかけようとした。ヒツジをあちらこちらに転がし、頭をねじって放り投げる。飛び跳ねたり踊ったりして悪魔たちを呼び出した。長く大きな叫び声を上げると地面に倒れ、口から泡を吹く。

悪魔たちに急かされた占い師は尋ねた。

「旅は無事終わるのか？」

悪魔たちが答えた。

「たくさんの戦利品を持ち帰ることになるだろう。我々が大勝するのだ[64]」


アバクムは呪術師を悪魔の使いと見なし、自分も含めた流刑人の行列が襲われることを祈り、実際に流刑人がほとんど死んだときには喜んだ。

トランス状態

アバクムが「呪術」（shamanism）という言葉を使ってからというもの、「トランス状態を使う占い」として知られることの多いタイプの占いを指してこの言葉が学術文献に頻出するようになった。このタイプの占いでは、専門家がトランス状態に入って霊魂と交信する。[65]

この種の占いの記述は世界各地に見られる。たいていの専門家は高度な訓練を受けている。一部はその技術を先人から伝授されているが、いやいやこの役目についた者もいる。大きな個人的危機を経験しているときに始めた人もいる。

アナ・マリエッラ・バチガルポは、チリ南部出身の現代の呪術師が、霊魂にこの技術を教わったときの経緯《いきさつ》を思い出した例を記録している。

やったー！　霊魂が、お前はハーブで人を癒す呪術師になるのだと告げた。いろいろな薬草が混ぜられた。混合物は泡立って熟成した。突然、彼らが必要な道具を私に与えた。「お前は地上のあらゆる場所へ行くのだ。馬に乗っていくがいい。すべての場所に赴くように」と彼らがいった。[66]

農耕時代の教育のある人々は、呪術や占いの能力はたいていの人のなかで眠っている技能が発達したもので、夢のなかで引き出すことができると信じていた。

キケロの対話篇『占いについて』では、彼の弟クィントゥスが次のように主張する。神は私たちすべてに占いの能力を与えたが、能力が人並み外れて発達した人がいて、そういう人は『『狂乱した者』あるいは『インスピレーション』と呼ばれ、この状態は魂が身体から抜け出して神の力によって荒々しく刺激されたときに起きる」。大半の人にはこの力は欠けているが、例外は霊魂が「まったく抑制されずに自由なままで、身体との関連性が完全に失われているときであり、狂乱しているときや夢を見ているときなどだ」。

ソクラテスでさえ、「トランス状態」あるいは彼がいうところの「精神が錯乱した状態」で占いをする人を信じることを好んだ。なぜなら、そういう人はおそらく直接神と接触しているからだという。[67]

呪術師は、踊り、ドラム、薬草などを使ってトランス状態に入って霊魂の世界に入っていく。彼らは特別な衣装を身にまとう。そうすれば、彼らを助けようとする霊魂に容易に認識してもらえるからだ。いったん霊界に入ったら、直に交渉するあらゆる場面でそうするように礼儀と交渉術を駆使する。

なかには人間のために魔法の戦いを繰り広げる呪術師もいる。人類学者のピアーズ・ビテプスキーは、ツングースの氏族間で起きた復讐劇について述べている。ある氏族の呪術師が隣の氏族の1人を殺そうとして虫を送り込んだのが発端だった。[68] 虫は隣の氏族が飼っているトナカイの守護霊に目もくれず、犠牲者の腹に入り込んだ。犠牲者の一族の呪術師が虫を腹からつまみ出すガチョウの霊魂とチドリの霊魂、黄泉の国に虫を安全に捨てるフクロウの霊魂を送り出した。呪術師たちは、多産、勝ち戦、病気退散も願い入れてくれるよう交渉した。返礼として、霊界の住人に贈り物や生贄を捧げ、脅し、怒鳴り、請願した。

エバンス＝プリチャードは、アザンデ族がトランス状態で占うと述べている。彼が目にした交霊会では、ある農民が今年のトウジンビエの作柄について訊いた。占い師は、危険な霊魂というより、農民の家族のなかに魔法によって収穫を台無しにしかねない者がいると警告した。このことは、占い師が伺いをいくらか脚色したことを意味する。

呪医……が踊るのは、そのおかげで呪医の薬が効き、目に見えない答えを見つけられるようになるからだ。踊ると体内の薬が攪拌《かくはん》されて活性化する。

伺いが立てられると、呪医はかならずそれについて考えるのではなく踊る。

踊り終えると、ドラムを叩くのを止めさせ、伺いを立てた人のところへ歩いていく。

「あなたはトウジンビエの今年の作柄がいいかと尋ねたが、どこに植えたのか？」

「あの……」とその人は答える。「バゴモロという小川の向こうです」

呪医は独りごちる。「バゴモロという小川の向こうだって？　ふむ、ふむ。妻は何人いるのか？」

「3人です」

「私には呪いが見える、呪いが見える、呪いが見える。用心なさい。妻たちがトウジンビエの作柄に呪いをかけようとしている。正妻、いや彼女ではない！　正妻ではない……正妻ではない、正妻ではない。聞こえるか？　正妻ではないのだ」

呪医はいまやトランス状態に近く、話すのも容易ではない。出てくるのは単語や切れ切れの文章だ。

「……悪意。悪意。悪意。残りの2人が正妻に嫉妬している……わかるか？　嫉妬はよくない。嫉妬はよくない。飢餓だ。お前のトウジンビエは育たないだろう。お前は飢えに悩まされる。私のいうことがわかるか？　飢えだ」[69]

このドラマティックなエピソードは、占い師の権威がときに演技力、凝った衣装、音響効果、わざと曖昧な話し方をすることによって高められるのを想起させる。アザンデ族の呪医は、鳥の羽根を飾った麦わら帽子、木製の笛、動物の皮革、ガラガラ、足首の鈴という身なりだ。踊ると、エバンス＝プリチャードの言葉を借りれば、「完璧なオーケストラ」になる。[70]

エバンス＝プリチャードは、熟練の魔法使いは地元のゴシップを調べてから交霊会に臨むことを知った。誰が誰と争っているか？　誰が誰の寝室に忍び入るところを見られたか？　誰が交霊会を開いた人に恨みを抱いているかを知れば、その人に呪いをかけたとおぼしい敵を判断しやすくなる。

インチキ占いでもかまわない?

あるときエバンス＝プリチャードは、２人の呪医が「手術」中に患者の身体から何かを取り除いているように見せかけているところを目撃した。２人はトリックを認めたものの、自分たちの薬は効き目があるのだから、そこが重要なのだと主張した[71]。

たいていの熟練の占い師はそのようなトリックは占いの正当な部分と見なしているだろう。それでも、もちろん完璧に詐欺としかいいようのない場合も多かった。

紀元前２世紀ローマの詩人エンニウスが、「村のペテン師、円形興行場に足しげく通う占星術師……あるいは夢占いをする人」について書き、「彼らは知識から見ても能力から見ても占い師というより――いわば迷信深い詩人、偽の占い師だ」と主張した[72]。インチキ占い師は今も昔もあとを絶たないが、それはアウグスティヌスが知っていた原理で説明ができる。十分に頻繁に予測をすれば、ときには的中することもあるのだ[73]。

教育の程度にかかわらず、大半の人は占い師がみな信用できるわけではないことを承知している。それでも、このことが人々の占いに対する全般的な信頼を損なうことになってはいない。占いを信じることが悪くないと思えるのは、少なくとももっとも無能な占い師ですら妥当な占いをすることもあるし、農耕時代にはほとんどの人が魔法、霊魂、力は偏在していると信じていたからだ。また、占い師に伺いを立てる人や占いを自らおこなう人はたいてい大きな不安を抱えているので、権威がありそうなお告げなら藁にでもしがみつきたい気持ちなのである。

それでも、占いを信じていたにしても、少しも疑われないとは限らない。アザンデ族の多くは、占い師には能力の低い者、ペテン師もいるかもしれないと心得ていた。

だがペテンが露見しても、人々はその後も魔法を信じた。つまり、エバンス＝プリチャードが述べるように、アザンデ族の呪医は現代の医師が信用されるほどには信用されていたのだ。彼らがつねに正直だったり治療がうまかったりしたからというより、経験豊富だし、彼らの薬がとても効くこともよくあったからだ。

「ある呪医がアザンデ族の人の治療に失敗すると、そのアザンデ族の人は別の呪医を訪ねる。私たちが最初の医師の治療に満足できないとき、別の医師に診てもらうのと同じだ[74]」

占いにみる庶民の未来思考の「本質」とは

農耕時代における庶民の未来思考は、現代から見れば奇怪で無知に思われるかもしれない。しかし、人々は占いに頼りたくなるような大きな不安を抱えていて、日頃の生活は危険で不安定だった。現代のテクノロジー、医療、法的保護の多くはまだ存在していなかった。世界は霊魂だらけだとみな考えていた上に、日常生活で人々が直面する脅威や危険は不合理きわまりなかった。庶民の未来思考はそのような状況で慰めと希望を与えてくれたし、現在でも未来円錐その3のレッドゾーンにいる人々にそうした慰めや希望を与えてくれている。

占いの経験：アストラムサイコスの予言

本章を結ぶにあたって、今日『アストラムサイコスの予言』として知られる古代のテクストに記載された占いの手法について見てみよう。

歴史家のメアリー・ビアードはこのテクストを「量産品の占いキット」と呼ぶ[75]。ギリシアにおける最初の版は、おそらく2世紀に書かれたと考えられている。今日、私たちが知るのは数世紀後のパピルス版だ。

テクストには現代でも容易に使えそうな細々とした指示が含まれていた。実際、最小限度の演技力とほんの少しの厚かましさがあれば、これを使ってほぼ誰でも予言者になれただろう。双方の才に恵まれていれば、あなたはこのテクストがピュタゴラスによって編まれ、賢人アストラムサイコス（ペルシアに住んでいたと考えられている謎のゾロアスター教司祭の筆名）によってプトレマイオス王に授けられ、アレクサンドロス大王がこれによって大成功を収めたという主張を自信たっぷりに繰り返したかもしれない。たいそうな実績ではないか！

しかし鵜呑みにしてはいけないとはいえ、この主張は真剣に取り合う必要がある。なぜなら、テクストの長い歴史から判断して、多くの人が喜んでお金を払うほど実際の問題解決に成功したと思われるからだ。だがこのテクストは、どのような衣装を身につければ未来思考に権威を持たせられるかということまで教えている。

キットの中核を成すのは92を数える一般的な伺いである。キットは広く使用されたので、伺いは時を経てもっとも一般的になるように選別された。結果として、しかるべき収入を得られるような伺いが記載されたことになる。

少し眺めると、この占いのおもな客層がエリート層だが公職についていない人々だったとわかる。都市に暮らす男性で、学問があり、ある程度は経済的に恵まれていたような人だ。だが、一部には（金持ちの？）奴隷もいたに相違ない。奴隷の身分から解放される見込みに関する伺いもあったからだ。[76]

それぞれの伺いにつき、10通りの答えがあった。もちろん伺いと同じく、答えも長いあいだに占いの「自然選択」によって選別されたはずだ。実際、答えは素朴な社会的統計ともいえそうで、人生で遭遇しがちな状況でもっともありそうな出来事を示す。[77]

客は1から10までの数字を1つ自由に選び、その数を自分の伺いの数に足し合わせる。特別に用意された鍵を調べ、10ある答えを得られた数だけ進む。このランダム化によって、神が介在する余地が生まれる。テクストにあるように、客が選ぶ数は「客が口を開いたときに神が［客に］与えたものだからだ」。

「くじ占い」と呼ばれるこうした方法は、古代の占いには一般的によく使われていた。まず、客が伺いを立てて、サイコロかヒツジの中手骨をいくつか転がす。出た目を足し合わせた数が答えになる。[78] ランダムディッピングは占いに使える強力なツールである。神の介在を可能にするばかりか、客の想像力をそっと新しい方向に向けてくれるからだ。

占いがどのようにおこなわれたのかを具体的に示そう。

この草稿を書きながら、私は伺い44（私は長生きしますか？）を選んだ。次にランダムに５という数を選んだ（ふと頭に浮かんだ）。２つの数を足すと合計で49になる。鍵のなかの49を探すと、それぞれ10通りの答えのあるグループの45番目に行き着いた。グループのなかで私が選んだランダムな数５に対応する答えを探した。

答えはこうだった。

「長生きしない。身辺を整理しておきなさい」

ふむ！

占いと私たちの不安

92の伺いは、私たちを占い師に引きつける不安について多くを語る。大半は、第２章に示した不安の程度に基づく各領域を示す未来円錐その３のレッドゾーンに入る。このゾーンには、私たちをひどく心配させる問題が含まれる（だから私たちはこれらの問題を解決するためなら、たいへんな努力と、時間と、お金を喜んでつぎ込む）。またこのゾーンなら、私たちは予測が可能だと感じる（つまり、助言を求めるに値すると思う）。私たちを悩ませてもいない、あるいは予測が容易か不可能である伺いに答えてもらうために、占い師にお金を払うのは無意味だ。レッドゾーンの伺いには占い師も悩む。

伺いはいくつかのグループに分かれる。最初のグループは旅に関わる。私の旅は安全だろうか？　私が旅に出ることはあるのか？　なかには辛い伺いもある。旅人は戻ってくるのか？　旅人は生きているか？

2番目のグループはキャリアに関するものだ。もしかすると、私は軍隊に入るだろうか？　将軍、書記官、聖職者になるだろうか？　いや地元の役人、それとも議員になるか？

ビジネス関連の伺いもある。このプロジェクトは儲かるだろうか？　頭金は戻ってくるか？　品物は売れるだろうか？

別のグループは司法に関わる。私が訴えを起こされることはあるだろうか？　牢から出られるか？　訴えを退けられるか？　姦通者として捕えられることがあるだろうか？

家族、私生活、健康面の伺いもある。財産の相続は大きな問題だった。古代には相続が新たな富のおもな源泉だったからだ。私は父親／母親／友人／妻から財産を相続するだろうか？　あるいは持参金を得ることがあるか？　このグループには、惨めな伺いもある。私は誰かの財産を相続することがあるだろうか？　結婚や家族に関わる伺いもある。私は結婚するだろうか？　それは私のためになるか？　妻になった人は子を産むだろうか？　妻は私と添いとげるか？

ある1つの伺い――私はこの子を育てるだろうか？――は、おそらく赤ちゃんが生まれた時点でその子の存在を世間に公表しようと考えている人のものらしい。当時、この行為はスキャンダルや望まぬ子の養育費の支払いを避ける常道だった。

健康にかかわる伺いもある。たとえば、私は毒を盛られたのだろうか？

具体的すぎず、一般的すぎず

占い師の答えの大半は、第2章で述べた、正確さ（具体性）と一般性のあいだの最適点を突いている。人の興味を引く程度には細かいが、呆れるほど漠然とはしていない。

「私は長生きしますか？」という私の問いに対して準備された答えは次のようだった。

「長生きしない。身辺を整理しておきなさい」（この答えは細かなちがいを別にして10回のうち4回繰り返し現れた）

「あなたの寿命は平均的です。気を落とさずに祈りなさい」

「長生きして、足の痛みに苦しむでしょう」

「ある時点を過ぎると、長生きして高齢まで生きるでしょう」

「長生きして、富にも恵まれます。もっと長生きして富も得たいと願うでしょう」

「長生きして、とても幸せな余生を送ります」

全体として、これらの答えはもっとも妥当な未来をカバーしている。だが、興味を引くほどの詳細を含み、どちらかといえば、誤っていそうなリスクを負ってもいる。私は本当に足の痛みに苦しむのだろうか？　足の痛みは老人にはありがちだが、誰もが経験するわけでもない。

古代ローマを専門とする歴史家ジェリー・トナーは、占い師の答えはおそらく簡単な社会的統計を提供するように十分に練られたのだろうという。「私はこの子を育てるだろうか？」という伺いに対する答えの約3分の1は、赤ちゃんは死ぬので「育てられない」とある（スキャンダルが露見するか扶養義務を果たそうとしなかったことを遠まわしに示唆しているのだろう）。現代の研究によれば、ローマ帝国においては新生児の３分の1が生後1年以内に死亡したという。したがって、この答えは適切といってよさそうだ。

トナーが正しいなら、時の試練を経た占いは、古代社会における社会的統計が正しかった証拠なのかもしれない。伺い12――私の船旅は安全に終わるだろうか？――に対する10通りの答えをまとめると、船旅が遅延する可能性が50パーセントで、難破を含む深刻な危難に遭遇する可能性は20パーセントだ。深刻な危難に遭《あ》う可能性の推定値は、他種の占いの場合とあまり変わらないので、この時代における一般的な値かもしれない[79]。

古代の占いの背後にあったのは、この種の推定値だった。このことから、占いという未来思考が、多くの場合には現実世界のトレンドと一般的な未来観に裏打ちされていたことがわかる。

全体として見るならば、『アストラムサイコスの予言』には推奨すべき点が多い。このキットの予測手法はおおむね妥当で合理的でもある。伺いは真剣だ。答えは現実的で、正確さと一般性のあいだで巧みにバランスを取っている。統計上、妥当な点も少なからずある。

最後に、ここまで見てきたように、ランダム化は予測のツールとして完璧に合理的である。現代の科学的な視点から見れば根拠に欠けるように思えるかもしれないが、占いは慰めを与えてくれたし、説得力に富む上に安上がりな助言だったのだ。

第7章

近代の未来思考

仮に人が諸現象の法則を知っていて、こうした現象を強い確信を持って予測できるのであれば、また仮にそうした法則を知らないにしても、過去の経験から未来の出来事を高い確率で予測できるのであれば、なぜ歴史に基づいて人間の未来の運命を語ることがいかにも真実に聞こえる臆測にすぎないと見なされるのか？

――ニコラ・ド・コンドルセ『人間精神進歩史』（岩波文庫）、1794年[1]

人類史における近代

近代の数世紀――人類が進化してきた時間の約1000分の1――における変化は、農耕時代に比べてはるかに目まぐるしかった。1500年以降に起きたグローバルな交易ネットワークの出現が、これらの多くの変化につながる導火線となった。

もっとも大きな変化は1800年以降に起きている。化石燃料から得られる安価なエネルギーによって数々の実験的試みが可能になると、テクノロジーと科学のイノベーションが急増した。グローバルな交易ネットワークのおかげで、人々は新たなテクノロジーや新たな考え方に触れるようになった。しかも、変化のペースは以前とは比べものにならないほど速くなった。これほど短期間で、人間の未来思考はあらゆる過去の時代に比べて大きく変わったのだ。

こうした変化によって、多くの学者が「人新世《じんしんせい》」と呼ぶ地球史の新たな年代が訪れた。人新世とは、人類が意図しないままに地球全体の運命を左右しはじめた地質年代を指す。[2] 近代の未来思考が、人類全体、そして人類と生物圏を共有する他種すべての未来に関心を寄せるようになったのはこのためだ。

以下の統計はこの2世紀ほどで起きた変化のとほうもないスケールを伝えている。

１８００年から２０２０年のわずか２２０年で地球上に暮らす人間の数は約９億人から80億人とほぼ９倍になった。[3] これは1年につき約１パーセントという増加率であり、農耕時代における増加率の20倍を超えている。

驚いたことに、大半の人は十分な食糧に恵まれている。灌漑《かんがい》によって生まれた農地の増加、遺伝子工学や人工肥料などの技術により、食糧生産が激増する人口に追いついているからだ。

他の産業分野における生産性向上によって、すべての人は（原則として）過去のどの時代よりも住居、衣料、その他の必需品において大いに恩恵を受けている。

都市部に暮らす人の割合は約7パーセントからほぼ55パーセントに増えた。このことは都市部が人類にとって典型的な居住地になったことを意味する。大都市の人口は約１００万人から３０００万人近くまで増加した。

人類の総エネルギー消費量は、1年に２００億ギガジュールをわずかに超える程度から1年に約５０００億ギガジュールへと約25倍に増加した。１人あたりのエネルギー消費量は、1年に約25ギガジュールから約75ギガジュールへと3倍になった。エネルギーの大半は化石燃料という新たな供給源から得られた。やはり220年という短期間で、二酸化炭素放出量が1年に3000万トンをわずかに超える程度から1年に360億トンへと1000倍以上増えた理由は、このエネルギー供給源の変化だった。

もう1つ注目すべき統計がある。人類の寿命が長くなったことだ。人類史の大半において、人類の平均寿命は30歳を下回っていた。ところが、1800年までには、安定した食糧供給と良好なヘルスケアのおかげでおよそ35歳まで延びた。1800年から2020年のあいだに、地球上で生まれる新生児の期待余命も70歳と倍化した。

新たなテクノロジー

近代のテクノロジーによって、人類はよし悪しはともかく自分たちの未来を創造し変化させる未曾有《みぞう》の能力を獲得した。

これらのテクノロジーのおかげで、私たちは数千キロメートル離れた人に瞬時に連絡し、埃《ほこり》の粒より小さな物体や数十億光年離れた物体を観察し、24時間以内に私たちを世界の一方の端からもう一方の端へと運んでくれる機械を作ることができる。

反面、私たちは新たな問題をも作ってしまった。私たちは地球の大気や海洋を変えてしまうほどの規模で化石燃料を燃やしていて、私たちが手にした兵器は愚かにも使用してしまえば数時間で生物圏を破壊するだろう。

このように、私たちが未来を操作するいい能力を持つという事実は、テクノロジーの歴史において何度も指摘されている通りだ。[4] したがって、本章では、第5章と第6章と同じく、未来に関する思考の変化に焦点を合わせようと思う。

イノベーションのすさまじいまでのスケールは、近代の未来思考に新たに集団的な不遜さを生み出した。進歩という近代の概念によれば、私たちは自分の目的を果たすために地球を創造し直すことができるし、近代のテクノロジーが生み出す桁外れの富がその概念の正しさを証明してくれる。なぜなら今日では、人類史においてはじめて、大多数の人がもはや生き延びるために必死になる必要がなくなったのだ。

一方で私たちは、この新たな能力には危険な側面があり、それが私たちを破滅に陥れかねないことに気づいてもいる。あまりに大きな力を手にした結果、私たちの未来思考は人類が地球全体とその多様な住人たちの運命をどう操作できるかという点に偏ってしまった。

拡大するネットワーク

グローバル化と世界規模の交易ネットワークの創造によって、グローバルな視点の未来思考が進んだ。16世紀以前には、最大級の人のネットワークといえばアフリカ大陸とユーラシア大陸を結ぶものだった。以降、交易者や航海者が、ときに乱暴な手段を使って、あらゆる共同体を約80億人の地球規模のネットワークにまとめた。今日の人間のように地球規模のネットワークを形成した種は他にいない。ところが、このプロセスは個々の細胞を初の「多細胞生物」に詰め込んだ進化過程に驚くほど似通っている。

グローバル化は創造する一方で破壊した。シベリアからメソアメリカまで、太平洋からアフリカまで、グローバル化によってヨーロッパの兵士とユーラシアの疾病が持ち込まれ、生命、社会、経済が壊滅し、古代文化の確実性が失われた。

ヨーロッパにおいても、グローバル化によって古くからの知識はその根底から揺さぶられたが、ヨーロッパのエリート層は一般にこの変化を歓迎した。新たな種類の富、権力、知識がもたらされたからだった。しばらくは、長きにわたって時代に取り残されていたこの地域が、地球上でもっとも活発で、繁栄した、優勢な地域となった。ヨーロッパ諸国の政府、交易者、学者は初のグローバルなネットワークの成立によって恩恵を受けた。数世紀にわたって、この地域が権力、富、情報のグローバルな流れの中心に置かれたからだ。この事実が、私たちが近代性と関連づけて考える変化の多く（新たなテクノロジー、経済管理の新形態、未来思考の新たな形態を含む）がなぜ最初にヨーロッパに生まれ、やがて「西洋」として知られることになったかを説明してくれる。だが、これらの変化もやがて残りの世界に飲み込まれていくことになる。

グローバル化と「時計時間」の誕生

グローバル化は時間と未来の理解を変えた。世界中の共同体はグローバルなスケジュールで動くようになり、そのリズムが伝統的なリズムと乖離《かいり》したのだ。突如として、シベリアでトナカイを飼う人々や太平洋上の島々に暮らす人々が、遠隔地の帝国の戦争、交易、税制のリズムに慣れなくてはいけなくなり、近代産業が労働と余暇、レクリエーションと学習に新たなリズムを押しつけた。

時計はどんどん精度を増し、自分専用の時計を携行する人まで現れた。18世紀には、多くの時計に分針があった。19世紀になると、秒針を持つ時計が出現した。[6]

グローバルな時間を刻む1つの時計が誕生した。19世紀に、諸国の政府や企業などが時計や暦を統一し始めた。１８４０年代、英国鉄道がグリニッジ標準時に基づいた時刻表を発表し、20世紀初頭までには、大多数の国が時間帯をグリニッジ標準時に合わせた。

諸国がグレゴリオ暦を採用するにしたがい、暦もグリニッジ標準時に合わせられた。イスラム圏のヒジュラ暦や中国の旧暦などの伝統的な暦がいまだに数十億人の日常生活のリズムを決めてはいるが、現在では新年の花火が世界中の主要な都市すべてにおいてグレゴリオ暦の新年の始まりを告げる。２０２０年までには、ほぼすべての人がグローバルな社会的時間の網に絡め取られた。

加速する変化

変化のペースは加速し、今や誰もが絶え間ない変化が起きるヘラクレイトス的な世界に生きている。安定したものは1つとしてないのだ。あらゆる人が「A系列時間」の激動にさらされている。

哲学者のアルフレッド・ノース・ホワイトヘッドが１９２０年代に指摘したように、この変化はきわめて重大だ。

「私たちは［この］（基本的な安定性という）前提が誤っている人類史上はじめての時代に生きている」[7]

変化が日常的になると、私たちは近代のテクノロジーの奇妙さを容易に忘れてしまう。１８２９年、鉄道の生みの親の1人ジョージ・スティーブンソンは、この画期的なテクノロジーを21歳のイギリスの女優ファニー・ケンブルに披露した。[8] それまで馬車の世界に生きていたケンブルは、エンジンを機械でできたウマだと考えたが、その速度には驚嘆した。

> 蒸気を吐いて走るこの小さな動物が……ちょっと撫《な》でてやりたい気もしたのだけれど……私たちの馬車につながれ、スティーブンソンさんは機関室の長椅子に私と一緒に座って、およそ時速10マイルで機関車を走らせ始めた……その後エンジンに水を足してやると……機関車は**時速35マイルの最高速度で、鳥より速く**走った［実際にチドリで実験した］。

私は宇宙ロケット、パソコン、インターネット、スマートフォンの時代以前に育ったが、今ではこれらのイノベーションをごく当たり前だと思っている。テクノロジーの変遷によって、私たちの新しいものに対する感受性は鈍くなってしまった。

さらに変化が私たちの祖先の大半が想像したより遠い過去から始まり、より遠い未来へも続いていることを私たちは知った。

近代以前には、人間社会が変化し進化するように思えたにしても、宇宙、地球、地球上に住む多様な種は創造されてからほとんど変化していないと大半の学者は考えていた。

しかし17世紀になると、生物学者や地質学者は化石や奇妙にねじれて交わる地層の発見に興味を引かれ、地球と地球上に住む種（ヒトを含む）は億年単位で考えるならば大きな変化をとげていることに気づき始めた。[9]

少なくとも天上界は変化していないように思われたが、それも20世紀半ばに天文学者が宇宙にもまた歴史があるという証拠を発見するまでの話だった。宇宙は火の玉がビッグバンを起こして誕生し、１３０億年以上にわたって膨張と進化を続けてきたのだ。

20世紀半ばに開発された新たな年代測定法のおかげで、ビッグバン以来の宇宙の歴史を驚くほどの精度で構築することができるようになった。[10] 古代社会が思い描いていた安定した宇宙の描像は、未来は過去とはかならず異なると確信できるような、激動し進化する宇宙像に取って代わられた。

現実の新たな理解：科学と脱呪術化

近代の未来思考は、近代科学の誕生によっても大きな影響を受けている。

17世紀のいわゆる「科学革命」によって生じた変化を過大評価することは厳《げん》に慎まねばならない。多くの占いが今日でも立派に生きつづけているのは、多くの新聞やウェブサイトに占星術のコラムがあることとも少なからず関係している。

私の妻はバルカン地方に伝わる古い習慣とともに育った。2人の人が街灯や支柱などの両側に分かれて歩いたなら、悪運を避けるためにすぐにどちらかが「パンとバター」と唱えなくてはならないのだ。2人とも「パンとバター」と唱えればさらによいとされる。

白状すると、私は悪運を避けるために木に手を触れることがよくある。たいていは冗談めかしてそうするのだが、心中ではそれがいい結果につながればいいと期待している。

いずれにしても、近代科学に基づいた未来思考はこれとはちがっていて、近代の多くの側面における未来思考を変えてきた。

機械論的な世界の見方の誕生

近代科学にはいくつかの明確な特徴がある。しかし、歴史家のスティーブン・シェイピンが説くように、もっとも主要な変化は世界の仕組みをより機械論的に捉える傾向にあり、この見方によって未来を構築していく上で予測不能な霊魂や力が果たす役割が大きく減じられた。

自然を機械論的に捉える考え方は、伝統的な自然哲学の擬人主義やアニミズムと明確に異なっていた……17世紀の機械論的な見方は、そのどれもが目的、意図、知覚の能力を自然とその部分に帰する伝統とは対照的だった。[11]

ニュートンの運動法則をモデルに近代科学を打ち立てた人々は、1人の最高神によって定められた、普遍的で、機械論的で、人事と関わりのない「科学的な法則」によって支配される世界を思い描き始めた。彼らは自分たちの宇宙から過去の大半の霊魂、悪魔、神々、魔法の力を排除した。これらの要素の不規則性が予測を難しくするからだ。このより秩序立った、法則によって支配された宇宙では、新たな知識によって未来を予測し支配する、強力で新たな方法が見つかるのではないかと期待された。

ドイツの社会学者マックス・ウェーバーは、この知力に関する壮大な変化を詩人で哲学者のフリードリヒ・シラーから借用した隠喩にちなんで「脱呪術化」と呼んだ。[12]ウェーバーによれば、近代思想の核心にあるのは、「合理的な」世界という概念だという。その世界では、「計算できない謎の力は存在せず……原則としてあらゆるものは計算によって知ることができる。このことは世界の脱呪術化が起きたことを意味する。人はもはや魔法を頼りにする必要がないのだ」。[13]

機械論的な世界の見方の誕生は、どんどん人事との関わりが薄れていく占い手法や、枢軸時代に宗教や哲学思想に見出されていた、普遍的で人事に関わりのない変化の法則の探究に古い起源を有する。

多くの人の杞憂をよそに、脱呪術化が起きてもそれが直《ただ》ちに無神論につながったわけではなかった。近代科学の先駆者のほぼ全員が、宇宙の基本的法則を定めた創造神を信じていた。哲学者で科学者のロバート・ボイルはじめ多くの人が、「計り知れぬ数の霊的実体」の存在すら認めていた。

だが、これらの思想家は霊魂が思いのままに宇宙の基本的な法則に介入できるというアイデアについてはこれを退《しりぞ》けた。たとえば、天文学者のヨハネス・ケプラーは惑星に霊魂や目的があるというアイデアを捨て去り、「宇宙は神聖で生き生きした神というより、時計に近い」と信じるようになった。[14]古代の神々の多くとちがって、時計は気まぐれに行動したり、癇癪《かんしゃく》を起こしたりしない。時計の機能は予測できるので、私たちには時計が未来にどうするかがわかっている。

機械論的な「自然哲学」の初期の成功によって、この世界観は高い評価と高慢さを得て、印刷という新たなテクノロジーによってヨーロッパ諸国のエリート層に急速に広まった。

歴史家のデイビッド・ウートンが述べるように、シェイクスピアの時代には、十分な教育を受けたヨーロッパ人ですら魔法や呪術を信じ込んでいた。狼男やユニコーンが存在すると思っていた。天空が地球の周りを回っていて、彗星《すいせい》は悪いことが起きる予兆であり、古代の叙事詩『オデュッセイア』や『アエネーイス』(ともに岩波文庫ほか)は実話だと考えていた。

1世紀半後のヴォルテールの時代には、教育のあるヨーロッパ人は自然哲学に強く引かれた。多くの人が望遠鏡や顕微鏡を使い、ニュートンをあらゆる科学者のなかでもっとも偉大な人だと考え、地球が太陽の周りを回っていることを知っていた。多くはまだ迷信深かったとはいえ、魔法や悪霊にまともに取り合わなかったし、ユニコーンや奇跡は存在しないとわかっていた。神の存在を疑う人もいて、科学的知識の発達が進歩と人類のよりよい未来をもたらすと信じる人も多かった。[15]

今日、世界には霊魂や神様がたくさんいると信じている人もいまだに多いものの、魔法から解き放たれた近代科学の世界観が大衆教育と科学の威信によって広まり、テクノロジーの変化の大半を形作ると共に未来思考を支配している。

機械論的な宇宙における未来思考

近代の未来思考は、以前の未来思考とおもに次の4点において異なる。

(1)**因果性**　因果性のよりよい理解は、物理学、化学、医学をはじめとする多くの分野において確信に満ちた正確な予測を可能にする。

（2）**確率**　確率論は、特定の事象は予測できないが、多くの事象を予測できるプロセスをより正確に理解させてくれる。

（3）**データ収集と統計**　入手可能な統計学的情報が格段に増え、新たな確率論的手法も登場した。これによって、起こりうる未来にかんする手がかりを提供してくれる確率論上のトレンドを検知し、分析し、理解し、測定する私たちの能力が強化された。

（4）**情報技術とコンピューティング**　近代のコンピュータ技術によって、統計学的な情報を以前なら想像もできなかったスケール・速度・精度で保存し解析することが可能になった。

こうした変化によって、医学から人口および気候変動まで多くの分野において私たちの予測能力は高まった。しかし、機械とは明らかに異なる人間の行動によって決まる政治のような分野においては、私たちの未来思考は古代からほとんど進歩が見られない。

因果性

第2章で見てきたように、物事がなぜ起きるのかを理解すれば、未来思考のために世界のトレンドを知り利用する私たちの能力が高まる。

トレンドを把握することは有益だ。パブロフのイヌが、ベルが鳴ったら餌をもらえると学習したのと同じといえる。

しかし、トレンドの原因を突き止めることはさらに有益だ！　なぜＡのあとにＢが起きるのかを理解すれば、Ａのあとに起こりそうな結果を高い精度で予測できる。

医療は因果性の発見で進歩した：アスピリン

近代科学は、細菌学を確立したジョン・スノーやルイ・パスツールなどの学者による19世紀の発見、すなわち多くの病気は微生物によって引き起こされるという洞察に基づいている。この発見は、医療施設の環境を殺菌し、ワクチン接種を徹底し、有害な微生物を攻撃する抗生物質などの医薬品を処方すれば予防と治療ができることを意味した。

歴史家のロイ・ポーターは次のように述べている。

「パスツールからペニシリンの発見までの世紀において、古代からの医療に関わる夢の１つが実現した。主要な病気を起こす原因に関する信頼のおける知識がようやく得られたのだ。この知識によって、病気の予防法と治療法の両方が確立された[16]」

Ａがどれほどの影響をＢにおよぼすのかを測定できれば、因果性の理解はさらに進む。近代科学が慎重な測定にこだわるのはこのためだ。

柳の葉を噛むのは頭痛に対する古代人の治療だった。柳の葉が原因で頭痛が消え去ったのだ。

この因果性の詳細を突き止めたのは19世紀の化学者たちだった。柳の葉に含まれる有効成分はサリチル酸である。これを知り得たことでサリチル酸を含む錠剤を製造できるようになった。錠剤は安価で扱いが容易でもあった。

さらに、錠剤の効き目を測定できたので、２錠飲むか１００錠飲むかのちがいが明確になった。２錠飲めば、頭痛はたぶん消えるだろう。１００錠飲めば、死ぬかもしれない。

これらの錠剤は1899年には現在と同じく「アスピリン」として広く知られた。

目的論から機械論へ：大気圧の発見

科学進歩の多くは因果性の理解に依存していた。

1644年、イタリアの数学者エバンジェリスタ・トイチェリがある奇妙な事実について機械論的な説明を提唱した。垂直な管に水銀を閉じ込めて上端を閉じると、閉じていない下端を水銀の溜まりに浸しても閉じ込められた水銀は少し管内に残る。一部がかならず管内に残り、上端に真空部分ができる。この奇妙な現象をめぐるアリストテレス以来の説明は、自然は真空を「嫌う」ので、できるだけそれを小さくしようとする、というものだった。これは目的ありきの説明、いわば目的論的な説明だった。これに対して、トイチェリが与えたのが機械論的な説明だったのだ。彼によれば、水銀は管内の上部に「大気圧」によって支えられている、つまり数キロメートルもの高さの空気の柱の重量が水銀の溜まりを押し下げているというのだ。

1648年、フランスの数学者で哲学者のブレーズ・パスカルがトイチェリの説の真偽を確かめようと考えた。パスカルは同じような水銀を使った装置をフランス中部に位置するピュイ・ド・ドーム山に持参するよう義弟に頼んだ。パスカルの考えでは、高度が上がれば空気の重量は減るので、仮にトイチェリが正しいのであれば、山頂では管内の水銀柱はそれほど高くならないはずなのだ。

そして、まさにそのことが証明された。トイチェリの装置は、気圧計、つまり大気圧を測定する機械だったのだ。この実験によって、パスカルはトイチェリの大気圧の機械論的説明が正しいと確信した。[17] 何が大気圧を発生したかについての機械論的な説明が測定可能な形で与えられた結果、のちに化石燃料革命の礎となったテクノロジーである蒸気機関が誕生することになる。

因果性で説明できないもの：人間社会

原因の科学的な説明は、多くの（おそらく大半の）過程が規則的で、機械論的で、測定可能だという前提に基づいている。ニュートンの運動の法則のおかげで、私たちは大砲の弾、惑星、地面に落ちるリンゴの運動を前例のない精度で予測できる。

このモデルをもとに、近代科学は高精度で測定可能な予測を可能にする新たな因果性の法則を医学、化学、電気学、やがては原子物理学などの分野においても確立し始めた。因果性の理解がますます精密になったことが、スマートフォンからタービンまで、ジェット機から人工心肺までの、近代的テクノロジーの大半の素地を作った。

アメリカの統計学者ネイト・シルバーが、こんなことを述べている。

「現象の背景にある原因の理解が信頼できるとき、予測はきわめて強力になりうる」[18]

因果性に関する近代の遠近法的な考え方を提唱したコンピュータ科学者のジューディア・パールは、すぐれた因果性のモデルは「物事が過去にどう振る舞ったか」を知るのみならず、「物事が新しい条件下でどう振る舞うか」を知ることをも可能にすると述べる。[19]

原因の科学的な理解が多くの新たな領域で確実な予測を可能にするのであれば、すべての領域で可能にならない理由は何なのだろう？

アダム・スミス、オーギュスト・コント、カール・マルクスなど社会理論を主唱した人々は、ニュートンの運動の法則に似た因果性の法則を人間社会の進化に発見しようとした。

しかし、やがて現実のすべての領域が因果性の法則によって同じ精度で支配されているわけではないことが明らかになった。第2章の予測可能性に基づく各領域を示す未来円錐その2には、例外が存在するのだ。人間社会の働きをはじめとする多くの領域では、因果性の法則の支配は比較的緩い。第1次世界大戦がなぜ起きたかと問うのは、惑星がなぜ楕円軌道を周回するのかと問うのとは大きく異なるのである。

確率

近代の確率論は、ニュートンが天文学や物理学で発見した因果性の領域と比べて、因果性が希薄で機械論的でない領域における予測精度を改善しようという試みから生まれた。

デカルトは次のように書いている。

「私たちの力ではそれが真実であると決められないとき、私たちはいちばん真実らしく思えるもので代用すべきである。これはきわめて確かな真実といえる」[20]

確率に関する予感、出産で死ぬ予感、海の旅から生還する予感は古くからあったし普遍的でもあった。近代の確率論は、こうした予感をより精度の高いものにするために数理モデルを使用する。そして、ポーカープレイヤーや保険会社が知るように、見込みについてより正確に理解すれば、起こりうる未来をよく理解できるようになるだけでなく大金を手にできるのだ。確率モデルが強力なのは、これらのモデルが起こりうる未来を驚くほど正確に予測することも多々あるからだ。

ギャンブルが生んだ確率論

近代の確率論のルーツはギャンブルの研究にある。

賭博《とばく》は古くからあった。サイコロとして使われたと思われるヒツジの中手骨が、地中海地方東部の青銅器時代の遺跡で発見されている。[21]

しかし賭博の確率論的な法則が、近代科学の機械論的および数学的手法で研究され始めたのはここ数世紀のことだ。

1564年、イタリアの数学者、医師、そして賭博好きのジェルダモ・カルダーノが賭博に関する最初期の綿密な研究をおこなったが、彼の著作が世に出たのは1663年だった。この本には、科学ジャーナリストのイアン・スチュアートが「確率に関する初の系統立った研究」と呼んだ内容が含まれていた。

じつは、この本が書かれたこと自体が見込み薄な話だった。[22] カルダーノの母親は、彼が生まれる前にお腹の子を中絶しようと試みた。彼は病気がちだったが生き延びて、彼の看護師や兄弟を死に追いやった腺ペストに打ち克った。

いろいろな意味で、カルダーノの未来思考はまったく近代的ではなかった。困ったときには、「占い師や魔法使いに会いに行き、私のさまざまな問題に何らかの解決策を見つけようとした」と彼は告白している。賭け事で負けが込んだときには、「運に見放されたのさ」と説明した。[23]

だが彼は賭け事に強かった。迷信深い性格だったが、まるで起こりうる未来を示すトレンドを小悪魔も霊魂も魔法使いももてあそぶことなどないと信じているかのように、運の理論を機械論的な精度で考え抜いた。

標本空間

カルダーノが機械論的な精度で解決した、古くからある問題を紹介しよう。

経験豊かな賭博師なら、3つのサイコロを振れば、出目の合計が9より10になるときの方がわずかに多いことを知っていて、このちがいに自分の運をかける。これは直観に反する考えなので、賭博を始めたばかりの人に勝つために利用されることもある。

しかし、これは確実な因果性ではなく、そこには確率というものが存在する。サイコロを振るたび、出目の合計が10ではなく9になる可能性は十分にある。それでも、長く賭博を続けてずっと10に賭けるなら、ずっと9に賭けつづける人より勝つ可能性が高くなる。[24]

なぜか？

カルダーノは「標本空間」という現代的なアイデアを使っていちばん理解しやすい説明をした。[25]

標本空間とは、コイントスのようなプロセスの、起こるかもしれない結果すべての集合である。だが標本空間は現実の世界にもモデルの世界（私たちの脳のなかで数十億個のニューロンが発火して形成される）にも存在する。

この区別はすべての確率論的思考にとって重要きわまる。モデルの世界の標本空間は全容を知ることが可能で、その振る舞いは数学的な精度で記述できる。一方で、現実の世界における標本空間の振る舞いはそうはいかない。もし仮想モデルの世界でコインを放り上げれば、標本空間は単純そのものだ。コインには表と裏が一面ずつあり、どちらが出る可能性も50パーセントだ。ところが、現実の世界ではコインが古くて変形し、表が出る可能性がわずかに高いかもしれない。[26]

現実の世界の標本空間はいろいろな不確定要素を含み、それらの正体を正確に知ることはできない。だが現実の世界の標本が数理モデルとさして変わらないように見えるなら、私たちは運を信じ、モデルが現実世界に関する有用な情報をくれることを期待する。驚くことに、この考えでうまくいくことは多い。

出目の合計が10になる場合と9になる場合の問題を解くため、カルダーノは3つのサイコロを投げたときに得られるすべての結果についてモデルの世界の標本空間を構築した。

現実世界ではサイコロは1度しか投げられないが、モデルの世界では同じゲームを何度もして可能な限りの結果を見ることができる。3つのサイコロがあれば、6×6×6＝216個の異なる結果になる。

ここで、公正なサイコロでは（ここまでは私たちは現実の世界ではなくモデルの世界にいると仮定する）、どのサイコロも目の出方は同じだ。216回振ったとすると、出目の合計が9になる組み合わせは6通り、10になる組み合わせも6通りある。たとえば、出目の合計は（6、2、1）、（5、3、1）、（5、2、2）、（4、4、1）、（4、3、2）、（3、3、3）で9になる。

では、9と10の合計の組み合わせはどれも同程度に起こりうるのだろうか？　いや、そうではない。先ほどの組み合わせリストをもっと注意深く見ると、9になる6通りの組み合わせがすべて同程度に起こりうるわけではないと気づくだろう。3の目が3回出て合計が9になる組み合わせは1通りに限られている。だが、（6、2、1）の目が出て合計が9になる組み合わせは6通りあり、相互に目の出る順番が異なる（［6、2、1］、［6、1、2］、あるいは……）[27]。

カルダーノがしたように目の出方を数えると、出目の合計が10になる組み合わせは27通りあるものの（27／216または12・5パーセントの確率）、合計が9の場合には25通りの組み合わせしかない（25／216または11・6パーセントの確率）。これは大きなちがいだ！

このちがいを利用すれば、いくばくかの金儲けになる。もちろん、現実世界のサイコロに鉛が仕込まれておらず、現実世界はモデルの世界とほぼ変わらないという前提の下での話だが。

モデルと現実世界

カルダーノの説は賭博以外にはほとんど影響を与えなかった。しかし17世紀半ば、ブレーズ・パスカルらが強力な新説を唱えた。確率に関するカルダーノの考えは、慎重に普遍化すれば賭博のみならず未来思考の他の多くの分野にも有益だというのだった。

たとえば、過去の経験からモデルの標本空間を構築することで、貿易会社は船舶が沈没する確率を計算できるようになるだろうか？　神が存在するかしないかのような形而上学の問題をも解決できるだろうか？

これらの興味深いアイデアが17世紀半ばに出現し、直ちにヨーロッパの主要な思想家に取り上げられた。

１６５４年、ギャンブルに目のないことで知られる貴族のシュバリエ・ド・メレが、パスカルとその仲間の数学者ピエール・ド・フェルマーにある問題を投げかけた。賭博中に各プレイヤーが数ポイント稼いだ時点で中止された場合、賭け金をどう分配するかという問題だった。これは「点数の問題」または「掛け金の問題」と呼ばれる。カルダーノもこの問題に取り組んだが、パスカルとフェルマーが与えた解決策は確率計算を新たなレベルに押し上げた。

パスカルの答えは、仮想の標本空間に「起こるかもしれないすべての結果を残らず列挙する」ことだった。[28]

数学は美しくてエレガントではあるが、現実世界の不確定要素を見捨てがちだ。したがって、パスカルの答えは確率論的な思考がはらむ典型的な危険性を浮き彫りにしてくれる。

たとえばパスカルは、各プレイヤーがそれまでとまったく同じ能力で賭けつづけ、酒、疲労、緊張の影響は受けないと仮定しなくてはならなかった。

現実世界の不確定要素を除外することで、パスカルはあらゆる不測の事態が排除された完璧な機械論的モデルを手に入れた。

さらにモデルの世界では、カードゲームだろうが、競馬だろうが、戦争だろうが、気候変動だろうが、何度でも試すことでどの結果がいちばんありがちで、もっとも起こりやすいかを知ることができる。

だが現実がこれほど秩序正しいことは稀で、現実のカードゲームは1度しかやらない。数学者のウォーレン・ウィーバーが次のように述べている通りだ。

「私たちが確率論でおこなっているのは、完璧に明確で整然とした計算のできる数理モデルを構築し、このモデルが何らかの現実世界の現象に有益に対応することを願うというものだ[29]」

神の存在に関する賭け

確率論はあらゆる未来思考に見られる、エレガントでない根拠の薄い確信を避けては通れない（第2章で詳しく述べた）。しかし、私たちにモデルが現実世界の重要な側面を捉えているという強い確信があるとき、確率論はかならずその確信を裏打ちする論理をより明確にし、場合によっては測定可能にして、未来思考に高い精度を与える。

パスカルの有名な「神の存在に関する賭け」は、非現実的なモデルの危険性をよりよく示している。1654年、パスカルは深刻な宗教上の危機を経験し、そのあとに綴ったメモ帳（『パンセ』〔岩波文庫ほか〕として彼の死後に刊行された）で、確率論的な計算を神学や形而上学の問題に押し拡げた。

「神の存在に関する賭け」は神学の問題を一種の賭けに変えた。

パスカルはモデルの標本空間をたった2つの可能性に限定した[30]。

（1）神はいない。
（2）善人には永遠の救済、悪人には永遠の断罪を約束するキリスト教の神がいる。

さらにパスカルはもう1つ怪しげな前提を導入した。どちらの選択肢もそれが正しい可能性は50パーセントである（「表か裏のどちらかが出る」）というものだ。

どちらも出る可能性は同じなので、お金を賭ける前に損得を確認する必要がある。（1）のとおり神がいないかのごとく振る舞えば、いっときいい思いをするかもしれないが、負ければ永遠に惨めな思いをするリスクがある。（2）のとおり神がいるかのごとく振る舞えば、最悪でも生涯を放蕩《ほうとう》者として生きる楽しみを失うだけで、死後に永遠の幸福を得るかもしれない。

パスカル曰く、「神がいるほうに賭けた場合の損得を天秤にかけてみよう。……君が勝てば、すべてを得られる。もし負けても、失うものは何もない。したがって、迷うことなく神がいるほうに賭けるべきなのだ」。

論理は完璧ですばらしいが、パスカルの仮想の標本空間はどれほど妥当なのだろうか？　あまり、妥当とはいえない！

雷に打たれて死ぬのを恐れるべきか？

1662年、パスカルの友人2人が、確率論のより現実的な擁護を『論理学、あるいは思考の技法』（法政大学出版局）の終盤で展開した。論理学に関するこの新たな1冊は、19世紀にいたるまでヨーロッパ諸国でアリストテレスの論理学に取って代わった。

著者たちは、現実世界において起こりうる事象の根拠を確率論なら明確に示せると論じた。

多くの人は、雷鳴を聞くと震え上がる。しかし、彼らをこのすさまじい恐怖に追いやるものが雷に打たれて死ぬ危険性のみなのであれば、それは不合理だと示すことは容易である。なぜなら、2

00万人いるとして雷に打たれて死ぬ人はせいぜい1人だろう……。ならば、私たちが感じる危害の恐怖はその危害のひどさだけでなく、それが起きる確率にも比例すべきだ。雷に打たれるより稀な死がほぼ存在しないのと同様に、より恐怖を感じさせない死もまたほぼ存在しない。それに、この恐怖は雷を避ける助けにならない。[31]

私は雷鳴が聞こえたらすかさずトイレに閉じこもる大おばと一緒に暮らしていたので、この恐怖については理解している。それでも、注意深い確率論的な思考の真価を認めてもいる。引用文にある死因の標本空間は過去の経験に基づいていて、未来においても雷に打たれて死ぬのは200万人にたった1人であるという前提は、妥当であるし目を開かされる思いでもある。言い換えれば、雷による死亡が、不安の程度に基づく各領域を示す未来円錐その3のレッドゾーンに入ることはまず起こりえないと思われる。

ラプラスが2世紀後に述べるように、確率論は確率の「計算論法」だ。しかし、その計算論法を現実世界に適用するにあたり、私たちは自分が根拠の薄い確信に頼っていることを忘れてはならない。

ベルヌーイの「大数の法則」

次の3世紀で、確率論の数学はどんどん洗練されていった。

著者が死んでから8年後の1713年にはじめて刊行された『予想の技法』（未邦訳）で、数学者のヤコブ・ベルヌーイは確率論の論理を逆さまにできることを示した。ある結果が起きる確率を問う代わりに、いくつかの結果を眺めて「これらの結果はそれらが属していた標本空間について何を教えてくれるのか？」と問うのだ。

これは「逆確率」と呼ばれ、限られた情報から豊かな洞察（起こりうる未来に関する洞察を含む）を得る強力な方法だ。逆確率を用いれば、抽出した標本に基づいて母集団に関する推論をおこなうことができる。数人の話を聞くことで選挙結果を予測するなど、政治分野の世論調査はこの手法をしょっちゅう使っている。

ベルヌーイは、数百個の白と黒のトークンの入った壺《つぼ》があるモデルの世界を想像した。トークンを無作為に10個選び、６個が白だったとすると、これは壺に入っている白と黒のトークンの割合について何を示すのだろうか？ 言い換えれば、この壺からトークンを選びつづけたら、割合はどうなるだろうか？ どちらかといえば、トークンの60パーセントが白になると決めてかかっていいのだろうか？

ベルヌーイは、標本が大きければ大きいほど、得られる結果は母集団の分布の近似値になることを数学的に証明した。

これは「大数《たいすう》の法則」といわれ、直観的に納得しやすい。なぜなら、やがて標本には壺のなかのあらゆるトークンが含まれるようになり、その時点で標本の分布は母集団の分布と同じになるからだ。

より直観的に納得しづらいのは、壺のなかのトークンをすべて数えるかなり前に母集団の白と黒の割合の近似値が得られるという発見である。実際、標本が母集団にどれほど近くなるかは母集団（きわめて大きい母集団の場合にはかなり大きい標本サイズを必要とする）の大きさではなく標本サイズに依存する。これは驚くべき結果であり、限られた標本から大きな母集団に関する結論を導き出す大半の統計を正当化する理由でもある。[32]

逆確率は、ランダムディッピングという古代の考え方の背景にある数学的な論理を説明してくれる。無作為に抽出した標本は世界の限られた知識しか与えないが、世論調査員は数百または数千の標本ならたいてい実際には十分正確な予測を与えてくれることを知っている。

もちろん、標本が数理モデルらしく振る舞うためには、これらの標本をできる限り無作為に選ばなくてはならない（政治についてインタビューする際、相手を全員が同じ政党のばら飾りをつけたグループから選んではいけない）。

今日では、逆確率の考え方はベイズ統計学にいちばん頻繁に使われている。第3章で見たように、この手法はありうる標本空間の形状に関する、往々にしてかなり主観的な初期の推定値から始まり、その推定値を新しい情報が入るたびに更新していく。[33]

世界は恐ろしいほど正規分布に従う

18世紀に、ラプラスなどの他の数学者が、標本の分布が実際の分布にどれほど近いかを表す数学的な推定値も計算できることを示した。無作為標本がどれほどばらつくかを示す数理モデルを構築することができるので、ある標本が母集団の分布にどれほど近いかを推定することが可能になる。

たとえば、現実世界の標本の多くは正規分布として知られるパターンにしたがってばらつくようだ。この分布は釣鐘《つりがね》のような曲線を描くためベル曲線と呼ばれることもある。たくさんのゲームで表と裏が出る回数、入隊予定の新兵の身長、あるいは極端に暑い日や寒い日の日数を記録すると正規分布が得られる。

正規分布では、大半の結果が平均値付近に集まる。その後、結果の数は平均から離れるほど減少し、その変化は数理モデルで表すことができる。

正規分布では、標本平均の母平均からのばらつき具合は標準偏差によって与えられる。モデルの世界では、無作為に抽出可能なすべての標本平均の正規分布において、標本平均の68・2パーセントが母平均の1標準偏差内に分布し、95・4パーセントが2標準偏差内に分布する。このことを知っていれば、

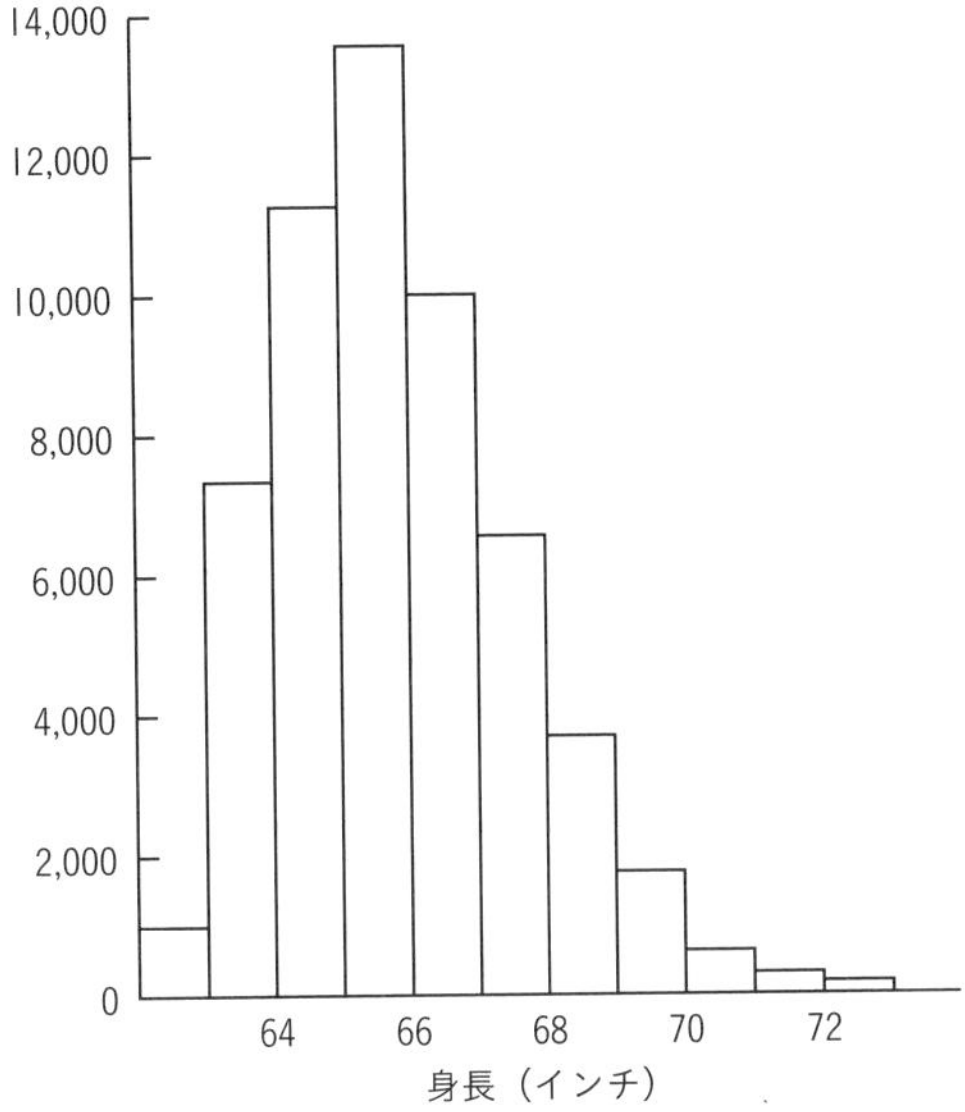

図7.1 英軍新兵の身長分布　（1880年-1884年）（Rosenbaum, "100 Years of Heights and Weights,"281）

あなたの標本平均が母平均の１標準偏差内に収まる可能性は68・２パーセントであるということができる。

　では、現実世界はこれらのすっきりしたモデル分布にどれほど一致するのだろうか？　答えは「これらのモデルがとても重宝するほどに一致する」である。

　図７・１のグラフは、１８８０年から１８８４年のあいだに英軍に新兵として入隊した、18歳の３万６６５８人の身長の測定値を示す。[34] 身長65インチ以下の新兵は通常入隊できないが、明らかにそうした低身長の新兵がこの規定をかいくぐって入隊したらしく、グラフはいくらか対称性から外れている。この偏りがなければ、分布は標準的な正規分布により近づく。ここに示した新兵グループの平均身長は64・７インチで、標準偏差は２・34インチとなるので、おそらく新兵の68パーセント強が平均値から２・34インチ以内に分布し、95パーセント強が４・68インチ以内に分布するということができる。

　グラフを見ると、現実世界の分布がモデルの世界を模倣しているような気味悪さを感じる。正規分布を未来に外挿してみるのも悪くないように思える所以《ゆえん》だ。たとえば、これから数年間で入隊する新兵の身長をある程度予測できるのかもしれない。

私たちの未来は確率論的

19世紀から20世紀のあいだに、確率の数学はますます洗練された。だが、もっとも基本的な変化は確率論がどう解釈されるかにあった。

17世紀から19世紀の「古典的な」確率論者は、世界は未発見の法則を含む科学の法則にしたがって決定論的に変化すると想定していた。そこで彼らは確率論を無知に対処する方法と見なしていた。19世紀以前には、純粋にランダムな事象が起きるという考えに真剣に取り合う科学者はほとんどいなかったのだ。ヒュームが次のように述べたとおりである。

「下世話にいうところの偶然とは秘密にほかならず、隠れた原因であるということは哲学者も認めている」[35]

しかし、本書の第1章で見たように、近代科学はラプラス流の決定論をおおむね放棄している。放射性同位体の崩壊など多くの事象が純粋にランダムであると認めているのだ。これらの事象に「隠れた原因」はないので、原理的には予測しがたい。

このことは確率論が無知に対処するだけの方法ではなく、現実の多くの側面を記述するもっとも正確な方法であることを意味する。宇宙は大きなスケールでは一般的な法則によって支配されるが、宇宙の一瞬一瞬の変化および私たちの未来は確率論的なのだ。

アインシュタインは決定論的な宇宙を擁護した最後の著名な科学者だった。有名な逸話によると、彼はあるとき物理学者のニールス・ボーアに「神はサイコロを振らない」といった。ボーアはこう答えたという。

「アインシュタイン、神に指図するのはもうやめるんだ！」[36]

データ収集と統計

確率論は多くの状況で起こりうる未来を予測する精度を上げてくれる。しかし、これは何万人もの新兵の身長のリストなど、現実の世界に関する情報が十分にあればという条件つきの話だ。しかも、情報は多ければ多いほどいい。

ベルヌーイの大数の法則は情報をたくさん集める利点を説明してくれる。情報が充実すれば、よい未来思考の核心にある長期のトレンドの進化と形に関する、より詳細で高精度の知識を得られる。また奇抜な確率モデルの使用も可能になる。

したがって、近代の未来思考の３番目の特徴は、近代の統計学の膨大な情報の収集にある。今日、統計学的な考え方はあらゆる場面で見られ、政府、企業、科学者による重大な意思決定を大きく左右する。たとえば、投資すべきは新たなインフラか、起業か、調査計画かの決断に資するのだ。

世界初の人口統計

近代の統計学は17世紀にさかのぼる。１６６２年にロンドンで刊行されたある本に、人口統計学の創始者の１人ジョン・グラントが、過去60年分の週ごとの洗礼と葬儀のリストに基づいた初の生命表を掲載した。この豊富な情報から、グラントと同僚の経済学者ウィリアム・ペティが、魅力的かつ重要な確率論の結論をいくつか導き出した。ロンドンの実際の人口、男女比、各年齢で死亡した人の数、入隊予定の新兵の数、ロンドンへ／ロンドンからの人口移動などについて推定値を与えたのだ。[37]

そうした推定値の発表には先例がなく、政府にとってたいへん魅力的だった。各国政府は未来を大きなスケールで予見し、できるものなら未来を支配したいと考えたからだ。

18世紀には、人間社会に見つかる意外な規則性にも助けられて統計学が大流行した。科学哲学者のイアン・ハッキングは、近代の社会統計学のはじめての法則は１７１０年、イギリスの著名な医者で博学者のジョン・アーバスノットが発見したと述べている。生まれた赤ちゃんの男女比が、12人の女の赤ちゃんに対して約13人の男の赤ちゃんだったという発見だった。[38]

これは統計データに基づいて得られた意外な新しい知識だった。あなたに赤ちゃんが生まれる予定であるとして、男の赤ちゃんと女の赤ちゃんが生まれる確率は同等ではないのだ。

一見無秩序な人間の社会的および生物学的行動の裏に、これまでは予測できないと考えられていた現象の予知に使える、このようなパターンがたくさんあるということはないだろうか？　ことによると、人間の行動の多くの側面を「起こるかもしれない」の領域から「妥当である」や「ほぼ確実」の領域に移すことは可能だろうか？

たぶん可能だろうが、それは大量のデータを収集したあとの話だ。１７９６年、小説家のスタール夫人が、次のように述べている。

スイスのベルン州では離婚カップルの数が10年単位に見てほぼ同じで、イタリアには毎年ぴったり同数の殺人が起きる都市があるという。つまり、多数の偶然が観察された場合には、複数の多様な組み合わせに依存する事象が定期的に、一定の確率で起きるという結果になる。[39]

数字の雪崩

確率論の数学を大量の社会情報に応用すれば人間社会の未来予測の精度が上がるかもしれないという期待は、政府、起業家、経済学者、社会学者にとって非常に魅力的だった。

19世紀初頭、イアン・ハッキングが「数字の雪崩《なだれ》」と呼ぶところの現象が始まった。[40] 政府、役人、学者たちが膨大なデータを収集し始め、人口増加、犯罪、感染症の拡大、天気、経済の変化、そして一般的に大規模な複雑系の進化にパターンを探した。

もちろん、古代の帝国も収穫データを収集し、人口調査をしていた。今回の新しさは、収集されて公開されたデータの量、設問、情報解析に使われる数学の精巧さにあった。

「法則」が次々と発見された。近代の統計学的思考を確立した1人アドルフ・ケトレーは、発見されるパターンの規則正しさに驚いた。彼はこう書いている。

「私たちは、何人が他人の血で手を汚すか、何人の偽造者がいるか、何人の受刑者がいるかをあらかじめ知っていて、その精度は人の出生数や死亡数をあらかじめ算出する精度とさほど変わらない[41]」

人間社会は天文学の法則と同程度に規則正しい法則に支配されているのだろうか？

20世紀になると、コントやマルクスなどによる人間社会に関する壮大な学説に限界が見え始めた。だが社会の詳細な動向については、社会統計は犯罪パターン、種々の病気の流行、異なるインフラの必要性などの重要な問題について指針を与えることができた。そこで、社会、経済、医学、犯罪、その他の社会統計の収集が今日に至るまで勢いを増してきている。統計情報は、投資の指針、パンデミックに対する備え、経済の管理、気候変動に対処するための枠組み「グローバル気候レジーム」などの複雑系の理解に世界中で活用されている。

ビッグデータの世紀

20世紀末のＩＴ革命とインターネットの登場によって、収集し、保存し、解析できるデータ量は増加した。標本のみならずデータセット全体からも重要なトレンドを抽出することが可能になった。「ビッグデータ」の世紀といわれる21世紀になると、個々の消費者の嗜好、購買パターン、ソーシャルメディア上の活動（すべての「いいね！」は発見されて記録される）に関する情報がとほうもない利益を生み出している。なぜなら、こうした情報は消費者のニーズを驚くべき精度で予測することを可能にするからだ。

ビッグデータという言葉はマーケティングと関連づけられて語られることが多いが、じつは天文学やゲノム研究などの科学分野の造語だった。大量のデータを収集すれば知識と予測につながるとはじめて明らかになったのがこれらの分野だったのだ。

２０００年にアメリカ・日本・ドイツの共同プロジェクトとして始まったスローン・デジタル・スカイ・サーベイでは、天文学の歴史全般を通してそれまでに蓄積された全データをしのぐ天文学データが、わずか数週間で収集された[42]。ビッグデータの価値は膨大な情報と、これらの情報を用いて隠れたパターンやトレンドを発見する新しい解析技術との相乗効果から生まれる。

「それは膨大なデータに数学的処理をして確率を推論する技術だ。たとえば、電子メールがスパムである確率、『teh』と打った単語がじつは『the』である確率などを推測するのだ[43]」

神が古代の占い師に与えたお告げの場合と同じく、今ではデータに埋もれて見えないトレンドに関する手がかりを、信頼に値する予測、そして……富と権力に変えることができるのだ。

情報技術とコンピューティング

膨大なデータを保存、アクセス、マイニングする能力は、20世紀末の情報革命によって実現を見た。近代の電子計算の試みは、第2次世界大戦中に本格的に始まった。当初、コンピュータは高価な機械で、政府、軍部、大企業にしか需要がないと考えられていた。

近代に大きな予測を立てて失敗した例は、1943年にIBMの社長が述べたこの言葉だろう。「私はコンピュータの世界市場はおそらく5台に限られると思う」[44]

ムーアの法則

廉価で汎用型の情報保存／処理装置は、コンピュータチップの低価格化とコンピュータ間の通信を可能にする技術の賜物《たまもの》だった。

1965年、チップメーカーであるインテルの共同創業者ゴードン・ムーアが、チップに搭載される部品の数が「毎年」2倍になっているらしく、これによってコンピュータと情報処理のコストが下がっていることに気づいた。彼は1975年に予測の文言を「2年ごとに2倍」と修正したが、このトレンドはその後も続いて「ムーアの法則」として知られた。

2020年になると、標準的なスマートフォンは1970年の最先端コンピュータの1000倍の計算能力と80倍のデータ保存能力を有する一方で、コストは1000分の1になった。[45]

成長の限界

コンピュータがより安価で、計算能力が高く、相互に接続可能になるにつれ、大量の情報を保存・解析し、起こるかもしれない未来を未曾有の精度でモデル化することが可能になった。

起こるかもしれないグローバルな未来に関する先駆的な本『成長の限界』（ダイヤモンド社）は、マサチューセッツ工科大学（ＭＩＴ）の環境学者ドネラ・メドウズとその同僚たちが著したもので、１９７２年に刊行された。

この本は惑星系全体に関する最初期のコンピュータモデルを使い、こうしたテクノロジーがグローバルな未来思考に多大な貢献をする可能性を秘めていると論じた。未来学者ウェンデル・ベルが指摘したように、「遠い未来の人類存続に関わるこれほど多くの重要な変量を同時に使い、その相互関係と計算結果を全体論的、総合的に、しかも簡略に、力強く論じた」研究はそれまで存在していなかった。[46]『成長の限界』で使用されたコンピュータモデルはＭＩＴのジェイ・フォレスターによって設計されたもので、Ｗｏｒｌｄ３として知られる。これはグローバルな複雑系の独立した部分である大陸、海洋、大気、自然環境、人間社会間のリンクをモデル化したものだ。

著者らが注目したトレンドは５つで、人口、１人あたりの工業生産高、１人あたりの食糧生産高、再生不能資源の供給予備力、公害（温室効果ガスを含む）の影響だった。これらのトレンドと多くのサブトレンドは、複数の因果性のリンクとフィードバックループでつながっていて、各リンクと各ループは原理的には現存するデータによって定量化できるか適切に推定できる。

当初のモデルには１００を超える因果性のリンクが盛り込まれた。著者たちは人口増加率や再生不能資源の供給量など主要なパラメータに少しずつ変更を加えて、モデルを何度も走らせた。モデルの現実味を損なわないように、２１００年までのシミュレーションをおこなう前に、１９００年からシミュレーションを始め、モデルが書籍の刊行年（1972年）までの変化をどれほど実際に再生するかを試した。

『成長の限界』の初版では、ほぼすべてのシミュレーション（とくに標準シミュレーション）のシナリオで、21世紀に成長が緩慢になって衰退したが、そのタイミング、スケール、近因はさまざまだった。20年後、『限界を超えて』（未邦訳）において、著者たちは破局を免《まぬが》れたバージョンを発見したものの、それは人間社会の総意に基づいてモノの生産、人口増加、公害を抑制したバージョンだった。[47]

これら2冊の本が詳述するシナリオは、現在の基準から見れば単純だとはいえ時の試練によく耐えたが、大半は成長が止まり、2100年までには衰退の道をたどった。[48]

コンピュータ技術が進化し拡散するにつれて、こうしたモデル化は珍しいものでなくなり高度にもなった。今日では、より多くの情報と計算能力を持ちあわせたコンピュータモデルを使用して、気候変動から経済トレンドの進化、そしてパンデミックまで起こりうる未来を探っている。

近代の未来思考の威力と限界：天気と経済

近代の未来思考手法は、現実のさまざまな領域における私たちの予測能力を改善した。とりわけ、かなり規則正しい機械論的および確率論的過程によって定まる領域については大きな進歩が見られた。隕石衝突の予測などの分野では、第2章で述べた予測可能性に基づく各領域を示す未来円錐その2の「起こるかもしれない」から「妥当である」ときには「ほぼ確実」の領域まで問題が移動した。

1994年、アメリカ議会は直径1キロメートル以上のあらゆる地球接近物体の正確な軌跡を網羅的に調査するよう、アメリカ航空宇宙局（NASA）に命じた。[49] 2020年までには、このサイズ以上の小惑星の約95パーセントが調べられたが、いずれも今後100年以内に地球に衝突することはありそうにないとわかった。

この件は予測の知識にとって真の収穫だった。多くの分野において同様の収穫が得られている。なかにはワクチンを受ける、喫煙する、自動車内でシートベルトをつけるなどの公衆衛生上の行動が与える影響に関わる重要な予測もあった。

だがあまり予測可能な過程のない領域では、未来は過去と同じくらい曖昧なままだ。政治家の行動の予測はカエサルの時代からさほど進歩していない。

天気予報

近代の天気予報と経済予測は、近代の未来思考の強みと弱みを教えてくれる。天気予報はこれまで述べてきたあらゆる進歩の恩恵を受けている。まず、因果性がよりよく理解されるようになってきたことがある。つまり、大気圧、湿度、気温の変化が天気をどう変えるかがわかってきたのだ。

天気予報は厳密な確率論的計算によって天候変化のパターンが起きる確率を推定する。これには世界中からかき集めた大量の情報を利用する。またスーパーコンピュータの圧倒的な容量と処理能力を使って、天気の起こりうる変化を示すモデルを作る。

どの社会でも天気の予報に努めてきていて、短期の天気予報はさほど難しくはない。空に一片の雲もなければ、今から5分以内に雨が降ることはないと私は自信満々に予測するだろう。だが明日の天気、来月の天気となると、話は格段に難しくなる。

近代の天気予報が始まったのはじつは19世紀にさかのぼる。

19世紀半ば、ダーウィンが世界を航海したイギリス海軍ビーグル号のロバート・フィッツロイ艦長は、多くの天気観測所から天候データを収集し始め、1854年にはイギリス気象庁を創設した。1875年、『ロンドン・タイムズ』紙が多数の地域気象観測所からの情報に基づいてブリテン諸島全体の初の天気図を発表した。[50]

アメリカの気象学者クリーブランド・アッベが気象系は流体〔訳注：気体と液体を含む〕の力学によってモデル化できるとはじめて指摘し、ノルウェーの気象学者ビルヘルム・ビヤークネスは地域的な大気圧の差によって大気流体が生まれると指摘した。彼らの考えが正しいのであれば、多数の地域における大気圧、気温、風速、湿度などの測定値を収集して解析すれば天候パターンを予知できるはずだった。[51]最近の気象予報官は飛行機や衛星からも情報を集める。1950年、数学者のジョン・フォン・ノイマンがコンピュータを用いた初の天気予報を開発し、追うように気象学者のエドワード・ローレンツがグローバルな天候パターンのシミュレーションをするプログラムを書き始めた。

今日、気象情報は全球監視システムにつながった4000以上の気象観測所や地球の周回軌道上にある気象衛星から収集される。収集された情報はイギリスのレディングにあるヨーロッパ中期予報センター（ECMWF）のような場所に集められて処理される。

これらすべての情報を使った予報は、精巧なモデルとスーパーコンピュータの高速計算能力によって生成される。モデルの理想的な世界では、明日の天気のシミュレーションプログラムをわずかな条件変更をしながら数千回走らせることができるので、たとえば明日の降水確率は50パーセントと発表できる。

こうして得られた予報の信頼性を上げるため、予報はたえず実際の結果と比較される。だから天気予報は永遠に信頼性のテストにかけられることになる。

1979年にレディングのセンターが創設されたとき、当時の2日間予報は耳を傾けるに値するものだった。2015年までには、センターは同様に信頼できる6日間予報を出せるようになった。2025年までには、信頼できる2週間予報を提供するのを目標にしている。[52]

彼らの抱負は控えめで確率を駆使するが、こうした予報は家族のピクニック計画に便利なだけでなく、ハリケーンや洪水などの災害を起こしかねない天候について早めに警戒情報を出すためにきわめて重要だ。地球温暖化の脅威を考えれば、そうした警戒情報はますますその重要性を増すだろう。

経済予測：なぜリーマン・ショックは予測できなかったか

昨今の予測手法は経済の変化にも応用されている。天気予報に似て、経済予測はきわめて複雑だが、それというのも無秩序な過程が多数関係してくるからだ。加えて、経済予測は人間の非常に予測しがたい行動にも左右される。

経済理論の多くは人間の経済行動が全体として見れば予測可能だと主張している。だが、種々の基本的な経済パラメータを設定する政府の行動も含めて、経済行動をそれほど予測できないのは明白だ。また天気予報の場合と異なり、経済予測の専門家は彼ら自身が予測対象の一部だ。とくに彼らが経済の未来を築こうとしている政府や企業に雇われている場合には。これによって予測を難しくするフィードバックループがまた加わる。古代の占い師と同じく、経済予測の専門家は雇い主がどのような見通しを聞きたいのかを知っていることが多い。

20世紀初頭の戦争によって、あらゆる政府は経済計画の策定を余儀なくされ、このことが政府や企業が経済予報に依存する流れを作った。ソ連の計画経済の失敗は経済予測の限界を示したが、近代国家の政府はいずれも国家経済を支配しようとする。当然、経済予測および経済理論一般は、政治的圧力と経済変化に関わるイデオロギー偏重のモデルによって支配される結果となる。経済予測はあまりに多くを左右するので、自信過剰な予測にプレミアムがつく。

その結果、経済予測のあまりに多くが異常なほど精密になり、一般性と正確さのあいだの最適点を外してしまう。「私たちは今後３カ月で０・５パーセントの成長を予測する」は「これからの12時間の降水確率は40パーセント」とは大きく異なる。

まとめると、政治的偏向、無秩序な過程、人間の振る舞いを予測することの難しさが、２００８年のリーマン・ショックのような経済危機を予測した経済学者がほとんどいなかった理由を説明してくれる。アメリカにおける経済予測の失敗を痛烈に批判した調査報告書で、統計学者のネイト・シルバーは１９６８年から２０１０年までの予測の専門家の調査結果に記載された次年度のアメリカＧＤＰの予測を例に挙げている。

彼らは90パーセントの予測区間を例示している。このことは、結果が90パーセントの確率で予測区間内に収まることを意味する。

しかし、実際の結果を調べると、そもそも90パーセントという区間は有用というには広すぎたにもかかわらず、予測は50パーセント近くの確率でこの区間を外れていた。

次年度の成長率予測が２・５パーセントで誤差範囲は90パーセントだったとすれば、それは「次年度のＧＤＰは５・７パーセントの成長と０・７パーセントの減少のあいだに収まる」と予測したことになる。[53] あまり有用とは言いがたい。

近代における未来思考

近代の未来思考はそれ以前のものとどれほど異なるのだろう？

もしキケロが現代に蘇ったら

２０００年前、いかにもプラトン主義者らしい対話篇『占いについて』でキケロは、農耕時代の人間としてはもっとも啓発的な未来思考論を展開した。もしキケロが現代に蘇《よみがえ》ったら、今日の未来思考についてどう思うだろうか？

風変わりで新しいと思うにちがいない。それでも、近代の未来思考の多くは意外なほどなじみ深いと思うだろう。

しかし、民間信仰には懐疑的であったにしても、公的な未来思考から神が排除されていることには衝撃を受けるはずだ。とはいえ、近代における政府の大半が宗教的活動を支援、尊重し、さまざまな神の崇拝を許していることに満足するだろう。だが、占いと占星術がいまだに庶民の未来思考では人気があることに不満を持つはずだ。

合理主義者で経験主義者のキケロであってみれば、本章で論じる未来思考の経験主義的で機械論的な手法に関心を寄せるだろうが、一部の手法とその背後にあるテクノロジーについては理解に苦しむかもしれない。

今日の政治、ビジネス、科学、その他多くの側面における未来思考技術の計り知れない重要性に目を留めるだろう。

医学や科学などの分野における未来思考のすばらしい成功ぶりに感銘を受けるだろう。

しかし、政治分野における未来思考の成果は惨憺《さんたん》たるもので、古代ローマの占い師や卜占官から少しも進歩していないことにも目が行くだろう（いくらか満足を覚えるかもしれない）。

最後に、キケロはさぞ驚くことだろう――現代の予言者や千里眼などともいえる統計学者、コンピュータモデラー、科学者といった専門家たちが駆使する未来思考の技術は広く尊敬を集めているものの、一般的な知識としての未来思考は古代ローマ時代と変わらず断片化していて、当時と同じように疑問視されていることに。

未来思考のノーベル賞は誰の手に？　未来思考の専門家に正式な認定を与える組織は？　学生がもっとうまく未来について考えられるように考えられた学校カリキュラムは？

特定の未来思考技術は教えることができても、未来思考一般はキケロの時代と同じく、今なお思想の主流から外れている。

冷戦と未来学ブーム

この傾向は近代の未来学の歴史を見れば歴然としている。[54]

未来思考は冷戦時代の計画機関や学術機関にとって喫緊の要事だった。鉄のカーテンのどちら側でも、政府、計画策定者、科学者は未来学に大きな期待を寄せていた。誰もが「進歩」に傾倒していたし、科学が現実のより多くの領域における厳密な予言を可能にすると信じていたからだ。英語圏では、近代のSF小説の先駆者H・G・ウェルズは未来学の先駆者でもあった。[55] １９０２年、彼は自信たっぷりにこう語った。

「４０００年に起きる出来事は固定され、決まっていて、変えようにも変えられない。それは１６００年に起きた出来事と同じだ」

ウェルズによれば「未来に物事がどう変化するかを知ることは可能であって実用的でもある」ので、近代科学の発展は「遠からず未来を体系的に究明することを可能にする」ことを意味した。[56]

ソ連政府は、未来に備えた合理的な計画の策定について同様に楽観的だった。西側諸国の政府もよりよい未来を体系的に計画し始めた。

20世紀初頭の戦争経験によって、未来の戦争に備える各国政府の未来思考は軍事偏重になった。核兵器とそれらを運ぶミサイルは軍用化された未来思考の産物だった。

1960年代半ばにコンピュータが登場し、厳密で科学的な未来のモデル化に新たな楽観的要素が加わった。1964年、アメリカのシンクタンクであるランド研究所の研究員らは、社会経済的および政治的問題については、遅かれ早かれ「物理学や化学の問題と同様に自信を持って対処できるようになる」と論じた。[57]

未来学の楽観的な姿勢は、1970年代と1980年代にピークに達した。1970年代半ばまでには北アメリカで何百もの未来講座が開かれ、1980年代までには未来に関する書物が毎年のように何百冊と出版されていた。[58] ビジネス界も同じように未来学に心を奪われていた。経営コンサルタントのピーター・ドラッカーが未来に向けた体系的なビジネス計画の流れを主導し、大企業は未来予測のために「未来学者」を雇い入れた。[59] 学者のあいだでは新たな「未来一般論」を待望する声が囁かれ、ドイツ系のアメリカ人学者オシップ・フレヒトハイムが1940年代に未来学（futurology）という言葉を作った。[60]

ソ連崩壊と未来学のニーズの変化

1980年代には、こうした未来学待望論は潮が引くように衰退し始めた。第1章で述べたように、20世紀の科学が確率論に染まって決定論から離れていき、ソ連の崩壊が社会全体の経済・テクノロジー計画の限界を露呈するにしたがい、科学の予測能力に対する信頼は失われていった。未来学に生まれた新しい分野にも軍事や政治との強い関わりという汚点がついた。そこでこれらの新分野は政府やシンクタンクなどから距離を置き、予測というより庶民の希望や未来への恐怖の探求に力を注いだ。

1953年、オランダの未来学者フレッド・ポラックの『未来のイメージ』（未邦訳）は、未来学者は未来そのものではなく、起こるかもしれない未来について今日の人々が抱くイメージに目を向けるべきだと説いた。1960年、ベルトラン・ド・ジュブネルとエレーヌ・ド・ジュブネルが、オルガニザシオン・フュチュリブル（Organization Futuribles）という組織を創設した。未来学は予測するというより、起こるかもしれない未来のなかで私たちがいずれの選択肢を選ぶかを明確にすべきだという信条の下に生まれた組織だ。[61]

1968年、トルコ系のアメリカ人ハサン・エズベカンとイタリアの経済学者アウレリオ・ペッチェイが、人類全体の未来について慎重に考えるためにローマクラブを結成した。『成長の限界』はこの組織の初の報告書だった。[62]

1973年、国連教育科学文化機関（UNESCO）の支援を得て、人類全体が目指すべき未来の目的を提示する世界未来学連盟（WFSF）が発足した。このことは複数の未来シナリオの可能性を吟味することを意味したので、今日では多くの未来学者がこの分野をfuturologyではなくfutures studiesと呼ぶことを好むのはそのためだ。[63]

もちろん、実際には未来学をfutures studiesと呼ぼうが呼ぶまいが、この分野にはかならず予測がついてまわる。ウェンデル・ベルが論じるように、予測（prediction）という言葉の使用をよしとしない人々も「同じアイデアを指す異なる婉曲語法、たとえば、『予見する（foresight）』、『予報する（forecast）』、『予想する（project）』などの言葉を使って自分の研究について語る」。[64]

こうした屁理屈がまかり通ったのは、すべての未来学者がそれまでしてきたのと同じように、近代の未来学が起こるかもしれない未来の具体的すぎる展望と、一般的すぎる展望のあいだに最適点を探さねばならなかったためである。

なぜ未来学はうさんくさいのか

未来学は今日の学校や大学では主流の学問ではない。特定の未来思考は偏在するとはいえ、学術分野としての未来学は、キケロが同時代の占い師に向けた懐疑心からいまだに逃れることができていないのだ。

なぜなのだろうか？

この分野の豊富な研究、たとえばウェンデル・ベルの古典的な2巻本は質が高く、創造的で、厳密である。また企業や政府機関のために働く未来学者や予測の専門家は、シナリオ計画、過去の再構成、デルポイの技術など時の試練を経た広範な予測技術を駆使する。これらの手法を用いれば、予測の専門家のあいだで統一的な見解が生まれやすい[65]。

懐疑心はこの分野の対象、つまり未来の存在が奇妙にも決定的でないことを反映しているのかもしれない。未来というトピックには確固とした証拠がなく、その存在を疑おうと思えば疑えてしまう。未来からの文書がないのであれば、未来の正確で証拠に基づいた研究がいったい何を研究するのかを知るのは難しい。どのような状況を想定しても、私たちはどんな未来が私たちを待ち受けているのかを知る術を持たない。だからうまくいった予測が正確だったのか、運がよかっただけなのか知ることはできないのだ。

未来思考には形而上学、謎、陰謀さえもがつきまとい、この分野に対する懐疑心は消えることがない。明白な証拠に欠けることも、未来思考と虚構のあいだに定まった境界がないことを説明してくれる。実際、もっとも興味深い近代思考が、未来学ではなくSF小説に見られることには驚かされる[66]。起こりうる未来の手がかりはあまりに少なく、あまりに曖昧なので、具体的な証拠が求められる歴史学の研究とちがって未来学では創造と想像が幅を利かせている。このことも学術研究としての未来思考に疑念を抱かせる結果となっている。

それでもなお……起こるかもしれない未来について厳密に考えることには困難がつきまとうにもかかわらず、やってみるしかないのもまた事実である。選択の余地はないのだ。

私たちの努力は本当に重要でもある。人類の未来に関して現在闘わされている議論より、慎重で創造的な未来思考が早急に必要とされていることをこれほど強力に指し示すものはない。

それが次章のテーマだ。

パート4

未来を想像する

——人間、天文学あるいは宇宙論

第8章

近未来——この先100年

私たちが住む地球は4500万世紀前に生まれた。しかし今世紀が、ある種、つまり人類が生物圏の運命の鍵をにぎる初の世紀である。

——マーティン・リース、王立協会会長、王室天文官、2018年[1]

クリシュナ神の目に映る未来を見られるなら、私たちは何であろうと捧げるだろう。それはB系列時間の、目の覚めるような4次元地図なのだ！

だが今日の脱呪術化した世界では、私たちは占いを諦めかけている。代わりに、第7章で見てきたトレンドハンティングの不確実な確率論に頼る。

確率論は、起こりうる未来を暗示する過去のトレンドを発見するために、因果性と確率の理解、そして膨大な量の統計学的情報の収集と処理に依存する。

私たちの手にある、起こるかもしれない未来の地図は、クリシュナ神の目の静謐《せいひつ》さと精度と確実性に欠ける。地図は不確かで、臆測だらけで、詳細に欠け、未知の土地を描いた中世の地図と同じくらい現実離れしている。だが私たちの手に入る未来の地図はそれのみで、そのことが地図に重要性、あるいは一種の権威すら与えている。どの地図も、予測の専門家が過剰な正確さと過剰な一般性のあいだの最適点を狙って描いたものだ。

第8章では、今後100年の「近未来」を想像してみようと思う。第9章は今後数千年、数百万年という「中程度の未来」における人類系統の姿に焦点を合わせる。第10章では、地球、太陽系、銀河系、そして……宇宙全体の妥当と思える未来に思いを馳せよう。

「100年」という時間スケールの明らかな特徴

これらの未来の時間スケールには明確な特徴がある。今後100年に、ある程度の確信を持って予測できるトレンドがある。近未来は現在に近く、近未来の規則正しいトレンドが一部にすでに見られるからだ。

それでも、近未来の大半はやはり闇に包まれたままだ。あまりに多くが未知であり、あまりに多くの重要な選択が、いちばん予測不能な種である人類によってなされるからだ。

100年先の未来は私的でもある。私たちが知っていて大切に思っている人々がまだ生きていて、ノーベル賞を授賞した経済学者エリノア・オストロムが「7世代のルール」と呼ぶ長期的な視点の範囲に入るからだ。

この考え方は多数の先住民にはおなじみだ。

「本当に大切な決断を下すときには、それが今日私にどのような影響を与えるかのみならず、未来の私の子たち、その子の子たち、またその子の子たちにどのような影響を与えるかを考えなくてはならない」[2]

人類はあまりに強大な力を持つようになったので、自覚しているか否かにかかわらず私たちの活動は未来を変える。今日、未来を想像すれば、それが私たちが明日下す決断に影響し、今後数百万年にわたって地球という惑星に影響しかねない。決断の正否にかかわらず、起こりうる未来について私たちがどう考えるかが重大な結果につながるのだから、近未来について真剣に考えることは重要なのだ。

私たちがその正しさをほぼ確信しているある重要な予測がある。今後１００年で絶滅の危機が訪れないと仮定して、地球がその歴史上はじめて意識的な操作を受けるとき、私たちと地球は重大な境界線を越えるだろうということだ。実際、私たちはすでに地球の未来を操作しているが、これまでのところそれは体系的でない無秩序なやり方だった。

問題は、私たちに地球をうまく操作できるかどうかだ。

同様の変化が他の恒星系に起きたことはあるだろうか？　それはわからない。しかし明らかなのは、地球の未来に関する私たちの想像は、すでに惑星レベルにおよんでいて、いずれ銀河系にまでおよぶかもしれないということだ。なぜなら私たちの想像は、天の川銀河にいましも生まれ出ようとしている新しい複合体、つまり操作される惑星あるいは意識を持つ惑星の運命を決めるからだ。

これらすべての理由から、私たちが近未来についてどう想像するかが大事になる。事実、前章で見たように、起こるかもしれない未来をどう想像するかを研究することを未来学のおもな仕事とすべきだと主張する未来学者もいる。

未来学者のジム・デイターは、「未来学は『未来』を研究するのではなく……『未来のイメージ』を研究する学問である」と述べる。だが、これは誇張しすぎだろう。想像上の未来を研究するにあたり、私たちが実際におこなっているのは、アルジュナ王子のように、本当に起きるかもしれないことを垣間見ることなのだ。別の未来学者ウィリス・ハーマンは、「どの未来がありそうで、どの未来がありそうでもないのか？　未来研究の最重要課題はこれに尽きる」という。[3]

それが重要であるからこそ、今後１００年間の未来は政治的になる。人類史上はじめて、私たちは気候変動、核戦争の脅威、国や個人の力では解決できない新しいパンデミックをはじめとするグローバルな問題に直面する。こうした問題の対処には世界規模の協力が必要とされる。早い話、私たちが舵を取る船は個人という小さな筏《いかだ》ではなく、２００もの異なる国家や地域に分かれた数十億人と、植物、動物、細菌など何百万もの他種を乗せた惑星規模の宇宙船なのだ。

人類は、多細胞生物の体内で細胞どうしが日常的に達するような合意を実現できるだろうか？　多細胞生物を構成する細胞は互いに協力しようとする傾向にあるが、それは細胞どうしが遺伝的に似通っていて、分化の過程を経たことによって互いへの依存性がきわめて高いからだ。

今日、人類は同じような状況にいる。私たちは遺伝的に同質であり（この傾向はたとえばチンパンジーの共同体よりかなり強い）、相互の依存性もますます強まりつつある。家族、共同体、国家を見ればわかるように、はじめから協力しようという意志と熱意を持つのだ。

意識を持つ惑星に創発しつつある複合体のためによりよい未来を作るべく、私たちはこの協力体制をグローバルな規模に拡張し、ともに努力することができるだろうか？

3つの問い

近未来を想像するにあたり、私たちはあらゆる未来操作に共通する３つの基本的な問いを立てる。

（1）私たちはどんな未来を望むのか？

（２）どんな未来がいちばん起こりそうか？
（３）どうやって望ましい未来に舵を切ることができるだろうか？

ここでは最初の２つの問いに焦点を合わせよう。本書は変化を実現する詳細なプログラムを論じるものではないからだ。

それでも、目的地点と起こりうる未来は正しい方向にあらねばならない。２０２０年代はじめの今、私たちが正しい方向に向かっていないのは明白である。正しい方向に向かうには、大きなコース変更が必要であり、80億人が適切にかつ断固として、まだ間に合ううちに合意に至ることができるかどうかは大きな未知数だ。それは試練だが、希望を持っていい理由はたくさんある。

ステップ1　私たちはどんな未来を望むのか？

今日の世界の多様性を考えるなら、人類にとってどのような未来がいいのかについて合意できると期待するのは世間知らずのすることかもしれない。巨大企業のＣＥＯ、大都市に暮らすホームレス、田舎で農業を営む親、軍事プランナーは、それぞれに異なるユートピア像を心に描いているだろう。

それでも、互いに依存して生きている現実を認識するなら、地球号という宇宙船にとってよい未来について大筋で合意に達することはできると考えていい理由はある。私たちはみな同じ種なのだから、欲求、希望、目的を共有する上に、自分たちの運命がどれほど緊密に関連しているかを理解し始めている。また現在は全世界に広がった交易ネットワーク内で、数十億の人間が未来について対話し、人類全体に対する忠誠心をいくらかでも感じるかもしれない。

望ましい未来像の共通性

十分な食事をとり、遊び、共同体の一員であると感じ、過大なストレスは感じない――これらはすべての人に共通する基本的欲求であり、合意が不可能であってはならない。じつのところ、私たちはこれらの欲求の一部を他の哺乳動物と共有する。イルカや子ネコがじゃれ合うのを見て仲間意識を持たない人がいるだろうか？

望ましい人生に関するもっとも影響力のあった近代の一説に、心理学者のアブラハム・マズローが１９４３年に発表した論文「人間の動機論」がある。[4] マズローは人には欲求の階層があると考えた。この階層構造では、食欲、睡眠欲、健康欲などの生理的欲求が底辺にあり、中流階級に属す欲求などの社会的欲求がその上に、充足感、意義、「自己実現」などの自己実現欲求が一番上にある。

マズローは、基本的欲求が満たされないと、これらの欲求が私たちの思考と行動を支配すると信じていた。しかし、いったんこれらの欲求が満たされれば、私たちは残りの「高レベル」の欲求を満たそうとする。

当然ながら、マズローは近代の西洋文化に特有の欲求に焦点を合わせたことで批判を浴びた。とはいえ、いくらか修正すれば、おおよその枠組みは有効であるように思える。望ましい人生について大筋の合意を形成することは可能なはずなのだ。

この望ましさを与えられるのがどのような社会かについて、私たちは合意できるだろうか？　地方、国家、文化、宗教に対する忠誠心は深刻な分断を招く。この分断を乗り越えてグローバルな合意に至ることは現実的だろうか？　枢軸時代には、拡張しつつあるネットワークのおかげで、宗教に対する忠誠心を大陸レベルで共有できるようになった。グローバル化は惑星レベルで同様の忠誠心の共有を促せるだろうか？[5]

希望を持っていい1つの理由は、異なる宗教や倫理的伝統に多くの共通項があることだ。１８９３年、共有する倫理思想についてグローバルな議論を促進するための万国宗教会議がシカゴ国際博覧会で発足した。１００年後の１９９３年、2度目の万国宗教会議がスイスの神学者ハンス・キュングの草稿に基づいて「グローバル倫理に向けて」と題する宣言を発表した。40以上の宗教の指導者２００人がこの声明に署名した。[6] 宣言は、「諸宗教の教えには共通のコアバリューがあり、これがグローバルな倫理の基本を成す」ことを追認した。人類全体の調和、そして人間どうしおよび他種や環境との相互依存について、この宣言はこう言及している。

「私たちはみな全体の幸福に依存している。したがって、私たちは生物の共同体を尊重するとともに、人々、動物、植物、さらに地球、大気、水、土の保護を尊重する」

宣言は「自分がされたいように他人になすべきである」という黄金律を再確認した。また家族の隠喩を惑星レベルに引き上げた。

「私たちは人類を1つの家族と考えている」

この「グローバルな倫理」の原理は、「宗教的背景の有無を問わず、倫理に関わる信念を持つすべての人に確約される」と署名者たちは宣言に記した。同様の精神の下に、２０１５年の教皇回勅『ラウダート・シ』は「共通の家についてあらゆる人と対話する」ことについて述べている。

ユートピア伝承

同じような倫理観の共通性は、歴史上のさまざまなユートピア伝承にも見られる。

革命運動に材を取って表現される庶民のユートピア観は、物質的な豊かさ、過酷な労働や迫害からの解放などの私的な目的に注目する。中世ヨーロッパにあったという理想郷コケインには、「油、牛乳、ハチミツ、ワインが豊かに流れる広々とした川がある」[7]。1920年代に、労働組合のオルグにして元渡り労働者のハリー・マクリントックが作った歌「ビッグ・ロック・キャンディ・マウンテン」の世界では、食物や衣服が木から生え、働く必要がなく、農家の木には果物が鈴なりで、そして「酒の小川が岩から流れ出る」。

19世紀初頭には、あるカトリックの宣教師がビルマ（現ミャンマー）の仏教ユートピアについて書いた。このユートピアにはパデサと呼ばれる願いをかなえてくれる木があった。

> その木には、果物の代わりに色とりどりの美しい衣装がかかっている。地元民はいちばん好きな衣装をもらえばいい。同様に、大地の耕作も、種まきも、収穫も必要ない。漁も狩猟もしなくていい。同じ木が籾殻《もみがら》のないおいしいコメを与えてくれるからだ。腹が空いたら、このコメを魔法の石の上に置く。ただちに炎が出てコメを調理してくれて、何もしなくても炎は自然に消える。[8]

たいていのエリートが心に描く未来と同じく、学問のある人々の考えるユートピアはより集団的だった。キリスト教のような一神教の宗教では、ユートピアは天上界や天国など現実の別次元の場所にあることが多かった。世俗的なユートピアは地上の人間社会の刷新バージョンで、その意図は人間社会の風刺や批判だった。

第3章で見たように、ユートピアという言葉は、プラトンの『国家』（岩波文庫）に想を得たトマス・モアの本のタイトルにちなんだものだ。ユートピアという言葉はギリシア語で、「どこでもない場所」または「いい場所」などと訳される。

啓蒙時代のヨーロッパでは、科学の進歩に関して新たな楽観主義が芽生えた。これによって、あまたの思想家がユートピアを地上に置くようになり、人間の行動如何《いかん》でユートピアをより近い未来に実現できると考えられた。

コンドルセが描いた未来

近代のユートピアのなかでもっとも興味深いものの1つが、過去2世紀にわたる激しい変化が起きる前に数学者で哲学者のニコラ・ド・コンドルセが唱えたユートピア論だった。

コンドルセのユートピアは世俗的だ。それは近代の科学知識に基づいていて、よりよい世界をこの地上に実現することは可能だと彼は考えていた。

コンドルセの楽観的な予測の多くは、驚くほど正確であったことがわかっている。同時代の思想家の大半とちがって、彼はその後の2世紀で起きるテクノロジー、社会、経済における驚くべき変化をある程度予見していたようだ。

1793年にジャコバン派に糾弾されるまで、コンドルセはフランス革命に活発に加担していた。そのため世間から身を隠して普遍的な人類史を著わした。著作は未来のユートピア論で結ばれていた。

コンドルセの『人間精神進歩史』(岩波文庫)はより大作となるべきものの草稿だったが、1794年3月に逮捕されて獄死したために未刊行になった。1年後にジャコバン派が失脚すると、国民公令によって大判で刊行された。

執筆は過酷な環境で進められたし、内容の一部に無理からぬ皮相的な部分が見受けられるにもかかわらず、この著作はその特異な刊行の経緯ゆえにヨーロッパの思想に絶大な影響を与えた。

コンドルセのユートピア像は遠い過去に起源をたどることができる。なぜなら彼は、現実になるかもしれない未来は、過去における強力なトレンドの知識に基づいていなくてはならないという基本的な未来思考の原理を理解していたからだ。
「人類の進歩を予測し、その方向に早く進める科学というものがあるとすれば、すでに過去のものとなった進歩の歴史がその基礎になるべきである」[9]
コンドルセのユートピアでは、人類はおもに3つの道筋をたどって「自らを向上させる」。科学の進歩によって生活水準が向上し、道徳の進歩あるいは「行動または実践的な道徳性の原理」の向上によって万人の平等と人権の尊重が担保される。医学の進歩が健康と長寿を約束し、人々の肉体的および精神的能力を増強する。

異なる宗教および哲学に多くの共通項が見られることで、コンドルセはこうした目的について合意を形成することはできると確信した。なぜなら、人はみな快楽と苦痛、その他の「人間的な感情」に基づく「道徳憲法」を共有するからだ[10]。

コンドルセが楽観的だったのは、長期にわたる歴史的なトレンドを見れば思想の自由がどんどん認められる傾向にあり、科学とテクノロジーは急速に進歩していると確信していたからだった。これらのトレンドは今日の私たちが正のフィードバックと呼ぶ作用によって互いに補強し合った。

コンドルセは思考や知性の進歩の壁を取り払い、多数の人の知性と道徳の成長を阻む人種、階層、性別間の不平等をなくせば、とほうもない創造性が生まれると主張した。最後に、医学の進歩が人体を壮健にし、寿命を延ばすとも説いた。

「いずれ、死が訪れるのは特別な事故や生命力が衰退した場合のみになり、最終的に出生と衰退のあいだの平均期間の数字に決まった値を当てはめられなくなる日が訪れる。そんなふうに考えるのは愚かしいことだろうか[11]?」

近代のグローバル・ユートピア：成長と限界のバランスを取る

コンドルセの生きた時代からの科学とテクノロジーの目覚ましい進歩により、彼が抱いたなかでもっとも法外に思える希望の多くは今では平凡に思えるようになった。

しかし、彼が生きた当時でさえ、ユートピアの希望は近代の政治および倫理思想の礎を築いた文書に見て取れる。アメリカ独立宣言やフランス革命時の人間と市民の権利の宣言などだ。物質的および政治的迫害のない世界に対する希望は、共産党宣言をはじめとする近代社会主義の基礎となった文書にも見出せる。

20世紀になって、世界中の人々のために抱負を掲げることが期待できそうなグローバルな組織がはじめて出現した。これらの組織は政治的に弱く、多くの政府が反民主主義ではあったが、国際連合などの組織は人類史上はじめて全人類のための願望を公的組織の見解として発表した。

１９４８年、国連総会が世界人権宣言を採択した。初のグローバル・ユートピア構想に対して広く世界から公的な賛同を得るためだった。

宣言は、第２次世界大戦初期にＨ・Ｇ・ウェルズが展開した議論に負うところが大きい。ウェルズは、兵士を戦わせるには、彼らが守ろうとしている未来を想像できるようにすべきだと述べたのだ。[12]

コンドルセの『人間精神進歩史』と同じく、１９４８年の宣言は、科学とテクノロジーのイノベーションが、公正でより繁栄する世界のための物質的な基盤をもたらしてくれると想定していた。これをよりよい未来への「成長」の道と呼ぼう。前提は、短期的なコストがどうであろうと、科学の進歩、新たなテクノロジー、持続する成長の長期的な上昇トレンドがいずれすべての人に益するはずだということだった。

マルサスの悲観論

20世紀半ばから、よりよい未来につながる1本の真っ直ぐな道という願望は、多様な成長のトレンドに地球の限界が見えてきたことによって複雑化した。そこで私たちは、ユートピアへの成長の道に加えて「安定化」の道を考慮せざるを得なくなった。

200年前、現在私たちが当たり前のように享受している成長を予期した思想家はほぼいなかった。多くは成長がすぐに限界に達すると考えていた。たいていの人より楽観的だったコンドルセは、人口増加が進歩の妨げになるかもしれないと懸念したものの、科学と道徳の進歩によって問題は解決すると期待した。私たちは「愚かにも」世界を「無益で卑劣な生き物」で満たすべきではなく、「いまだ生まれていない人に対しても義務を負う、［しかも］その義務は人に存在ではなく幸福を与えることにある」と人々が気づくだろうと考えたのだ[13]。

これに対して、過去においてテクノロジーの変化が緩慢だったことを認めた大半の思想家は悲観的だった。アダム・スミスのような経済学者は地球上の耕作可能な土地が農地になってしまえば成長は行き詰まると考えたが、史上稀に見るほどひねくれ屋の経済学者トマス・マルサスは、終わりなき成長という願望はかならず資源の限界によって挫折すると論じた。1798年に初版が出たマルサスの『人口論』(光文社古典新訳文庫ほか)は、コンドルセその他のユートピア論者への反撃だった[14]。

マルサスはこう述べる。

「人間と社会の完全性に関する考察をじつに愉快に読んだ。彼らが思い描く魅惑的な理念に心温まり楽しませてもらった。そのような進歩が現実になればと熱望している。しかし私には、そこに至る道には克服しがたい大きな困難が待ち構えているように思える」

おもな困難は増加する人口をどう養うかにあった。なぜならマルサスがいうように、「人口は、気をつけていないと幾何級数的に増える。だが食糧は算術級数的にしか増えない」[15]。やがて人口は農家の食糧生産が追いつかないほどの速さで増える。

何世紀も何万年もテクノロジーの変化は遅かったので、こうした主張には大いに納得できる。しかしマルサスの時代の悲観論者は、マルサスの生きた時代に始まり、成長を妨げるあらゆる限界を越え始めたように見えた驚嘆すべき200年のブームに虚をつかれた。

1850年までには、マルサスには想像もできなかった規模の経済成長とテクノロジーのイノベーションが、工業先進国で終わるはずもないように思えたし、よりよい未来は誰も見たこともないようなテクノロジー、科学、経済、さらに「倫理」の進歩の必然的な結果のように見え始めた。争いが起きるとすれば、それは増える一方の富をどのように分配するかという問題かもしれなかった。少なくとも工業先進国では、よりよい未来は必然と考えられるようになった。

『成長の限界』の警告

ところが20世紀に入ると、目を奪うような近代の変化は成長に対するすべての限界を排除したわけではないことが明らかになった。それどころか、これらの変化は限界をのっぴきならないほど近くに引き寄せたかもしれなかった。人類は生物圏全体の安定性に脅威を与えるほどの規模でエネルギーと資源を消費するようになったのだ。

宇宙から見た地球の最初の写真が、この惑星の孤独と脆《もろ》さを新たに印象づけた。アメリカの国連大使アドレー・スティーブンソンが1965年に語ったように、「私たちは小さな宇宙船にある限られた大気と土壌に依存して航行する……脆い船に手を入れ、管理し……愛情を与えることでかろうじて絶滅を免れているのだ」[16]。

20世紀半ばになると、生態学に関わる警告が増した。もっとも議論を呼び、もっとも多方面に影響を与えたのが、すでに触れた1972年刊の『成長の限界』だった。[17] おおかたの環境学者と同じく、この本の著者たちは、よりよい未来を築くには成長と、生態系を考慮した自制とのあいだでバランスを取ることが欠かせず、そのためには決然とした政策変更と「精神のコペルニクス的転回」が必要になると結論づけた。[18]

生態系の破壊を防ぐためには、多くの成長トレンド、とりわけ再生不能な資源の消費や化石燃料などが生態系に与える悪影響を、21世紀にせめて横ばいに持っていくか反転させなくてはならない。これらのトレンドの平坦化は終わりなき成長の希望を捨て去ることを意味する。

だが同書の著者たちは、むしろ私たちは近代性の成果を「平衡状態」で維持しなくてはならないという。この平衡状態では、「地球上に暮らす各人の基本的かつ物質的な欲求は満たされ」、すべての人が人としての潜在能力を発揮できるとされている。[19] より安定した未来は変化、集団的学習、人類の創造性の終わりを意味するわけではない。というより、経済成長への過剰な期待が減れば、新たな形の幸福に対する期待が増す可能性があるのだ。

著者たちは、19世紀イギリスの政治哲学者ジョン・スチュアート・ミルが描いた終わりなき成長への関心が薄くなった世界を歓迎して、こう述べている。

資本と人口に変化が見られない状態は、人類の進歩が停止したことを意味するわけではない。あらゆる種類の精神文化、道徳と社会の進歩はこれまでと変わらず存在するであろうし、精神がただ生きながらえるだけの技法に終始しなくなったとき、「生きる技法」(Art of Living)が進歩する余地、実際に進歩が実現する見込みも増すであろう。[20]

地球が成長の限界に達しているという認識が広まっていたことは、ユートピアをその限界を越えずにデザインすることを意味した。１９８３年に開催された国連の環境と開発に関する世界委員会が「持続可能な開発」という語句を提案した。この語句は「将来の世代と現在の世代がそれぞれの欲求を満たせるような」開発を指す。その後、国連によって出されたこの類の宣言は成長と持続性のあいだでバランスを取るユートピアを想定している。

「成長」と「持続可能性」のあいだ

20世紀末、地球温暖化が成長の限界に関する議論の中心的な話題となった。

地球温暖化の脅威を公式に認めた初の国際会議は、１９９２年にリオ・デ・ジャネイロで開催された環境と開発に関する国連会議（地球サミット）だった。この会議で合意された気候変動に関する枠組条約（ＦＣＣＣ）は、国連加盟国が「大気中の温室効果ガスの濃度を、気候系に危険をおよぼす人類起源の介入が起きない水準に安定化させる」ことを求めていた[21]。

この条約に基づいて毎年開催される締約国会議（ＣＯＰ）が創設され、気候変動の進行に関わるグローバルな決定を下してきた。第21回ＣＯＰ会議で合意された２０１５年のパリ協定は、地球温暖化を産業革命以前の水準に比べて2℃、できれば１・５℃低く抑える目標を掲げていた。

第1回リオ地球サミットの年（１９９２年）には、１５７５人の科学者が世界中から集い、その半分以上が存命のノーベル賞受賞者だった。この地球サミットでは、人間が環境に与える影響について緊急警告が発せられた。

人類と自然は対立している……適切な対策を取らなければ私たちが人間社会と動植物に望ましいと考える未来は、人類の現在の活動の多くによって深刻なリスクを負い、私たちが知る生命の存続が不可能になるほどに生物が変わってしまう。[22]

警告は次のように結ばれる。

「人類が直面する厄災を回避し、地球上における私たちのグローバルな住処が修復できないほどに破壊するのを防ぎたいのであれば、地球とその上で暮らす生命に対して私たちが果たすべき責務を大幅に変えることが必要とされている」

その後も、有害なトレンドは増えつづけ、真剣な変化を確約する国際的合意文書の数も増えつづけた。2000年、国連は8項目のミレニアム開発目標（MDGs）を提案した。2012年には2度目のリオ地球サミットで「私たちが望む世界」という文書を採択し、そのなかで新たに持続可能な開発目標（SDGs）を掲げた。[23]「持続可能な開発目標」に関わる2015年の国連声明は、成長と持続可能性のあいだでバランスを取ろうとする近代のグローバル・ユートピア理念をもっとも明確に記載した文書となった。

私たちは人類を苛酷な貧困と困窮から救い出し、地球を癒して保護することを決議した［前文に記載］。また、世界を持続可能で柔軟な道に導くために必要とされる大胆で根本的な方向転換の実現を決意した。この集団的な試みを始めるにあたり、取り残される人が1人たりとも出ないことをここに誓約する。[24]

この文書は、17の目標、１６９のターゲット、２３２の「遵守措置」を列挙していた。目標は「すべての人のためのよりよく、より持続可能な未来を達成するための青写真」であり、大半のターゲットを２０３０年までに達成することが期待されていた。[25] 17のおもな目標には、飢餓の根絶、すべての人の生活水準や教育水準の向上、不平等の解消、安定した法治国家の維持、持続可能性の徹底、持続可能な成長の支援が挙げられていた。これらの目標は２０１５年９月の国連総会ですべての加盟国代表１９３名に採択された。

こうした声明は、持続可能性と成長のあいだ、また異なる地域、国家、利益団体の利益と目標のあいだで取り決められるべき多くの妥協案のなかから望ましいものを選択する。しかし、政治体制あるいはイデオロギーのちがいから生じる果てしない議論にもかかわらず、近代の利点を維持しつつ、生態系の破綻を避けられる未来を築こうと大筋で合意が得られ始めている。50年前には、そのような状況は想像もできなかった。

ターゲットの設定は重要な最初のステップだ。だが、それらのターゲットに達する可能性はどれほどあるだろう？

ステップ2　どんな未来がいちばん起こりそうか？

地球船の旅のステップ２は、船を未来へ運んでくれる潮流とトレンドの道を見つけることにある。今日のハリケーン並みの変化を考えれば、それは操舵室のなかで議論が激しく飛び交うなか、嵐の海で船を港に案内するようなものだ。

起こりうる特徴を指し示すトレンド

トレンドハンティングは近代の未来思考の基本的な技術である。しかし、それは細やかで精緻な技法だ。目的は一般性と正確さ（具体性）のあいだで適切なバランスを見つけることにある。私たちの未来にいちばん影響を与えると思われるトレンドを特定しなくてはならないが、精度の高すぎる予測は避けなくてはならない。そうした予測はたいがい不正確で、よりよい未来へ舵を切るときの選択肢の幅を狭めてしまうからだ。

どんなトレンドが人類の未来について手がかりを与えてくれるだろうか？　私たちは十分な規則性と慣性を持つ際立ったトレンドを探さねばならない。そのようなトレンドなら、数十年、数世紀にわたって起こりうるグローバルな未来の手がかりとなってくれるだろう。

もっとも有用なトレンドは、第２章で触れた未来円錐その２の「ほぼ確実」な領域と「妥当である」領域に見つかるだろう。２０１２年、『成長の限界』の著者の１人ヨルゲン・ランダースは、２０５２年の未来を占おうとして同様の戦略を使っている。

「未来を予測するにあたって私は、慣性が大きく過去に徐々に進化した物理的、イデオロギー的現実の数々を基盤に選ぶ……このやや徐々に変化する現実が私の予測の『決定論的な基盤』となる」[26]

優秀なトレンドハンターは、まるで追われるキツネのようにトレンドが頻繁に向きを変える変化にも敏感でなくてはならない。たとえば、上り調子のトレンドや「成長株の」トレンドは直線を描いて上昇したり、加速して指数関数的曲線を描いたりする。また、波のように変動するトレンド、あるいは人口史に頻繁に見られるように減速してから平坦になってＳ字曲線を描くトレンドもある。

既知の未知

トレンドハンティングの達人は、既知のトレンドを無意味にしてしまうような急上昇や旋回などの未知の変化にも敏感でなくてはならない。

２００２年2月、当時のアメリカ国防長官ドナルド・ラムズフェルドが、アメリカ政府はイラクのサダム・フセインが大量破壊兵器を備蓄していることについてどれほどの確信があるのかとの質問を受けた。このときの彼の答えは有名になった。

「ご存じのように、既知の既知というものがある。私たちが知っていると知っていることだ。また私たちは既知の未知があることも知っている。つまり、私たちには知らないと知っていることがある。そして未知の未知もある。私たちが知らないと知らないものだ」[27]

「既知の未知」は目に見えているトレンドだが、それらのトレンドがいつどのように新しい方向に向かうか私たちは知らない。

人が関与する場合、既知の未知は多い。１７２０年に南海泡沫事件で投資したお金を失ったアイザック・ニュートンは、いかにも残念そうにこう語ったという。

「私は恒星の運行なら計算できるが、人間の狂気となるとさっぱりだ」[28]

「未知の未知」は、私たちには想像もつかないのでまるで見えないトレンドだ。ナシーム・タレブはこの現象を「ブラック・スワン」（黒鳥）と呼んだ。１６９７年にオランダの航海者が西オーストラリア州で発見するまで、ヨーロッパ人はブラック・スワンをありえない謎の生物と考えていたからだった。[29]

未知の未知は予測のブラックホールといえよう。

進化生物学の「断続的な平衡」説

現在私たちの周辺にあるすべての潮流のうち、どれがいちばん強力で予測可能だろうか？　どれが私たちのユートピアに向かっているだろうか？　どれを避けるのが賢明か？　どの未知のトレンドが予期せぬ新しい方向に私たちを連れていくのだろう？

ビッグヒストリーの視点から見れば、きわめて大きなトレンドに注目するのがよさそうだ。多くの異なる領域にあらゆるスケールで見られる、ある大きなトレンドが奇妙に興味深い。進化生物学者のナイルズ・エルドリッジとスティーブン・ジェイ・グールドが、「断続的な平衡」と呼んだパターンである。[30]

２人によれば、進化生物学においては、ダーウィンが進化の常態と考えた安定した緩やかな変化は実際には例外だという。たいていの新種は突発的に現われ、その個体数は進化の「断続」を繰り返しながら急激に増え、新たな生態的地位を確保すると個体数の増加が平坦化する。その後、個体数は数千年または数百万年にわたって変動し、やがて減少に転じて絶滅する。

同じような「台地」パターンは生物学以外にもよく見られる。なぜならこのパターンは、分子からデバネズミまで、恒星からあなたや私まで、あらゆる複合体の歴史を記述するからだ。すべての複合構造体はたいてい突発的に「境界線」を超えた瞬間に創発し、やがて比較的安定した平衡状態に落ち着き、いずれ崩壊する。[31]このパターンは普遍的であるが、それはこのパターンが２つの他の普遍的なパターンどうしの緊張関係から生じるからだ。後者の２パターンとは、複合体の創発を可能にする上昇トレンド（奇妙なことに、このトレンドを指す一般的な科学名称はない）と、熱力学の第２法則によって支配され、最終的にあらゆる形態の複雑系を崩壊に導く降下トレンドである。

ここで、断続的な平衡のパターンが人類と地球の未来について重要な手がかりを与えてくれることを見ていこう。焦点を人類史のスケール（たかだか20万年から30万年だ！）に絞れば、目に入ってくるのはおもに集団的学習によって可能になった長い上昇トレンドだ。人類史の大半にわたって続いたトレンドもあり、それは人類が繁殖し、共同体を作り、周辺環境をうまく利用したからである。

ここ2世紀のあいだに、これらの上昇トレンドは格段に加速し、成長が常態となった近代の世界を作り上げた。しかし、人口増加やエネルギーと資源の消費など一部の上昇トレンドが地球の限界に近づき平坦になり始めたことがわかっている。そして、創発または「成長」区間がより台地の形に近い安定した区間に入るとき、この変化はすべての複合体の歴史で起きる。すなわち、人類史上の長い上昇トレンド、地球の限界に近づくにつれて出現する新しい安定化トレンド、そして断続的な平衡の普遍的トレンドを見れば、地球上に何か新たなものが創発しようとしていることがわかるのだ。

次に、来るべき100年を形作る3種のトレンド——成長トレンド、安定化トレンド、進路の定まらない政治の予測不可能なトレンド——を詳細に見ながら、これらの手がかりについて検討していこう。政治のトレンドには、地球という船の操舵室内で起きる闘争、議論、交渉がある。これらのトレンドがこの船の今後数十年における進路を決める。

成長トレンドと未来

人類史全体を眺めると、集団的学習によって生じた強力な上昇トレンドがたくさん見つかる。人口は増え、人類が発明したテクノロジーはより強力になり、人類の交易ネットワークは拡大し、人類による資源の消費は増えた。ここ数世紀にわたって、これらのトレンドの一部が急激に加速し、幾何級数的に増え始めている。

エネルギー消費が、これらのトレンドがどれほど目覚ましいかを物語る。1人の人間は150ワット（1ワットは毎秒1ジュール）、あるいは1馬力（1馬力は約735ワット）の5分の1のエネルギーを生む。[32] 火の使用、あるいはウマ、ラクダ、ウシの家畜化など古代のテクノロジーによって、1人が利用できるエネルギーは平均約1馬力に増えた。

ここ2世紀で、私たちが利用するエネルギーは数倍になった。化石燃料がさかんに消費されるようになり、現在では1人が平均100馬力（7万3500ワット）を利用する。航空機などの機械を動かす人は日常的に数百万ワットを利用する。

これらの数字は集団的学習がヒトという種の力をどれほど増大させたか、そしてその傾向が近代にどれほど加速したかについて、おおよその目安を与えてくれる。

コンドルセが論じたように、これらの成長トレンドは人類にとって好ましい未来を示しているかに見える。

科学と医療に関する知識、富や教育機会の増大は、一般には無害な成長と考えられる。私たちの生活を改善してくれたのだ。それはコンドルセのユートピアを、最初にヨーロッパと北大西洋地域へ、そして1世紀遅れで世界の残りの大半へと地球上の大部分に広めた。

経済の成長は古代のトレンドだったが、近代になってその意味合いが大きく変わった。

歴史上の大半の期間において、経済成長で得られる利益は大多数の人の生活水準を上げることはなかった。それは人口増加に飲み込まれるか、政府やエリートの消費に回されたため、大多数の人は最低限に近い生活水準に甘んじ、飢えの脅威にさらされないということがなかった。1800年ですら、世界総人口の80パーセントを超える人が、現代の国際貧困ラインの1人あたり1日2～3ドル以下で暮らしていた。

ところがその後、突然状況が変わった。

2017年までには、急速な人口増加とエリート層の富の増加にもかかわらず、国際貧困ライン以下で暮らす人は10パーセント未満に減った[33]。エリートでない人の富の増加は人類史上新しい現象であり、化石燃料革命の1つの大きな成果と考えられる。

同じ時期、平均余命は約30歳から70歳以上へと2倍以上になった。一方で、5歳までに死亡する子供の割合は40パーセントから約4パーセントに減った。

科学者のバーツラフ・スミルが述べるように、乳幼児死亡率は人生の質が改善しつつあることを示す最良の指標かもしれない。より多くの赤ちゃんが生き延びるためには、医療、衛生、経済、社会構造が大きく変わらなくてはならないからだ[34]。

近代に登場した機械によって、苛酷な肉体労働の多くは過去のものとなった。成人の非識字率は約88パーセントから約14パーセントに減り、近代の医学は天然痘やポリオなどの病気をほぼ根絶やしにし、その他の病気も大幅に減少へと導いた。

19世紀半ばにはじめて登場した麻酔の重要性を過小評価してはいけない。1810年にフランシス・バーニーが麻酔なしで乳房切除術を受けたときの記述は、麻酔ができる以前の手術の恐ろしさを鮮明に伝える[35]。今日、人類史上はじめて、歯を抜いたり、手や足を切除したりしても、苦痛もほぼ確実に起きる感染も経験することがない。

より不明瞭であるとはいえ、コンドルセが「道徳の進歩」と呼んだ成長トレンドがやはり目につく。ここまで本書では、緩やかな成長の徴候を関心の輪における個人や政府のレベルで見てきた。少なくとも文書を見る限り、大半の近代国家では、万人が基本的な人権を享受すべきであると政府が主張している。これは新しいことといわねばならない。

数千年にわたって各種の公的機関は奴隷制と、性別や人種に基づく不平等を常態と見なしてきたが、近代の考え方ではこれは容認できないとされる。これもまた新しい。

マスコミやソーシャルメディアを席巻する恐ろしい事件（血が流れれば視聴率が上がる）にもかかわらず、司法関係者による拷問などの暴力行為は最近では激減していて、ちょっとした暴力でもどんどん厳しい目を向けられるようになっている。[36]

近代の共同体の多くは公式な立場を明らかにしていないが、物質的な生活基準を改善しようという多くの動きがある。たとえば、人々がつねに希少な資源を求めて争わなくていいようになってきている。こうした傾向が、コンドルセなら「道徳の進歩」と考えたであろう寛容さをもたらしているのだ。

テクノロジーのイノベーションは、コンドルセが目にすることがなかった別の成長トレンドの最初の事例を実現した。人類が宇宙へはじめて慎重に足を踏み入れたのだ。

１９６１年、ユーリイ・ガガーリンが地球の軌道上を1周し、宇宙に飛び出した初の人間となった。１９６９年には、ニール・アームストロングが人間としてはじめて地球以外の天体である月の表面を歩いた。21世紀初頭、宇宙ロボットが私たちの太陽系内の数個の惑星とそれらの衛星の表面を探査し、１９７７年に打ち上げられた２機のボイジャー探査機はすでに太陽圏の外縁に達している。２０２１年には、一般人がはじめて宇宙旅行を経験し、数カ国が探検隊を月、近くの小惑星、火星に送り込む計画を立てている。

地球の限界と安定化のトレンド

集団として見た場合、人類は成長から多くを得てきた。こうした利点にもかかわらず、上昇する成長トレンドの多くはその歩みを緩めるべきだと私たちは気づいた。

すでに平坦化しつつある成長トレンドもある。グローバル経済の成長率（人類による資源の消費とほぼ足並みを揃えている）は、１９６１年からの10年で1年あたり約５・５パーセントから、50年後の２

０１１年からの10年で1年あたり２パーセントをわずかに超える程度に減速した。ただし、中国とインドなどの地域では急増している。[37]今にして思えば、20世紀半ばに見られたグローバルなＧＤＰの目を見張る成長ぶりは減速の始まりのように見える。

より壮観だったのは、今触れた２カ国が２世紀にわたり例外的に急速な人口増加を経験したあと、タイミングを同じくして人口減少に転じたことだった。人口増加率の低下は１９６０年代末に始まり、幾何級数的に上昇するトレンドに見えたものが、Ｓ字曲線を描くように折れ始めた。

最初の減速は１９６８年に起きた。ついでながら、この年には２人のマルクス主義者、ポール・エーリックとアン・エーリックがベストセラー『人口爆弾』（河出書房新社）を出版し、人口過剰によって今にも世界が崩壊すると警告した。[38]すべての未来学者の卵は、物事を大きく読み間違うことがどれほどたやすいかをこの不幸なタイミングから学ぶべきだった。

現在、おおかたの人口学者は世界総人口が今世紀の後半に90億人から１２０億人に増え、その後に長い減少期間に入ると考えている。[39]この変化はきわめて重要だが、それは人口増加の長いトレンド（一時的には上昇と降下がある）は過去１万年の大半にわたって続いたからである。この長い成長トレンドが今や平坦化に移行しているようだ。人口増加の減速によって、グローバルな資源と環境への圧力が減り、賃金労働者の数が安定して、人口が全般に高齢化すれば経済成長の減速につながるだろう。

エーリック夫妻はマルサスと同様に間違っていたが、その理由は異なっていた。人口増加が減速し始めたのは食糧と資源がなくなったからではなく、ライフスタイルの変化により人口構成が変わったからだったのだ。農耕時代には、大半の人は小作農で、富を築く最良の道は畑で働き、高齢になった親を養う子供をできるだけ多く持つことだった。ところが、乳幼児の半分は幼いうちに亡くなった。つまり成人する子供の数を増やすために、女性はできる限り多くの子供を産まなくてはならなかった。農耕時代に女性の人生の大半を出産と子育てが占めたのはこれがおもな理由だった。

私たちが都市部に暮らして賃金労働者になるにつれて、近代はこうした古代以来の人口構成を変えた。近代の町や都市では、賃金、食糧、ヘルスケアに楽にアクセスできるため、より多くの子供が無事に成人する。一方で都会での子育てにはよりお金がかかる。両親は食べ物と教育にお金をつぎ込まねばならず、都市部の子供は農村地帯のように幼いころから畑で働かせるわけにはいかない。

こうした理由などから、昨今の都市部の家族の大半は少数の子供をもうけて、より健康で教育の行き届いた子弟に育てようとする。時代は「高出生率・高死亡率」から「低出生率・低死亡率」に移り変わっているのだ。

これによって性別に基づく不平等の決定的な原因が取り除かれ、世界中で女性の生き方に変化が起きている。１８００年には、女性は平均で５・８人の子を産んだ。１９５０年には平均でまだ４・８人だったが、２０１４年には２・５人へと激減した[40]。人口が過去2世紀で爆発的に増えたのは、食糧生産とヘルスケアが改善された結果、死亡率の低下が出生率の低下よりはるか前に起きたからだ。出生率は19世紀に裕福で都市化した国で低下し始めたが、グローバルに低下したのは20世紀後半になってからで、１９６０年代に低下中の死亡率に追いついた。

人口増加率は大がかりな政治的介入がなくとも低下しているが、低下は政府の施策によって加速させることができる。たとえば、若い女性の教育と雇用を促進すればいいのだ。他の危険な成長トレンドは、困難で、意図的で、大規模な政治的介入によってのみ平坦化する。

気候変動

もっとも危険な成長トレンドの１つは、人類がグローバルな気候系に与える影響に追い打ちをかけるように起きる。

人類が創造するテクノロジーはいつでも地域環境に圧力をかけてきた。しかし近代以前なら、人類の活動が環境を地球規模で変えると想像した人はまずいなかった。

近代の人類が環境に与える影響の大きさを最初に見通した1人が、スウェーデンの化学者スバンテ・アレニウスだった。1890年代、彼は人類が地球の大気圏を暖めるほど大量の化石燃料を燃やしているかもしれないと考えた。この傾向はのちに「温室効果」として知られることになる。[41]

1960年代、大気科学者のチャールズ・キーリングがハワイで大気中の二酸化炭素濃度を測定し、急速に上昇していることをつかんだ。いわゆるキーリング曲線はどんどん上昇し、アレニウスが予期したように、地球の平均気温もやはり上昇していた。

2021年、地球の平均気温は産業革命以前と比べて約1℃高く、気温の上昇によって巨大な嵐、洪水、火災などの異常気象を引き起こしていた。氷床コアに閉じ込められた気泡の分析に基づいて長期にわたりおこなわれた気候変動の研究から、ここ200年で大気中の二酸化炭素濃度が過去100万年間で最高だった濃度を上回ったことがわかった。無理もない。1800年と比べて、二酸化炭素排出量は1000倍以上に増えているのだ。

今日、もっとも影響力のある気象の長期予測は、1988年に国連と世界気象機関によって設立された気候変動に関する政府間パネル（IPCC）のものだ。

1990年以降、IPCCは世界のあらゆる地域の何百人もの科学者の研究をまとめた報告書を6度にわたって出している。2021年8月に公表された第6次報告書（第1作業部会）には、当時の気候変動政策やテクノロジーに基づく気候変動の5つの起こるかもしれないシナリオ（共通社会経済シナリオ（SSP））が収められている。[42]

ＩＰＣＣの報告書が示すのは、もっとも洗練された近代の未来思考だ。気候変動の原因、そして関連の確率と不確実性に関わる深い理解に基づき、報告書は起こりうるグローバルな気候トレンドをモデル化する。そのために多くの異なる国の科学者による研究で得られた大量の情報を収集し、その情報を現代のスーパーコンピュータの持てる限りの計算能力で解析する。

これらの予測を無視するのはいかにも愚かだ。ただし、あらゆる予測と同じく、これらの予測も想像もできなかった未知のトレンドや事象によって破綻しかねないことを私たちは知っている。

温暖化

２０２１年のＩＰＣＣ報告書によれば、５つのすべてのシナリオで、グローバルな気温は２０４０年までに１８５０年から１９００年までの水準より１・５℃上がりそうだ。グローバルな気温を２１００年までその水準に比べて２℃以内に抑えられるのは、もっとも楽観的なシナリオのみだ。もっとも悲観的なシナリオでは５℃以上も上回る。

１８５０年から１９００年までの水準より２・５℃から３℃高いグローバルな平均気温は、人類史全体を見ても私たちが一度も経験したことがない[43]。その気温では沿岸地帯の都市は海中に没し、内陸では砂漠が広がる。異常で猛烈な気象の変化、気象の振れ、旱魃、洪水、山火事、熱帯低気圧が発生し、食糧生産が滞り、新たな病気の拡大が加速する。

檻のなかの動物を棒でつついたかのように、温室効果ガスの排出量増加は生態系の激しい怒りを招くだろう。たとえば、二酸化炭素よりはるかに有害な温室効果ガスのメタンがいわゆるメタンハイドレートとして海底で凍結している。海洋が暖まると、メタンハイドレートが解け出し、大量のメタンガスを急激に大気中に放出する。

これが起きれば別の深刻な状況が起きかねない。たとえば、北大西洋海流が流れを変えて北極の気候をヨーロッパの広域に送り込むというような転換点が発生する（２０２１年のＩＰＣＣ報告書は、北大西洋海流が21世紀に弱まる可能性がきわめて高いが、２１００年以前に破綻することはないという「中程度の確信」があるとしている）[44]。

中世ヨーロッパの地図に描かれた未知の土地のイラストと同じく、転換点は既知の未知である。報告書は、「2℃以上の地球温暖化がそこで起きれば恐ろしい怪物が現われる！」と指摘する。転換点にいる怪物は私たちの子や孫の生活を悲惨なものにするかもしれない。

二酸化炭素は大気中に長くとどまるため、温室効果ガスの排出削減を始めても、地球温暖化はその後も長く続く。だが排出量を今の時点で大幅に削減すれば、２１００年までに地球温暖化を産業革命以前に比べて2℃より低く抑えられるだろう。

種の絶滅

もう１つ別の危険なトレンドは地球上に生きる種の多様性に影響を与える。

人類と家畜はどんどん多くの資源とエネルギーを消費するので、他種が迷惑を被っている。

２０２０年までに、人類と家畜がその他すべての陸生の哺乳動物を合わせた生物量の20倍以上になり、家禽となったニワトリの生物量は他のすべての鳥類のそれの2倍を超えた[45]。２０１９年の生物多様性及びサービスに関する政府間科学政策プログラム（ＩＰＢＥＳ）による報告書は、種の絶滅率が「過去１０００年間の平均の少なくとも数十倍から数百倍であり、増加傾向が加速している」と述べている[46]。

これは悲劇だ。しかし、それは人類にとっても危険である。私たちの生存と幸福は、樹木から魚まで、さらにハチのような授粉昆虫まで、私たちの周辺にいる生物に依存しているからだ[47]。私たちの子孫は生態学的に好ましくない生物圏で生きたいと思うだろうか？

5つの「惑星の境界点」

環境に手を加えると未知の新しいトレンドが生じることがある。

現在の私たちは、ここ2世紀に形成された新しい生化学的な環境に暮らしている。その2世紀にわたって、人類はプラスチックから肥料、コンクリート、抗精神作用性の医薬品まで無数の新しい物質を製造してきた。だがこのことが生物圏全体にとってどういう意味を持つのか、私たちは本当のことを知らない。

1962年に出版された『沈黙の春』（新潮文庫）で、生物学者のレイチェル・カーソンは殺虫剤など農業に使用される化学物質が人類その他の種に与える恐ろしい影響を描き出した。

2020年のパンデミックは、疫学者がずっと以前からいってきたことを思い起こさせた。病気が広がりやすく、種間伝播しやすくなるように私たちは疫学的な環境を変えてきたのだ。現代人はわずか数日でウイルスを世界の隅々にまで運べてしまう。

かつて科学者のジェームズ・ラブロックは、地球の大地、生物圏、大気を含む系を「ガイア」と呼んだ。現在の私たちは、彼がそう呼んだものがきわめて複雑である一方で限界を持つことも知っている。[48]

ここ50年ほどで、「成長に対する惑星の限界」の問題がもっとも深刻になってきた。

「どれほどの圧力なら惑星の崩壊を招かずにすむものだろうか？」という問いに答えて、気候学者ヨハン・ロックストローム率いる学者チームは5つの「惑星の境界点」を定義した。これらの境界点を越えると、地球環境は破綻し始める恐れがある。それらの境界点は、温室効果ガス、オゾン層を破壊する化学物質、エアロゾルなどの大気中における高濃度、海洋酸性化、森林伐採、生物多様性の低下、淡水源の枯渇だ。[49]

彼らの研究によれば、私たちはすでに一部の境界点を越えている。生物多様性の低下と（肥料などに含まれる）窒素の流出などだ。ロックストロームは、「私たちは人類の発達を支える地球系の能力を自ら傷つけていると知っている初の世代だ」[50]と書く。

本当の核の驚威とは

平坦化に導く必要のあるもう1つの成長トレンドが、人間が作り出した兵器の力だ。19世紀には、大砲がもっとも威力の強い兵器だった。いちばん殺傷能力の高い大砲は相当数の兵士を殺害する。

2世紀後、私たちが保有する兵器は比較にならないほど大勢の人を殺せるようになった。1945年8月6日に広島に落とされた核分裂爆弾は、ほぼ一瞬で少なくとも6万人を死に追いやり、のちに約同数の人が放射能や負傷が元で死亡した。

次の数十年、アメリカとソ連はより殺傷能力の高い核融合爆弾を開発し、両国が保有する核兵器の数と威力は異常なレベルに達した。1980年までには、10万発近くの核弾頭が配備された。もし使用されれば、これらの核兵器は1日か2日で生物圏を壊滅状態にしただろう。

おもな脅威は爆弾そのものではなく、高層大気に上った砂煙であり、雨が降っても流されないために数カ月から数年にわたって太陽光を遮る。それが核の冬をもたらし、世界各地で空は暗くなり農業が破綻する。

私たちは核兵器による大惨事の1歩手前にいる。1962年のキューバ危機直後、ケネディ大統領は全面戦争になる可能性は1対2ないし1対3だったと語った。[51]以降、ほかにも何度かニアミスがあり、相互確証破壊（ＭＡＤ）の持つ意味を私たちに教えてくれた。ＭＡＤは、１９６２年に未来学者ハーマン・カーンのハドソン研究所が提案した頭字語だ。

自分たちの能力というより幸運に恵まれ、私たちはここまで核のハルマゲドンを回避してきた。核弾頭の数は１９８０年代末に減少し始めた。

だが２０２１年時点で、９カ国が合わせて約1万３０００発の核弾頭を保有していると考えられていて、約１５００発がいつでも発射できる状態にある。それに、核弾頭の数はふたたび増加に転じている。これらの兵器を保有する国々に核兵器とその製造設備を破壊するよう説得する何らかの道を見つけなければ、核戦争による突然の人類滅亡の脅威はよりよい世界を作るあらゆる試みにいつまでもつきまとうことだろう。

不平等の拡大

人類の未来に脅威となるもう1つの成長トレンドは、不平等の拡大だ。

農耕社会が不平等に分配可能な余剰の作物を生産するようになると、世代を越えた富や権力のちがいに基づく組織的な不平等が出現した。過去５０００年のほとんどにわたって、少数のエリートが大半の余剰の富を支配し、残りの大半の人は小作農として最低限に近い生活に甘んじた。こうした不平等は社会に緊張を生み、極端になると社会の破綻につながる。不平等が増えるままに放置することは、バネをずっと引っぱりつづけても壊れないだろうと考えるようなものだ。

最近では富の増加、生活様式の変化、人権運動によって人種と性別間の不平等はかなり解消されているが、富と権力の根本的な不平等はどちらかといえば増えている。

19世紀後半から20世紀前半にかけて、グローバルな不平等が極端になった。ヨーロッパあるいは西側諸国のような工業化を最初に進めた国々が、富、テクノロジー、軍事力を盾に世界の残りの地域を植民地化によって支配した。

20世紀後半には、脱植民地化が進むとともに他の地域でも近代のテクノロジーがさかんに使われるようになり、こうした不平等は緩和された。しかし根深い不平等は残り、大量移住や局地的な戦争の火種となっている。気候変動の影響は、地球温暖化の原因にもっとも関わりが少なく、対処する手段にいちばん欠ける国々でいちだんと大きく感じられる。20世紀に多くの戦争をした大国は、近代の不平等と帝国時代の根深い不平等の記憶に煽られて利益を求めて策動しつづける。一方で、中国やインドのような新興大国がヨーロッパ諸国やアメリカなど昔日の覇権国に対抗する。

資本主義と不平等

近代の革命や内戦の多くは国内に存在する不平等が原因で起きた。社会学者は、こうした不平等によってもっとも裕福な「資本主義」社会は破綻するだろうと考えた。ところが、不思議なことに、そうはならなかった。フランスの経済学者トマ・ピケティが示したように、20世紀の大半において国内の不平等は減っていて、とくに裕福な資本主義社会ほどその傾向が見られる。[52] その理由は、20世紀前半に起きた2度の世界大戦によって、伝統的な土地所有に基づく富の蓄積が破綻したためだった。

他方で、工業立国の政府は生産増大によって貧しい人々を保護するために福祉制度を立ち上げて不平分子を懐柔した。

やがて資本主義の起業家や政府は、賃金労働者の賃金や生活水準を上げれば、利潤を増やしつつ社会の緊張も減らせると気づいた。いずれにしても、裕福な人はあまり不満を抱いていないし、たくさんの物を自由に買えるからだ。

こうした理由から、西側諸国では生活水準が20世紀に目覚ましく改善し、その後多くの他の国でも同じことが起きた。アジアで1980年代に始まった中国、インド、その他の「トラ」経済の国々の経済ブームは記憶に新しい。

1970年代からは、国内における不平等がふたたび増加に転じた。この傾向は最初に資本主義の西側諸国で見られ、その後世界の残りの国々へと広がった。

ネオリベラルの自由市場主義経済の下、裕福な資本主義諸国の政府は20世紀前半に作られた再分配の仕組みを解体した。この仕組みの存在によって自由な利潤追求が阻まれ、理論的には万人に益する成長率が下がるというのがその理由だった。

ソ連の計画経済が破綻すると、不平等が旧ソ連圏の国々で急増し、中国やインドなどでも急激な工業化によって不平等が増えた。

今日、多くの国では不平等が19世紀後半の高いレベルに戻りつつある。2018年には、世界の私有財産の半分超を世界総人口の1パーセントが所有していると推測された。[53]

気候変動のそれに似て、不平等の上昇トレンドは予測不可能な転換点を越えることがある。不平等が未曾有の破局をいつ起こすか、誰に予測できるだろうか？　今日、これらの転換点をとくに危険にするのは、階級闘争をグローバルなハルマゲドンに変えてしまう核兵器の存在だ。

極端な不平等を一掃するのは簡単なことではない。不平等の最近の歴史に関して、歴史家のウォルター・シャイデルは不平等が人間の意図的な努力によって大きく減じられた例はないと論じる。不平等がなくなるのは戦争、国家の破綻、自然災害、パンデミックなど大惨事が起きた場合のみなのだ。[54]

私たちはこの法則が未来には少なくとも和らぐことを願うべきだ。また終わりなき経済成長を目指さない、より安定した未来の世界では、人々は不平等をなくすことによって政治的、社会的安定を維持しようという試みに今日より真剣に取り組むだろう。

未知のもの：未来の政治

これまで見てきたトレンドの多くは、妥当な予測ができるほどに規則正しい。未来円錐その２の「ほぼ確実」か「妥当である」領域に入るので、私たちはこれらのトレンドを50年前に比べるとはるかによく理解している。

しかし、私たちがどう対処するかは政治に左右される。そして大半の政治過程は高い確度で予測するには不規則すぎる。それは予測の「起こるかもしれない」領域に入るのだ。

人類は持続可能なユートピアの建設に必要な、首尾一貫していて、知的で、決定的な行動を起こすほど強力な合意に達することができるだろうか？　あるいは利益、目標、コストに関わる意見の食い違いによって必要とされる方向修正が阻まれるのだろうか？

政治の分野で確度の高い予測が得られないのは、規則正しいトレンドが皆無に近く、多くは未知だからである。よりよい世界を作るという希望は、核兵器あるいは生体工学によって生まれたウイルスを手にした一握りの人間、悪意のある科学、政治的な先延ばし、未来に対する展望の欠けた指導者などによって妨害される。あるいは私たちの前に立ちはだかる問題の複雑さもあるかもしれない。

だが政治の歴史には脆いとはいえ長く続いてきた有望なトレンドがある。３つのトレンドがとくに希望が持てるが、これらについてはすでに本書で見てきた。

最初のトレンドは惑星規模の交易ネットワークの出現だった。このネットワークが存在するおかげで、全人類が直面するグローバルな試練に対する認識が高まっていて、全世界という共同体に対する新たな忠誠心と義務感が育《はぐく》まれている。

2番目のトレンドは、国境を越えて活動する国連や多様なNGOなどグローバルな協力関係を推進する諸機関の出現だ。これらの機関のおかげで、新たに生まれるグローバルな懸念に発言力や政治的な重要性が付与される。これらの機関の多くは望ましい未来に対して包容力のある同一の展望を掲げている。ひとたび資本主義が生態的に持続可能な世界でのみ繁栄すると認められれば、グローバルに展開する事業は持続可能な社会の建設に欠かせない役割を果たす。

3番目のトレンドはコンドルセが「科学の進歩」と呼んだものかもしれない。わずか数十年前に比べ、私たちは惑星系に関して多くの知識を持っている。したがって持続可能な未来の建設に必要となるテクノロジーを多く手にしているし、さらに新たなテクノロジーも入手可能になるだろう。[55]

以上述べたトレンドは有望ではあるが、その効果が保証されているわけではない。2021年11月にグラスゴーで開催された気候変動に関する国連枠組条約の第26回会議で、国連加盟国は一連の実施指針を発表した。だが、これらの指針が2100年までに温暖化を産業革命以前より1・5℃低い水準に維持するのに十分でないのはほぼ確実だ。それでも、これらの指針はこの問題がグローバルな優先課題であるという意識を反映していた。加盟国はこれらの指針通りに動くだろうか?

この先100年のシナリオ

ここまで見てきたトレンドは、これからの100年で何が起きるかについて魅力的な手がかりを与えてくれる。強力な成長トレンドが発見されたとはいえ、多くは現在では平坦化の段階に移っている。これは見たことのあるパターンだ。

より安定したトレンドに向かうのは、夕闇が迫って空の星々が見えるようになったとき、急激な成長のあとに新しい生物種が新たな成熟の域に入るときなどだ。その現象は新しい複合体が創発するときなどに見られる。そして今、地球に生まれ出でようとしているものを見ることがかなう。それが意識を持つ惑星なのだ。

意識を持つ惑星

古代の複合体、すなわち地球とその上で暮らす生命体は、惑星のスケールで見れば突然の変異、すなわち意識的な活動によって生物圏の未来を作り出す種の出現によって変化している。ソ連の偉大な地質学者ウラジーミル・ベルナツキーは人間の思考のスフィア（圏域）を「ヌースフィア」と呼んだが、このヌースフィアが突如として地球の未来を作り出す能力を獲得した[56]。地球が意識を持つようになるというのは、私たちの身体が意識を持つという意味での話だ。変化はおおむね意識的な思考を要することなく過去と同じように進行する。しかし今後は、地球の未来は、人間の意識的な決定に依存するようになる。

変化はすでに始まっている。私たちはすでに地球を変えつつあるからだ。唯一の問題は私たちがどれほど巧みに変化を操作するかにある。

意識を持つ惑星への変化については多くの道筋を想像することも可能だが、すべてが成功に終わるわけではない。正確さと一般性のあいだで予測者が決めた最適点を狙って、一種の正規曲線に沿って分布する数種のシナリオを想像することは有益だ。

これらのシナリオのうち、一部は残りのシナリオよりほぼ確実に起きる。幸いにも、もっとも悲惨な未来のシナリオ以外のすべてのシナリオにおいて、人類は、おそらく長い試行錯誤の末に、ことによると惑星の操作にかなり高い能力を発揮するかもしれない。

私たちはなすべきことの多くについてはすでに知っている。わずか50年前よりはるかに惑星系をよく理解している。環境に対する庶民や政府の態度には大きな変化があった。成功するために必要なツールや資源の大半も持ち合わせている。

ヨルゲン・ランダースは次のように書く。

「風力、水力、あるいは太陽光に100パーセント頼る発電は既存のテクノロジーで達成できる。資金不足も問題ではない。軍事費は世界GDPの2パーセントから3パーセントだ。温室効果ガスの排出量を20年で50パーセント削減し、残りの気候変動の影響に対処するのに必要とされるコストはこれより大幅に少ないだろう」[57]

また私たちには、迅速に断固とした行動に移るための政治および経済手段がある。第2次世界大戦による大打撃から1年以内に、アメリカとソ連の経済が根底から変化したことは、近代国家は政治が動けばどれほど早く方向転換できるかを物語る。同様に目を引くのは、COVID-19のパンデミックへの対処で大半の政府がおこなった厳しいコロナ政策の元の生活への切り替えだった。グローバルな合意に至れば、変化はただちに起きるのだ。

この先100年の「4つのシナリオ」

本章で詳述したアイデアやトレンドに基づいて、別の未来へのより具体的な道筋を想像し始めることが可能だ。これらの道筋はIPCCの第6次報告書にあった共通社会経済シナリオ（SSP）とは大きく異なる。後者のシナリオとちがって、これらの道筋は近未来に政府の基本政策を変えることをも視野に入れているからだ。

以下では、慎重な予測をするための留保条件や「もし」とか「しかし」などの言葉は忘れ、単純にこれまでの議論から導き出せる、起こるかもしれない未来について述べていこう。

　これらのシナリオの一部は奇妙なほどすぐそこにあるように思えるかもしれず、楽観的にすぎるシナリオ、悲観的にすぎるシナリオもあるだろう。起こるかもしれない未来の想像上の正規曲線上には、より起こりやすいシナリオ、そうでないシナリオもあるはずだ。それでも、起こるかもしれない未来を想像することは未来思考に欠かせないツールだ。

　これらの理論的なシナリオは冗談半分でもあり真剣でもある。冗談半分でもあるというのは、私たちはいつでも起こりうる未来を想像しては戯《たわむ》れるからだ。真剣でもあるというのは、想像した未来のどれが実際に起こるかについて私たちが大いに気にかけているからだ。

　これから説明する４つのグローバルシナリオは未来学者のジム・デイターによるものだ。デイターは起こるかもしれない未来を想像しているグループのために長年にわたって働いてきた[58]。彼はたいていの想像された未来は「崩壊」「規律」「変遷」「経済成長の継続」（「いつも通り」ともいい、特段のことをしない場合の未来を指す）の４つのカテゴリーのいずれかに分類できるという。デイターの分類は多くの未来学者に利用されている。

　デイターはシナリオを順位づけすることには反対する。しかし、ここではそのルールをいったん緩めて、起こるかもしれない未来を、本章の冒頭近くで述べたグローバル・ユートピアとの近さに基づいて検証することにしよう。これが必要なのは、Ｈ・Ｇ・ウェルズが主張したように、よりよい未来の確かなイメージは希望を生み出すからだ。希望はそれ自体が強力な動機となる。私自身の４つのシナリオは、明らかにデイターのシナリオに基づく「崩壊」「成長縮小」「持続可能性」「成長」だ。

　どのシナリオが現実に起きるにしても、それにつながる道筋はけっして平坦ではない。化石燃料からより持続可能なテクノロジーへの転換の複雑さ、途中で起きる多くのミスによって、テクノロジーや経済の混乱は必ず起きる。創発するグローバル系の要求と、地域、国家、その他の局地的な利益集団の要求の衝突によって、政治に混乱が生じるのも間違いない。

20世紀後半には他を圧倒する超大国だったアメリカは、出現しつつあるライバルの洗礼を受けるだろう。ソ連の崩壊後に世界を支配した民主主義と資本主義の国々は自信を喪失している。その理由には、成長の減速と不平等の広がりによって楽観ムードが薄まり、一度は繁栄した中流階級の数が減少したことがある。

一方で、インドや中国などの新興大国は自信を深めて発言力を増し、近代の軍事テクノロジーの存在によって小規模な反体制派が世界平和に対する深刻な脅威となっている。危険な紛争が起きかねない情勢だ。

したがって、地域の異常気象などによる厄災に背中を押された世界各地の指導者たちが、それぞれの利益を守りつつ持続可能な未来を作るためには、グローバルな協力体制が欠かせない。

シナリオ①：崩壊

私たちが惑星の操作に完全に失敗するのは、極端な「崩壊」のシナリオだけだ。最悪のシナリオでは、人間社会は飢餓、戦争、政治経済の崩壊、パンデミックの組み合わせによって破局を迎える。

人類は絶滅するかもしれない。人間がいなくなれば、生物圏は数世紀のうちに立ち直るだろう。

哲学者のトビー・オードは「存亡の危機」が起きる確率を推定するという、野心的なプロジェクトをおこなっている。そうした危機に見舞われれば、人類の「長期にわたる存続という夢」は潰《つい》え、何千世代にもわたってよい未来が続く可能性が失われるだろう。[59] オードの試算によれば、起こるかもしれない未来の約16パーセント（全体の６分の１）が「存亡の危機」に陥るという。むろん、これらの試算をあ

～による存亡の危機	今後100年以内に起きる可能性
小惑星か彗星の衝突	1,000,000分の1以内
超火山の噴火	10,000分の1以内
恒星の爆発	1,000,000,000分の1以内
自然災害のリスクの合計	10,000分の1以内
核戦争	1,000分の1以内
気候変動	1,000分の1以内
その他の環境破壊	1,000分の1以内
「自然に」起きるパンデミック	10,000分の1以内
人為的なパンデミック	30分の1以内
アンアラインドAI*	10分の1以内
予期せぬ人類起源のリスク	30分の1以内
その他の人類起源のリスク	50分の1以内
人類起源のリスクの合計	6分の1以内
存亡の危機の合計	6分の1以内

表8.1 さまざまな存亡の危機が起きる可能性
トビー・オードによる但し書き：「各原因による存亡の危機が今後100年間のどこかで起きる可能性の最善の推定値（気候変動のように危機が遅れて表面化する性質を持つ場合には、100年のうちに回帰不能点を越す時点）。これらの推定値はかなりの不確実性を含んでいて、桁数が合っているという程度のものである――どの推定値も3桁大きい／小さい可能性がある。各原因を足し合わせてもかならずしも合計と一致しないのは、数字が正確であるという誤った印象を与えたくないからだ」

＊「アンアラインド」は人間の利益に合うように調整されていないという意味。

まり深刻に捉えるべきではないが、試算結果の桁数は合っているように思える。

オードの試算を表8・1に示したが、私たちの未来にとってもっとも重大な脅威が人間のテクノロジーと経済成長の行き過ぎから生じる点が目につく。これはじつはいいことだ。原理的には、人類はこれらの脅威に対処できるはずだからである。

より悲惨でない3つのシナリオは、オードが想像した起こるかもしれない未来の標本空間の84パーセントで見つかる。これらのシナリオでは人類は絶滅を免れる。極端でない崩壊のシナリオは、私たちの長期にわたる存続にとって致命的ではないとはいえ、厄災であることには変わりない。

これらのシナリオでは、人間社会は生物圏を操作するという複雑な試練に十分に取り組むことができず、数世紀にわたって続く暗黒の時代に突入する。[60] 戦争が地域全体を覆い尽くし、パンデミックと飢饉によって数百万人が命を落とし、生存者の大半は最低限の生活を余儀なくされ、裕福なエリートは保護された特別居住区で暮らす。人権など近代の利点はほぼ失われ、奴隷制と人種ならびに性別に基づく厳格な不平等が息を吹き返すかもしれない。

体罰や拷問が日常茶飯事になり、食糧不足が死に物狂いの生存競争をもたらす。食べ物に事欠く人々は医療を断り、麻酔薬や基本的な医薬品の不足によって寿命は近代以前の水準に逆戻りするだろう。

数世紀後にその時代を振り返る人の目には、今日生きている人々は特権を有する危機以前の人類集団、化石燃料革命の贅沢を享受した最後の人々に映ることだろう。私たちの子孫は私たちが何を間違ったのか、なぜ暮らしが破綻するに任せたのだろうと不思議に思うはずだ。

シナリオ②：成長縮小

「成長縮小」のシナリオでは、政府や社会は「成長」そのものがおもな問題であると結論づけ、持続可能性の目標に集中し、多くの成長トレンドを厳しく取り締まるだろう。政府は重い徴税と持続不可能な活動の直接的な規制によって成長を抑えようとする。

このことは贅沢が許されず家族の人数まで制限されたスパルタ式の世界を意味する。庶民の平均的な物質的生活水準は21世紀初期より低くなるが、裕福なエリートは保護されたバブルのなかで優雅に暮らす。

そのような環境ではリベラルな民主主義は育たない。資源が細れば、合意にたどり着くのは難しいからだ。[61] したがって成長を縮小した社会は往々にして独裁主義に陥りがちになる。

このシナリオは安定化の目標を重視するが、近代のユートピア宣言が掲げる自由と平等には目もくれない。私たちの子孫は惑星を持続可能に操作する方法は学んだだろうが、政治的、法的権利の多くを忘れ去っているだろう。科学およびテクノロジーのイノベーションは引き続き起こるにしても、より独裁的でないシナリオに比べて起きる頻度は減るだろう。

最悪の場合、成長縮小の未来はディストピア的で、ジョージ・オーウェルの『一九八四年』(ハヤカワ文庫)的ですらある。最善の場合でも、アーシュラ・K・ル＝グウィンの『所有せざる人々』に描かれた無政府主義の世界のように見えることだろう。宇宙探査は続けられ、小惑星、衛星、惑星の資源をめぐって競争を繰り広げている政府の支援がある場合には大規模に進められることも考えられる。

シナリオ③：持続可能性

「持続可能性」のシナリオは、コンドルセの楽観主義を惑星の限界に関わる現実主義と組み合わせる。これらのシナリオに描かれる未来では、持続可能なテクノロジーによって高い生活水準が維持されるが、終わりなき消費の望みは放棄されている。

持続可能性のシナリオは本章で述べたユートピアの目標にいちばん近い。『地球への旅』（未邦訳）でポール・ラスキンは、成長という価値観を引きずる伝統的な政府が、地球市民運動の持続可能性を尊ぶ価値観と対立する、波乱に満ちた数十年を想像する。今世紀の半ばまでに、政治経済が破綻しかねないことが明らかになり、持続可能性の重要性について大筋でのグローバルな合意が取りつけられ、グローバルな活動を組織する新たな国際機関が発足する。大半の社会の価値観が、消費の拡大より持続可能性、そして平等と人生の質の改善に傾く。[62]

持続可能性のシナリオでは「地球市民」という概念が現在の「国民」概念と同じように自明になる。しかし、地域と文化の多様性は豊かなままに保たれ、現在の多文化の国民国家のようになる。テクノロジーのイノベーションは、集団的学習という、人類史における最強の推進力によって継続される。

イノベーションには、エネルギーを持続可能に発生させる新技術、低コストで高効率の輸送・製造手段、温室効果ガスを集めて地下に貯蔵する新技術、さまざまなタイプのスマートロボットなどがあるだろう。

さらに老化を遅らせ（一部の医師はすでに、老化を不可避なものではなく治療できる「病気」とみなしている）、寿命を延ばし、新たなスマート義肢を提供し、がんなどの病気を治療する医学的療法もある。[63]持続するイノベーションと無駄な経費の大幅な削減（軍事費や広告費を含む）によって、生活水準は21世紀初頭より高く維持される。

だが過剰な消費は危険であるという認識が高まり、足るを知り万人の平等を希求する精神が広まる。進歩とは終わりなき成長だという前提は、新たな定義に取って代わられる。

その定義の下では、さまざまな分野における進歩は安定した平衡状態で継続され、『成長の限界』の著者たちが「慎重に制御されたバランス」と呼んだ成長と人口の関係が成立する。[64] 世界総人口は80億人未満で安定し、万人のためのヘルスケアと教育、物質的保証を当然のものとして享受できるようになり、大半の人は週に20時間を超えて働くことはない。人々は時間に追われず、「よい人生」とは何かについて新しい生態学的に現実的な考えを持つ。

このシナリオでは、人類は環境に対する人間の責務という精神の下に、生物圏を巧みに操作することを学ぶ。各国の政府は残るが、グローバルな政府組織の権力が強まり、後者の権威は地球上の大半の共同体に受け入れられる。

シナリオ④：成長

「成長」のシナリオでは、成長の限界を重視せず、未来は近代の大きな成長が支配的になると考える。これらのシナリオでは、近代において数多くの成長トレンドを駆り立ててきた、実業家と政府の資本提携が経済成長とイノベーションを強化する。

成長のシナリオに賛同する人は、テクノロジーを礼賛する楽観主義者だ。彼らは根本的な路線変更は必要ないという。この先も資本主義は繁栄し、成長を保ったまま持続可能性を実現する新技術を生み出すので、必要に応じて政府が大きな工学プロジェクトに介入すれば事足りるというのだ。

もっとも楽観的な成長のシナリオでは、持続的な経済成長と新たなテクノロジーが大半の人の消費レベルと物質的な生活水準を高く維持する一方で、より危険な生態学的な問題を解決してくれる。実業家は持続可能なテクノロジーによって利益を得られることに気づく。

きわめて競争の激しい経済環境では不平等のレベルが間違いなく増大し、社会が不安定になる。他のシナリオの大半と同じく、人類の生物学的、遺伝学的改造の実験に手を染める者も出てくる。これは医学的には有益だが、少数の富裕な人々が遺伝学あるいは生物工学による高額な医学的介入に手を出せば、新たな社会格差が生じかねない[65]。

150歳を超えて生きる人が出てきて、聴覚、視覚、知性の強化が珍しくなくなり、義肢を脳で直接制御すること、あるいは新しい手足を再生することができるようになる。人口増大のペースは緩やかになるが、持続可能性のシナリオや成長縮小のシナリオほどではないだろう。

『成長の限界』の著者たちが主張したように、経済成長を継続するシナリオに賛同する人々が誤っているなら、成長のシナリオは崩壊のシナリオの仲間入りをする恐れがある。地球温暖化の転換点を越えてしまったり、食糧生産が破綻したり、資源をめぐる争いが大規模な戦争に発展したりする可能性はつねにあるのだ。

いずれのシナリオでも……

これら3種のより楽観的なシナリオでさえ、過去が未来に重くのしかかる。核戦争や人為的なパンデミックなど人類存亡の危機が迫り、世界の気温は幾世紀にもわたり不快なほど上がるだろう。今日の都市の多くは海中に没し、海洋の酸性化によって漁業と海洋生物の多様性が損なわれ、砂漠が拡大し、現在の「異常気象」が日常的になる。

極端な成長のシナリオでは他種の絶滅率の増加が加速し、持続可能性のシナリオや成長縮小のシナリオでは緩やかになるだろう。

しかし、すべてのシナリオにおいて、世界は今日の基準から見ても生物学的に貧弱になる。

競争が戦争をもたらすが、戦争が世界全体の破局につながるのは崩壊のシナリオのみだ。

すべてのシナリオで相当な不平等があるが、持続可能性のシナリオや成長縮小のシナリオでは限定的

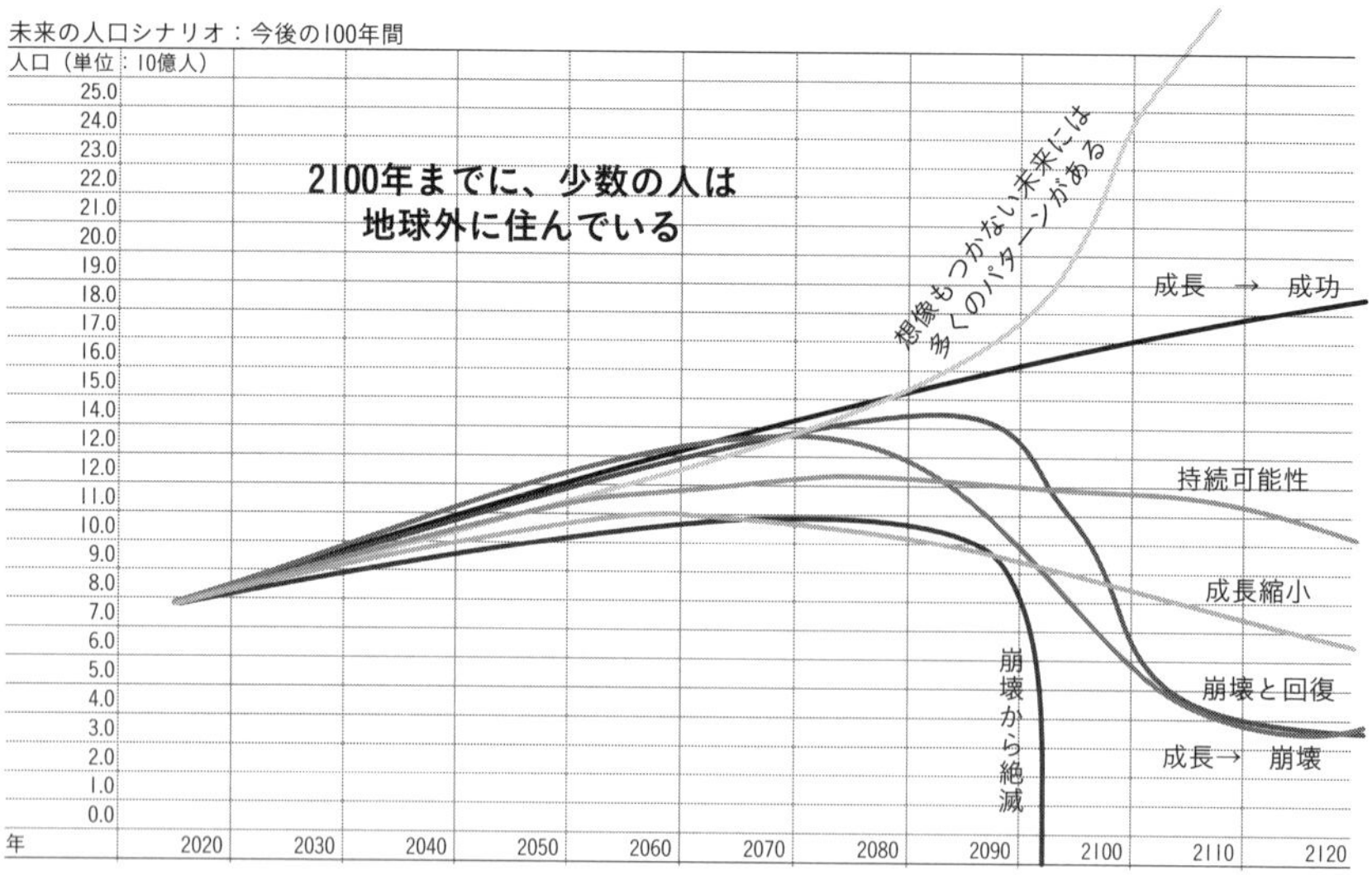

図8.1 異なる４つの未来のシナリオ（成長、持続可能性、成長縮小、崩壊）における2120年までの人口

になる。

集団的学習という古代の推進力によって、テクノロジー、科学、芸術の創造性が大半のシナリオで維持され、各種の社会組織でも創造性が育まれるだろう。

新たな科学のパラダイムによって、ダークマターなどの諸現象、さらに相対性理論と量子物理学あるいは意識との関係についての私たちの理解は変わるだろう。

地球外に生命が存在するかどうかを知ることにもなろう。

最後に、今世紀が終わるまでに、大半のシナリオで人類の小さな開拓コロニーが太陽系のそこかしこに生まれ、ロボット搭載の宇宙船が他の恒星系に向けて出発しているだろう。

図８・１は、シナリオ間での重要な差異を強調するため、異なるシナリオにおける人口の変化を示す。詳細をあまり深刻に捉える必要はないが、トレンド曲線のおおよその形を見ればシナリオ間のちがいがわかるだろう。

もちろん、実際には、これらのシナリオがすべてこのまま進行するわけではない。実際の未来はここで見てきたトレンドの多くをいいものも悪いものも組み合わせて、今日では想像もつかないようなトレンドと事象のスパイスをかけたような複雑で矛盾に満ちたものになる。未来が訪れたとき、それはきっと過去と同じように混沌としていることだろう。

ステップ3　どんな行動をとるべきか？

ここでは、詳細な行動計画を述べるつもりはない。しかし崩壊を回避し、より楽観的なシナリオに方向転換するには行動が必要だ。

ここまで見てきたトレンドを見れば、どちらに向かっていくのがいいかはわかる。

環境活動家のグレタ・トゥーンベリは２０１９年に世界経済フォーラムでこう述べた。

「もっとも重要な解決法は簡単です。小さな子供にだってわかるでしょう。温室効果ガスの排出を止めなければなりません。止めるか止めないか。それだけなのです」[66]

もっと楽観的なシナリオでは、私たちは巧みに惑星を操作しなくてはならない。

私たちが目指すべきは、製品やサービスの価格が真の環境コストを反映し、温室効果ガスの排出が徹底的に削減された経済だ。成長のシナリオすべてでさえ、このことは経済の成長率を下げることを意味するかもしれない。

他種の絶滅率を下げ、人間と家畜の数の増加を緩めるか減少に反転させる必要がある。大惨事につながるような紛争を回避するために、危険な兵器をコントロールし、極端な不平等を制限すべきだ。

２０１５年のパリ協定、国連の持続可能な開発目標（ＳＤＧｓ）、その他の多くのグローバル条約がよりよい未来を築くための有望な計画チャートを提供している。

今日の選択で2100年の運命が決まる

確実にいえるのは、多くが政治に依存するということだ。悪魔は細部に宿る。どのような意志決定も、国家、地域、企業、その他の多くのグループ間の複雑で困難な交渉を経ている。

2100年の世界は今後の数十年で下される予測不可能なあまたの決定によって形作られる。私たちは現在の段階ではグローバルな種だが、この先私たちと同じ関心を持つ人々の輪が広がり、惑星の操作に成功するためにグローバルな協力を持続できるかどうかはわからない。

これが可能かどうかによって、今日、地球に生まれつつある新しい複合体、つまり意識を持つ惑星の運命が定まる。新しい複合体の健康と運命は私たちの子孫の未来を何世紀にもわたって形成し、人類の系統がどれほど長く存続するかを決めるだろう。

私たちは、最初の多細胞生物を作った細胞と同じように効果的に協力することを学べるだろうか?

第9章 中程度の未来
――人類の系統

私たちが間違いを犯さなければ、人類は人生の始まりにいる。まだ青年だ。立派な大人に成長するのを心待ちにしよう。

――トビー・オード、2020年[1]

中程度の未来の明らかな特徴

人類がこの先の危険な数世紀を生き延びたとしよう。私たちの子孫は数千年そして数百万年後に何に向き合っているだろう？

それが「中程度の未来」だ。

この未来について厳密に語ることは難しい。なぜなら、その時代は私たちのような予測不可能で目的意識を持つ生物によって作られるからだ。それに、この未来はあまりに先のことだから、かなり規則正しいトレンドでも無数のトレンドの霧のなかに隠れて見えなくなってしまう。

とはいえ、いつものように魅力的で息を呑むような手がかりはある。だから、それが何か知りたいという誘惑には抵抗しないでおこう。

中程度の未来は近未来より私的な部分が少ない。もちろん、私たちは人間に似た多様な生物の共同体が時間を行き来するのを想像し、いくらか忠誠心を感じるかもしれない。そして、その共同体の未来が過去よりとても長く豊かであるかもしれないと考えるのは楽しい。

とはいえ、私たちが遠い未来の子孫に寄せる関心は、次の１００年を生きる人々に対する関心と同じくらい直観的なわけではない。私たちが彼らの人生に大きな影響を与えることもまたないだろう。今日の行動の結果は、数世紀あるいは数百万年にわたってチョウの羽ばたきのように伝わっていくにはちがいない。だが厳密な意味で、それが遠い未来における出来事を起こしたとはいえないはずだ。

ある重要な1点を除いては！

私たちがこれからの数世紀を生き延びなければ、子孫たちの未来は存在すらしないのだ。だから、人類系統のために私たちにできるただ１つのことは、ボトルネックとなる数世紀を何とか生き延びることにある。その間に私たちは惑星の操作を学び、ハルマゲドンを起こす兵器ではなく、厄災に見舞われたときに避難できる地球外の定住地を手に入れる。

もしこれに成功すれば、これから数世紀後の人々は新しい複合体、意識を持つ惑星の一部として生きることを学ぶ。そうすれば、数十億の人間とポストヒューマンのための中程度の未来への道が拓かれるだろう。

このようなすばらしい遺産を残す機会は私たちが生きている時代に深い意味を与える。すべてがうまくいきさえすれば、物語はずっと続いていくのだ。

次の1000年

この地球を操作する

意識を持つ惑星はありふれているのだろうか？　私たちの銀河に何百万個とあるのか？　それとも、地球に起きていることは宇宙の例外なのだろうか？

私たちにはわからない。いずれにしても、新たな道への挑戦は非常に意義深い。それは複雑さが増える宇宙の長いトレンド、既存の事物が新たな性質を持つように再編されて新たな構造体が創発するもう1つの事例なのだ。この特定の境界線を越えることは、人類史上の過去数千年で起きた激しい変化の論理的な帰結なのだろうか？　それは人類史に何らかの意味を与えるのか？　恒星系、いや、銀河系のスケールで組織される、より大きな複合体への第1歩なのだろうか？

人類にとって惑星を操作することは何を意味するのだろう？　私たちの未熟な最初の1歩に基づいて、妥当なシナリオを想像することができる。あらゆる複合構造体と同じく、意識を持つ惑星には生存と繁栄に必要とされる明確で創発的な性質がある。それは間違いなく以下のものを必要とするだろう。

（1）惑星スケールにおける協力と計画
（2）恐ろしいほどに複雑な問題を解決するための豊富で優良な科学とテクノロジー
（3）人々が集団として直面する試練を理解できるようになるための新しい教育
（4）私たちの子孫と他の種のために生物圏を尊重するよう人々を動機づける倫理体系

協力と計画は、国際的な活動を調整する国連でも、そして多くの国際機関、企業、学者のネットワーク、そしてNGOでもすでに生まれつつある。今日の科学技術の進歩は目覚ましく、いちばん悲観的な未来のシナリオを除けば、進歩が鈍《にぶ》ると考える理由はまずない。加速しそうに思えるほどだ。

しかし、今日の教育制度は新たな試練に適応するようにはできていない。制度自体が国家主義の時代に根を下ろしたままで、グローバルな理念を教えるということがまったくといっていいほどないからだ。教育を世界各地で総点検することが必要であり、惑星の理念と、惑星操作のためのプロジェクトに参加するために必要なテクノロジー、政治、社会に関するスキルを若者に教えるべきなのだ。

H・G・ウェルズがこう書いている。

「人類史はますます教育と大惨事の競り合いになっている」[2]

教育制度は惑星の倫理体系の進化によっても形作られる。惑星の操作に成功するには、次世代の人々は自らの属する集団に対する忠誠心を乗り越え、人類全体のみならず、この惑星を共有する多くの他種も尊重することを学ばなくてはならない。他の惑星や月に移住し始めると、人類は過酷な環境を経験するだろう。振り返ってみて、改めて故郷の惑星の美しさと暮らしやすさにさらなる畏敬の念を抱くにちがいない。

これから1000年の歴史を形作るのはどのような長期トレンドだろうか?

政治の未来について確かなことを想像するのは不可能に近いが、未来には心惹かれる想像上の歴史がある[3]。だが、惑星の操作に成功するには、グローバルな政府組織と協力体制が改善されなくてはならないことを私たちは知っている。

テクノロジーのトレンドを想像するのはよりたやすい。集団的学習の基本的トレンドがこれまで人類史を形作ってきた技術的な創造力を維持すると思われるからだ。また、テクノロジーにはそれ自体の論理があり、今後の数世紀に開花しそうなトレンドがすでに見え始めている。重要な新しいテクノロジーは、以下のものを含むだろう。

（1）エネルギーを持続可能な形で作る方法
（2）ナノテクノロジー
（3）人工知能（ＡＩ）とロボット工学
（4）人体を改造し、私たちの子孫を人間と機械の長寿命の融合体に変える生物学的テクノロジー

新しいエネルギー技術

近代世界は化石燃料から得られる桁外れのエネルギーによって築かれた。だが、これを今後も続けられないのは周知の事実だ。より大量のエネルギーを持続可能な形で発生させることで文明を維持することは可能だろうか？

慎重でありつつも楽観的になれるのは、必要とされるテクノロジーの多くを私たちはすでに手にしているからだ。

２つの変化が欠かせない。膨大な量の電気エネルギーを持続可能な形で作り、この電気を自動車から製造、通信、家電まであらゆるものに供給しなくてはならない。最初の試練はこれらのテクノロジーの早期実現にある。２０２０年の段階で、化石燃料がいまだに全エネルギー源の約85パーセントを占めており、世界のインフラとそれが与える経済的効果の大半に関わっていた。

有望なエネルギー技術の大半は、太陽光からエネルギーを取り出す新しい方法だ。水力発電は蒸発や

降雨によってできる水流から間接的に太陽光エネルギーを抽出し、それでタービンを回して電気を発生させる。風力発電は太陽光によって発生した大気の流れを使ってタービンを回す。太陽光発電は太陽光を直接エネルギーに変換する。すでに自然の光合成より効率が高くなっている人工的な光合成を利用する。

これらのテクノロジーの可能性は限りなく大きい。というのも、変換効率が急速に改善しているからだ。1、2世紀のうちには、世界は太陽エネルギーを集める装置に満ちていることだろう。曲げることが可能で、衣服、帽子、屋根、道路などに使える小型の装置、ヒマワリのように太陽の動きを追う装置もある。

水素も有望なエネルギー源であり、とくに航空機や鉄鋼製造などのエネルギー集約型産業で有望視されている。水素が酸素と結合すると大量のエネルギーが発生し、この過程のおもな廃棄物として水が出る。課題は、水素を発生させて保存する持続可能な方法を見つけることだ。

20世紀には、太陽光発電に代わるエネルギー技術として原子力発電に大きな期待がかけられていた。しかし、これらの期待も1986年のチェルノブイリ発電所などの大規模な事故後に立ち消えとなった。核分裂では数千年にわたって毒性の消えない放射性廃棄物が生じる。

それでもなお、安全な原子力発電にはまだ担うべき役割があるかもしれない。[4]核融合はより安全で放射性廃棄物が少ないことから、これを利用する実験が20世紀半ばにおこなわれている。この場合の問題は超高温での反応の制御と抑制にある。だがこの問題もあるいは21世紀が終わるまでには解決するとの期待は大きい。もちろん、まったく新しいエネルギー技術が出てくる可能性もなくはない。たとえば、膨大な数の衛星を打ち上げて宇宙空間で太陽エネルギーを集め、これをマイクロ波放射で地球に送る方法などが提案されている。[5]

新たなテクノロジーや規制などによってエネルギー問題は解決を見るかもしれない。エコ税法は無駄を抑え、消費者によるエネルギーの消費行動によい影響を与える。超伝導体は電気を通しても抵抗がほぼゼロであり、保存と配電による損失を大きく減少させる。超伝導体を使ってほぼ摩擦ゼロの陸運用のスーパー強力磁石に給電すれば、輸送に革命を起こせるかもしれない。[6] 現在のところ、超伝導は超低温でしか起こらないが、室温で動作する超伝導体が数十年以内にできると期待されている。

エネルギー消費量に基づくカルダシェフの文明分類

ジェームズ・ワットの蒸気機関のように洗練と改善を重ねれば、新しいエネルギー技術は持続可能な大量エネルギー生産の時代の基盤となる可能性がある。これがより大量のエネルギー生産を制御する第一歩となるだろう。

１９６０年代には、ソ連の天文学者ニコライ・カルダシェフが、エネルギー制御を宇宙スケールで考える新しい構想を打ち出した。宇宙における生命探査（ＳＥＴＩ）に感銘を受けた彼は、銀河間で信号をやり取りするのにどのような技術が必要になるかについて考えた。[7]

この問いに答えるため、カルダシェフはエネルギーの消費量に基づいて文明を３種類に分類する仮説を提案した。

タイプI文明

タイプI文明は、その文明の恒星（太陽）から届くエネルギーの大半、約10の17乗ワットを利用できる。現生人類はほぼその量に近いエネルギーを消費している。大半が私たちの銀河の太陽から届くエネルギーである。カール・セーガンが、１９７０年代に世界のエネルギー消費がカルダシェフ・スケールでタイプ０・７文明に相当するといったのはこれを踏まえている。[8] １、２世紀以内に、新しいエネルギー技術によっておそらく新たなタイプⅠ文明が地球上に生まれるだろう。

タイプⅡ文明

カルダシェフ・スケールの分類によれば、タイプⅡ文明はタイプⅠ文明の１００億倍のエネルギー、約10の27乗ワットを利用できる。この数字は、その太陽系の恒星から届くエネルギーの大半にあたる。

これだけのエネルギー利用は、ダイソン球の建設によって成しとげられるかもしれない。ダイソン球は、太陽光パネルをつないだ太陽系に相当する大きさのネットワークで、恒星からのエネルギーの大半を集めることができる。このアイデアは１９３７年に小説家のオラフ・ステープルトンによって提案され、１９６０年に宇宙物理学者のフリーマン・ダイソンによって厳密な研究がなされた。

このアイデアがすばらしく思えるのは、もしダイソン球がすでに存在しているなら、それが放射する赤外光によって検知することが可能かもしれないからだ。[9] ダイソン球が検知されれば、それは恒星系のスケールで存在するまったく新しいタイプの複合体であることになる。

タイプⅢ文明

カルダシェフ・スケールのタイプⅢ文明は、銀河系スケールを持つ複合体である。

これらの文明はさらに１００億倍のエネルギー、10の37乗ワットを利用できる。このことは、この複合体が銀河系全体のスケールでエネルギーを集められることを意味する。ホーグの天体のように奇妙な輪の形をした銀河はダイソン球に相当するのではないかと推測する人もいる。このような物体は一種の銀河の管理術によって建設されたものであり、多くの恒星系を刈り込んだり除去したりすることによって、銀河系のコアと人が暮らす恒星系の外側の輪とのあいだに隙間を作る。おかげで外側の輪で暮らす文明はコアから出るすべてのエネルギーを使うことができる。

宇宙物理学者のミチオ・カクは、「スター・トレック」シリーズの惑星連邦はタイプII文明で、「スターウォーズ」シリーズで銀河系のほぼ全体を植民地化した銀河帝国はタイプIII文明に近づいていると指摘する。[10]

カルダシェフの分類は、私たちの子孫が達成する技術レベルと、彼らが作るかもしれない新しいタイプの複合体についてどう考えるべきかを教えてくれる。だが、現在までのところ、私たちの子孫が次の1000年以内に他の恒星系に到達する見込みはほとんどない。したがって、3000年には、どれほどテクノロジーが進んでいようと、私たちの子孫はタイプI文明の技術レベルにとどまっているだろう。

ナノテクノロジー：微小な機械

ナノテクノロジーには多くの有望な進展がある。機械を分子スケールで作ったりするのだ。ナノテクノロジーの世界では、機械の多くは大腸菌くらい小さい。物理学者のリチャード・ファインマンは、1959年に「スケールのいちばん下にはまだたっぷり余裕がある」と題する講義でこうしたテクノロジーを予測した。[11]

その後、ナノテクノロジーは開花した。現在、コンピュータチップはあらゆる場所に使われている。私たちはいまや原子を一個ずつ動かすことができるのだ。

未来学者のジョン・スマートは、今日、大半の重要な技術革新は量子コンピュータからカーボンナノチューブのような新規な材料、改良された電池、超伝導の進歩、核融合技術、遺伝子操作までナノスケールで起きていると主張する。[12]

生物学者はすでに、人間の体内に入り、病変部まで移動して治療を施し、その後細胞内のタンパク質のように自身を分解するナノボットの可能性について考えている。

やがて多くの機械が目に見えないほど小さく安価になるので、私たちはコストをお金やエネルギーで考えなくなる。

ナノテクノロジーの賛同者は、数世紀のうちに私たちの子孫はすばらしい能力を有するが、きわめて安価で生態学的な影響がまったくない機械を日常的に作っているだろうと期待している。[13]その頃までには、製造過程はもはや工場ではなく携帯3Dナノプリンタでおこなわれ、このプリンタは今日のコンピュータと同じくどこにでもある日常風景の一部になっていると想像できる。

ナノマシンは私たちの周辺のあらゆる場所にあり、私たちの体内にもたくさんあるだろう。ナノ製造は地球から離れたコロニーでは重要な役割を果たすと思われる。

人工知能

人工知能（AＩ）とロボットはもっと革新的かもしれない。[14]

21世紀初頭、私たちの周りにはすでに機械、自動車、兵器、電話があり、これらのものは考えようによっては私たちより格段に賢い。正確に計算できるし、大量の情報を解析できる。

２０２０年には、世界総人口の約半分が携帯電話を所持していて、そのどれもが１９６９年にニール・アームストロングが乗った月面着陸船より計算能力がはるかに高かった。着陸船の記憶装置の容量はわずか64キロバイトだったのだ。

ＡＩの開発は一般に考えられていたよりゆっくり進んだ。非常に賢い機械でも、人間なら当たり前にできることをできない場合があると判明したからだ。機械は常識に欠けるものだが、それは杓子定規な論理しか知らないからだ。パターン認識も得意ではない。

これらの問題は「ディープラーニング」によって学ぶことを教えれば今後の数十年で克服できるかもしれない。コンピュータはすでにチェスや碁の試合で人間の世界チャンピオンに勝てるほどに自己学習をしている。これらの機械は完璧を目指さず、ただ計算するだけでもない。生物と同じく経験から学ぶことができる。自分と対戦し、成功した戦略を記録するのだ。これは洗練された未来思考といわねばならない。コンピュータがどんな戦略を使っているのかトレーナーにはわからないこともままあるという。

ＡＩ研究における大きな問題は、スマートマシンが私たちより賢くなったときこれらの機械を制御できるかどうかにある。スマートロボットが古代ローマ時代のスパルタクスの奴隷蜂起のような反乱を起こし、私たちの子孫を奴隷にしたり殺したりするというのは恐ろしい考えである。トビー・オードの推測（第８章の表８・１を参照）によれば、これが人類存亡の危機につながる1つの道筋だ。

１８６３年という早期に、イギリスの作家サミュエル・バトラーがこう書いている。

「私たちは自らを継ぐ者を創造している。機械にとって人類は、かつてウマやイヌが人類にとってそうであったものになるのだ[15]」

とりわけ恐怖を覚えるのは、ロボットの革命は始まったが早いか数ナノ秒で終わるという考えだ。哲学者のニック・ボストロムは著書『スーパーインテリジェンス』（日本経済新聞出版社）で、ペーパークリップを製造するコンピュータのネットワークが、飽くことなき単純さで仕事を遂行する様子を思い描いている。このコンピュータはやがて地球全体、さらには宇宙の大部分をペーパークリップで埋めつくしてしまう[16]。あらゆる生物の目的意識（生存と繁殖）と比べて、コンピュータのそれがいいのか悪いのか、証明できるものだろうか？

私たちは、ロボット工学とＡＩ研究が軍事を念頭に進められていることが圧倒的に多い現状に懸念を抱くべきだ。軍事ロボットは人を殺すようにデザインされている。ロボット兵、ミサイル、ドローンが非常に堅固な鎖にずっとつながれていますようにと祈るしかない。

暴力的なロボットによる反乱などのシナリオは、テクノロジーが私たちを破滅させることも救うことも可能だと気づかせてくれる。だが私たちに賢いマシンを制御できるのであれば、マシンは惑星の操作やよりよい未来の建設に欠かせない役割を果たしてくれるだろう。

私たちはすでにコンピュータやロボットと強力で広範囲にわたる協力関係を結んでいて、それは「モノのインターネット」として知られることになった。

いつの日か、賢いマシン（自動運転車や義肢を含む）は持ち主の思考を読めるようになるかもしれない。私たちの思考に反応するインプラント（体内に埋め込むデバイス）はすでに現実のものとなっている。１９９８年、麻痺《まひ》のある男性の脳に埋め込まれたインプラントが男性の思考に反応してコンピュータを操作することをはじめて可能にした。同様のインプラントは車椅子やエクソスケルトン（外骨格）の制御に使うこともできる。[17] 体内埋め込み型の小さな太陽光パネルを電源としたスマート衣料は、天候の変化に応じて手触りや厚みを変えられるようになるだろうか？

賢くて有用だがあまりに小さくて目に見えないマシンにあふれた世界は、数世紀後には日常の風景になっているかもしれない。多くの人にとってこれらのマシンの働きは、あらゆる古代社会の人々につきまとっていた目に見えない魔法のように思えるだろう。

トランスヒューマニズム：人間を改造する

新しい医学、生物学、遺伝学のテクノロジーは人もモノも変えるだろう。３０００年の世界を訪れたら、そこで出会う人の多くは彼らが使っているテクノロジーや住んでいる都市と同じように奇妙に見えるだろう。

20世紀後半、私たちはゲノムの働きを学んだ。今ではクリスパーのようなゲノム編集テクノロジーを使って、生物のＤＮＡの遺伝子を個別に改変する知識を持つ。

宇宙物理学者のフリーマン・ダイソンは、こうした技術は新たな生物や無生物すら製造するために使われるだろうと予測した。[18] 人工肉を作れるようになれば、現在食物として扱われる動物の生活が変わり、私たちはさまざまな種と寛容で思いやりのある関係を結べるだろう。家屋、街灯、自動車を生物学的に成長させられるようになれば、村、町、都市の外観も変わる。今日のコンクリートの塊のような都市は、無数の菌類の集まりのように見えるフラクタル図形のようになるにちがいない。[19]

新しいバイオテクノロジーによって、私たちはコンドルセが夢見た人体の改造と寿命延長に一歩近づく。すでに多くの種の遺伝子を改変できるようになっていて、ヒトの遺伝子の改変が広く行われていないのは倫理の壁があるからにすぎない。

それでも現時点で、すでにヒト胚の遺伝子編集が行なわれている。遺伝子工学によって、おそらくは人工子宮で成長し、強化された脳を持ち、遺伝子異常がない初のヒトの赤ちゃんの誕生を目にするまであとどれくらいだろう？　３０００年までには、そのような医療は今日眼鏡をかけたり補聴器をつけたりするのと同じくらい一般的になっているかもしれない。

だが、そうしたテクノロジーが悪用される可能性を否定できるだろうか？　たとえばオルダス・ハクスリーの『すばらしい新世界』（光文社古典新訳文庫ほか）のクローンのように、下層民を大量に作ってエリートに奉仕させようと考える輩《やから》が出てこないといえるだろうか？

トランスヒューマニズムという近代の思想は、私たちの身体のエンハンスメント（強化）を歓迎すべきトレンド、おそらくはヒトの未来の主要なトレンドと見なす。この考えを支持するトランスヒューマニストは、ヒトの肉体的および知的能力を強化し、ヒトの身体が経験する大半の肉体的および心理的な不快感を取り除き、限りなく延命し、機械となめらかに融合させるサイバネティクス、生物学、遺伝学による改変を心待ちにしている。

ナターシャ・ビタ＝モアはトランスヒューマニズムの目的の一部を次のように列挙する。

トランスヒューマニズムの核心には、寿命は延長すべきで、老化は反転すべきであって、死は不可避なものではなく選択の問題だという信念がある。またトランスヒューマニズムは、人間の意思決定を助けるために人工知能を利用することが可能で、ナノテクノロジーが環境問題を解決し、分子製造が貧困を過去のものとし、遺伝子工学が病気を予防すると主張する。[20]

1962年に作家で哲学者のスタニスワフ・レムは、仮想現実デバイスが私たちの脳と正確につながっていて、もはや現実世界と仮想世界の区別がつかない世界を想像した。30年後、レムはこのような世界を実現するために必要なテクノロジーはほぼすでにあると結論づけた。[21]

私たちはいずれ、コンピュータか強化されたアバターの身体に記憶をアップロードし、ヒトの身体から完全に抜け出すのだろうか？　現在、家から家へ引っ越すように、身体から身体へ移動するのだろうか？　あるいは、他人と意識を直接共有するだろうか？　今日のUSBメモリに匹敵するデバイスによって知識を生徒の脳に挿入することで教師が不必要になる教育を想像できるだろうか？[22]　犯罪者に脳の改変という処罰を科す司法制度を想像できるだろうか？

こうしたアイデアには嫌悪感を抱く向きもあるだろうが、どれも絶対に現実にならないとはいい切れない。ここ1、2世紀に起きた急速な医学の進歩が続けば、3000年には多くの人々が数百年も健康に生きられ、今日なら超人とみなされるような能力を発揮するかもしれない。

これが、私たちが種として多くの亜種にゆっくり枝分かれしていく過程の始まりになる。数世紀もすれば、それぞれに異なる特殊なエンハンスメントを経た、多様な人間、サイボーグ、トランスヒューマンが出現するかもしれない。現代を生きる私たちにとって、そのような人間に出会うことは間違いなく不快な経験だろう。

ここで触れたテクノロジーの大半についてはその初期のバージョンがすでに存在し、一部は現実のものとなっている。しかし3000年になれば、現在では想像もつかないような多様なテクノロジーが出現しているだろう。蘇ったキケロが頭を抱えそうなスマートフォンと同じくらい、ついていけないテクノロジーだ。

宇宙移民

生物学的な多様化は他の天体や惑星への移住によって加速する。古代における人類の強力なトレンドだったグローバルな移住の例を考えれば、私たちの子孫の多くは今後数世紀で他の種を連れて宇宙に進出すると自信を持っていえる。目的地に到達したら、彼らは新しい意識を持つ惑星を、一種の「発芽」過程——意識を持つ惑星の繁殖法——によって作り出すだろう。

太平洋史の研究者ベン・フィニーは次のように記す。

私たちは探検と移住をする動物として進化した……私たちの祖先はテクノロジーを開発することによって故郷の熱帯から拡散し、もともと生物学的には適応できないはずだった多様な環境で生き延びてきた。宇宙への移民、そこでの暮らしとメンテナンスに必要な輸送手段、生命維持、その他のシステムの開発は、私たちの地球上での行動の延長であり、それからの根本的な逸脱ではない。[23]

フィニーによれば、ポリネシア人の太平洋移住は、未来の太陽系移住のわかりやすいアナロジーだという。ポリネシア人の移住成功は、太平洋への飛石となる群島の存在にかかっていた。

宇宙移民では、太陽系の多くの惑星、衛星、小惑星がその役目を引き受ける。[24] またポリネシア人の移住と同じように、未来の太陽系移民の成功は、新しい宇宙航行テクノロジー、新しいタイプの宇宙船、そして長く危険な宇宙の旅に喜んで参加し、新たな環境に適応する人々の存在にかかっているだろう。だがポリネシア人とちがって、現代の人間は自分たちの前に探査ロボットを送り込んでいる。人工物をはじめて宇宙に送り出してからというもの（１９５７年の人工衛星スプートニク）、私たちは何百という人工衛星を太陽系の未知の部分に送り込み、うち２機の衛星ボイジャーはすでに太陽圏を離脱した。

1世紀のうちに、何千人もの人が月、火星、小惑星の採掘コロニーにすら住んでいるかもしれない。どの人も重労働、建築、メンテナンスに必要なロボットと３Ｄプリンタを携えていく。ポリネシア人がニワトリ、ブタ、ラット、タロイモ、ヤムイモ、バナナを相棒に選んだように、他種の動植物も大切な道連れなのだ。他の惑星に連れていく種は、異なる重力と大気に備えて遺伝子が改変されているかもしれない。

月や火星に恒久的な定住地を建設する過程はきわめて困難でコストもかかる。多くのコロニーは定住に失敗するだろう。しかしそれは不可能な試みではない。諸々の条件は地球上でもっとも過酷な環境に輪をかけて過酷だ。それでも新しい土地を目指して海をわたった最初のポリネシア人移住者とちがって、私たちはあらかじめロボットによる探査で得た大量の情報と新たなテクノロジーという光り輝くツールキットとともに目的地に着くのだ。
数世紀かけて、コロニーが私たちの太陽系の衛星、惑星、小惑星、そしてとくにこのために建造された小惑星ほどの大きさの宇宙船に建設される。地球上にある工場などの施設の多くも宇宙に移設されるかもしれない。
２０２１年にはじめて宇宙旅行を楽しんだアマゾンの共同創業者にして取締役会長のジェフ・ベゾスは、こう述べた。
「これから私がいうことは絵空事に聞こえるかもしれない。だが、実際に起きるだろう。すべての重工業と公害を出す産業を地球外に移設し、宇宙で操業すればいいのだ」[25]
地球上におけるはじめての移住者と同じく、太陽系内の別の場所に移住する人々も新しい環境を暮らしやすく変えようとする。テラフォーミングは保護されたシェルターや地下居住区などから控えめに始まる。やがてコロニーの住人は地形を変え、海を作り、呼吸できる大気を生み出す。ＳＦ作家キム・スタンリー・ロビンソンの「火星３部作」は、火星のテラフォーミングを描いている。だが2、３世紀以内に多くの人が火星の大気のなかで呼吸できるようになるというのは、やや楽観的にすぎよう。
新たな土地を作り変えるのと同時に、惑星間移民は自分自身も文化的、生物学的に作り変える。地球外でずっと暮らす人は地球と人類を新たな目で見るようになり、新しい政治体制、文化規範、テクノロジーを進化させる。異なる大気組成、大気圧、食事、新たな概日リズム、宇宙空間の長期にわたる厳しい旅に適応するにしたがい、彼らは生物学的に変化する。また地球上では見慣れたものになったトランスヒューマニズムのテクノロジーを使って自身を改造する。[26]
開拓期が終わると、惑星間移民は人類史における新たな時代に入る。20世紀に始まった短いが危険な時代がようやく終わりを告げる。20世紀には、人類は１つの惑星に住んでいたが、故郷である惑星を破壊する力を持っていた。このボトルネックの時代に、人類系統はもっとも絶滅の危機に瀕していた。地球を離れて宇宙に飛び出せば、個体は死んでも生物学的な繁殖によって生物種としての存続が可能になるように、人類系統が数十万年あるいは数百万年存続する可能性は高まるだろう。

次の1000年が終わる前に、数十年か数世紀にわたるロボット探索の末に、私たちの子孫は他の恒星系に向けて出発するかもしれない。

その時、私たちの太陽系にある天体群、オールト雲のなかの彗星を飛石に使うことが考えられる。彗星の一部は惑星形成期においてもっとも近いケンタウルス座アルファ星までの中途まで跳ね飛ばされたため、私たちの太陽の重力にさほど大きな影響を受けない[27]。地球上にはじめて誕生した生物ができて間もない海に身を落ち着けたように、私たちの遠い子孫はこの銀河のほぼ全域に住むようになるかもしれない。

恒星間移民は、宇宙船の推進テクノロジー、持続可能な環境を維持するテクノロジー、数世紀にわたって人類（あるいはポストヒューマン！）を冬眠状態に維持するテクノロジーなど、まだ想像すらされていないようなテクノロジーに依存するだろう。

恒星間移民の成功は、帰ってくる可能性がないに等しい、長く危険な旅をしようという人々の存在にかかっている。宇宙船がケンタウルス座アルファ星に到達するには、光速の1パーセントの速度で航行しても400年以上かかる。

しかし到達した場所から同じ速度で広がっていけば、天の川銀河内のあらゆる恒星系に1億年以内に定住できる。1億年といえば、地球上を恐竜が闊歩していた時代からの時間より少々長いだけだ[28]。

地球からの移住者は他の生命体に出合うだろうか？

出合うだろうという観測が20世紀後半に高まったようだ。宇宙にどれほど惑星が多く多様であるか、アミノ酸など生命体を作るのに欠かせない分子の星間雲がどれほど広大か、そして地球上の生物がどれほど多様な条件で生存できるかがわかってきたからだった。[29] 数十年後には、近くの太陽系外惑星の大気、そして生命の存在について十分なことがわかるだろう。

だが、複雑で知性を持ち何らかの集団的学習のできる生物と接触できる可能性となるとぐんと低くなる。考えてみれば、地球上で多細胞生物が繁殖するのに30億年以上かかったのだ。それに、知的生命体からのメッセージを求めて60年以上空をスキャンしてきたが、一度も発見されていない。

仮に私たちのように集団的学習することのできる知性を持った生命体がいたにしても、おそらく互いにあまりに離れているし、生物学的、神経学的、技術的なちがいは大きいだろう。直接会っても、互いの技術レベルがぴったり合うことはあまりありそうにない。

私たちよりはるかに進んだテクノロジーを有する経験豊かな旅人に遭遇する可能性の方が高い。私たちは新米の移民で、技術の差は私たちに不利なはずだ。これが劉慈欣《リウ・ツーシン》によるすばらしいSF、『三体』3部作（早川書房）の中心テーマだ。このシリーズでは、地球がケンタウルス座アルファ星からの攻撃を受ける。もちろん、「私たちが科学的な興味から野生動物を国立公園で保護する」ように、私たちのような種を熱心に保護しようとする文明に遭遇することもないとはいえないだろう。[30]

この先1000年のシナリオ

次の100年についてしたのと同じように、次の1000年のシナリオを想像してこれらの可能性から物語を編むことができる。

1000年は長い時間だ。さまざまなシナリオが異なる時代や地球の異なる地域やコロニーで幾度も

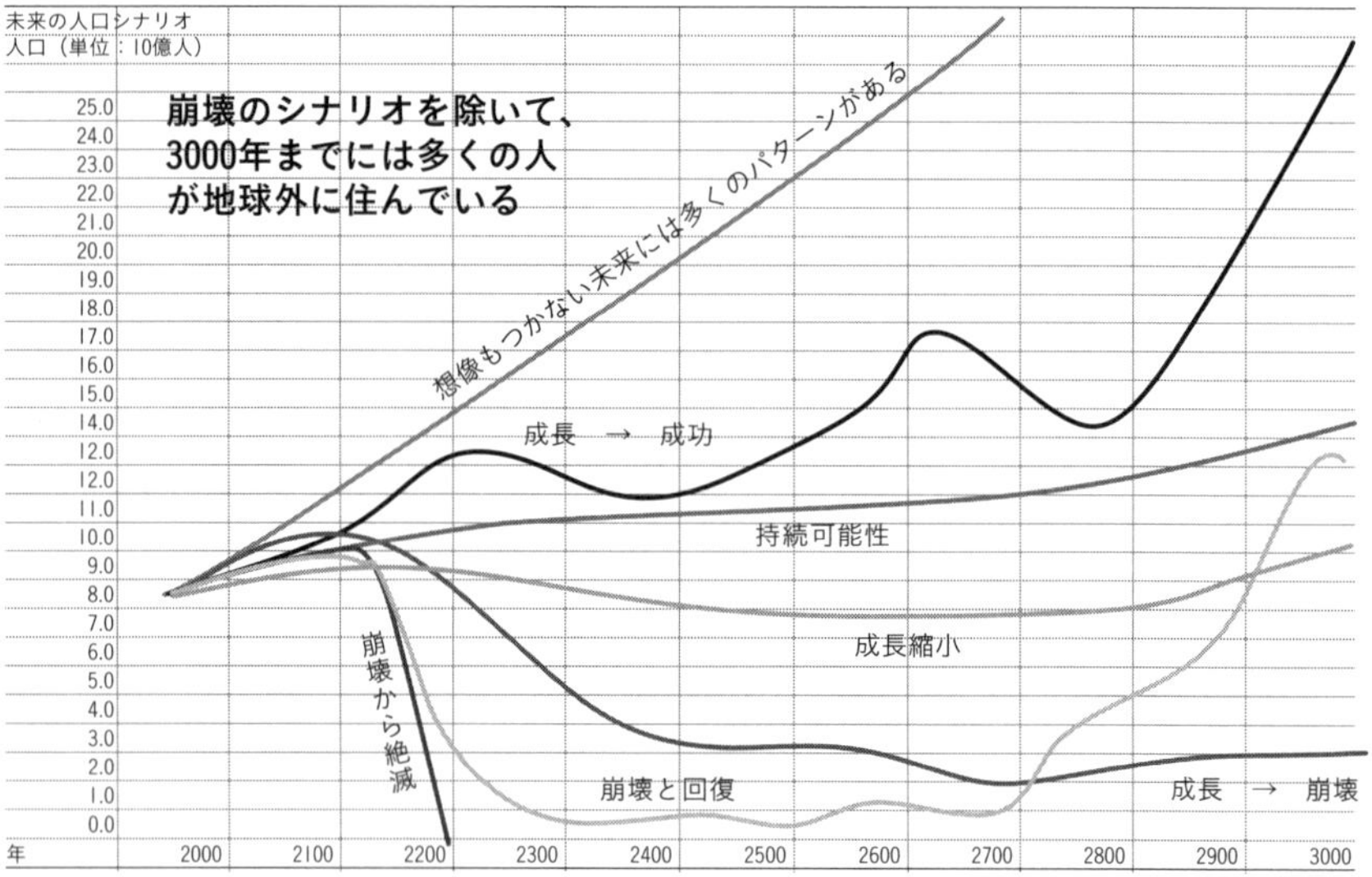

図9.1　異なる４つのシナリオ（成長、持続可能性、成長縮小、崩壊）における次の1000年の人口

繰り返されるほどに長い。１０００年前あるいは２０００年前のキケロの時代を振り返ると、この時間のスケールが感覚的にわかるだろう。そこで、起こりうるシナリオを、前章と同じく「崩壊」「成長縮小」「持続可能性」「成長」のグループに分けようと思う（図９・１）。

シナリオ①：崩壊

極端な崩壊のシナリオは人類史の終焉を意味する。これが起きる可能性は「ボトルネック」の次の数世紀ではかなり高い。カール・セーガンは、私たちが自身を絶滅に追い込む可能性があるこの期間を技術的な青年期と呼んでいる。[31]

実際のところ、これからの数世紀で人類存亡の危機は高まるばかりになるかもしれない。もし私たちが絶滅することがあるとすれば、それが私たち自身のせいであることはまず疑う余地がない。私たちの破滅は、能力不足、理念の欠如、協力できない性質、技術の偏重、自分たちに制御できない新しい力の創造などがその原因だろう。

より悲惨でないシナリオでは、部分的あるいは地域的な破局が起きて、その後数世紀かけてゆっくりと回復に向かう。たとえばローマ帝国の滅亡級の深刻な破局のあとでは、回復に次の１０００年近くかかるだろう。生産性が低下し、人口が数億人に減少し、大半の人は最低限に近い生活水準で暮らす。だが中世の城のように裕福な区域がどこかに残されているかもしれない。

ウォルター・Ｍ・ミラーによる１９５９年のＳＦ小説『黙示録３１７４年』（創元文庫）は、「火焔異変《かえん》」として人々に記憶されている核戦争のあと数世紀にわたって出現する新たなテクノロジーを追う。やがて（ネタバレ注意！）、より近代的なテクノロジーが再発見される。そのなかには核兵器もあり……ふたたび核兵器が使用されて新たな火焔異変が起きる。

私たちが現在テクノロジーの限界近くにいるという可能性はあるのだろうか？　ハルマゲドンのテクノロジーが完成すれば、それはかならず使用されるだろうか？

これがコンドルセを落胆させ、マルサスに一種の暗い満足を与えた考えだ。このシナリオは私たちが知性ある宇宙人に遭《あ》ったことがない理由を説明してくれる。ことによると、私たちは本当に宇宙で唯一の存在なのかもしれない。はたまた、集団的学習をすることができるすべての知性ある生命体は、かならずボトルネック時代に直面し、存亡の危機にさらされ、何をどうしようが存続できないということも考えられる。私たちのような種は宇宙に生まれ出ては消える銀河のホタルのようなものなのだろうか？

ミラーが描いた結末は悲観的すぎると思いたい。人類はなかなか学習しないが、数世紀にわたって訓練すれば自分たちと地球を一定のスキルで操作できるようになるというシナリオも想像できよう。ひょっとすると、私たちの子孫は何世代にもわたって崩壊、戦争、再生を繰り返し、その過程で政治的スキル、協力の精神、地球を良好に操作するために必要な新たなテクノロジーを獲得するのではないか？崩壊シナリオのこのバージョンでは、私たちの子孫は３０００年までに惑星をうまく操作できるようになっているかもしれない。

他の妥当なシナリオはより楽観的だ。これらのシナリオが描く未来では、人類は惑星操作をすみやかに学習し、時間の経過とともにさらに有能になる。かなり効果的なグローバルガバナンスが生まれ、サイバネティクス、生物学、遺伝学による改造のおかげで人類の健康が増進し、寿命が延び、おそらく人類の新たな亜種が誕生する。テクノロジーのイノベーションが持続し、人類の創造性によって多くの新たな生き方が生まれる。これらすべてのシナリオで地球を飛び出して暮らす人々が出て、ボトルネック時代が終焉を迎える。

シナリオ②：成長縮小

成長縮小のシナリオでは、大半の社会は21世紀初頭の豊かな社会に比べて禁欲的で、消費礼賛の傾向がない。３０００年ですら、物質的な生活水準は現在よりさほど高くないかもしれない。だが成長縮小のシナリオは、おそらく大規模な危機のあとでほんのときたま世界の一部に生まれるのみのようだ。あるいは、たいてい過酷な条件の地球外のコロニーで生まれるということなのかもしれない。

シナリオ③：成長

成長シナリオは競争原理を基本とした資本主義の手法によって持続する。これまで見てきたように、これらのシナリオのおもな危険性は、消費や資源の使用が際限なく増加して起きる生態学的な問題が過小評価される点にある。

だがこれらのシナリオが成功した場合には、めくるめくような新たなテクノロジーが生まれ、現在人類を悩ませている環境問題の多くが解決し、これまでにない物質的な豊かさに恵まれた社会が実現する。

それでも、このタイプの成長を実現する資本主義のエンジンはより不平等な世界を作り出し、異なる「国家」や地域内、または異なる「国家」や地域間で重大な不安定と紛争が起きる。

また持続可能性より成長を重んじる社会では、生物多様性の減少が起こりうる。アーシュラ・ル＝グウィンの『所有せざる人々』（ハヤカワ文庫）に登場する二重惑星の2番目の惑星ウラスが、やや退廃的な成長シナリオのモデルになってくれるだろう。

シナリオ④：持続可能性

持続可能性のシナリオでは、21世紀初頭の人々が心に思い描いたグローバル・ユートピアに近い社会が建設される。

私たちの子孫は、惑星と生物圏を操作する長期の試練にすみやかに対応する。地球の気候は数世紀にわたって今日より温暖化し、生物多様性は回復するにしてもきわめてゆるやかに遠い過去のレベルに戻る。もっとも楽観的なシナリオでも、人類は地球の資源をあまりに独占的に使用しつづけるからだ。だが他種の絶滅率は安定化する。温室効果ガスの濃度が注意深く監視され、地球外のコロニーで暮らした経験によって、私たちの子孫は生態系を守るためのルールと資源の限界をわきまえることの大切さを、身に染みてわかっている。

持続可能性のシナリオでは、1000年後の地球上の人口は今日と同じか減少するかもしれない。ただ人類の総数は増える。多くの人が地球外のコロニーで暮らすからだ。

大半の人は長く健康な人生を送る。生物学的なエンハンスメントを受けた人、クローンや遺伝学的なエンハンスメントを受けた人も増加する。

貧富の差は少なく、地球上に暮らす人、快適な地球外のコロニーで暮らす人の大半では、物質的な生活水準はどちらも今日より高いが、その差はさほど大きくない。なぜなら今日の消費礼賛《コンシューマリズム》の傾向はかなり以前から放棄されているからだ。

3Dプリンタの進化版が当たり前になり、新しい臓器、新しいガジェット、新しい家屋、新しい自動車を現代人が文書を印刷するより簡単にプリントできる。

多くの機械がスマート化され、小型になる。ナノマシンが私たちの身体の老廃物を除去し、がん細胞を監視し、ビタミンや医薬品を投与し、海洋や大気から温室効果ガスを除去し、宇宙空間にとどまって宇宙船や地球外のコロニーのメンテナンスに貢献する。どのナノマシンにも電源がついている。

町、都市、地球外のコロニーにある物体や建造物の多くは有機物質の成長によって作られているため、現在では直線やブロック状であるものが曲線と柔らかい手触りに取って代わられている。

いちばん魅力的な持続可能性のシナリオでは、効率的だが権威主義ではないグローバルなガバナンス体制が確立されているが、多くの権力が地域や地元レベルに移譲されている。

消費の成長は緩慢で、知識、科学、創造性の成長には目を見張るものがある。

芸術は今日では想像もつかない形態と媒体で豊かさを増す。

社会は停滞するということがなく、多くの異なるイノベーションが多様で新たな生活様式、思考法、社会形態を形成する。

地球外のコロニーにおける需要によって宇宙空間での輸送や通信のための新たなテクノロジーが開発され、地球外のコロニーの厳しい生活は地球上の生活様式、ファッション、道徳面に影響を与える。

実際に起きる未来は、これらすべてのシナリオの要素を組み合わせたものになるだろう。極端な結果――完全な崩壊やユートピア的な成功――はありそうにない。より現実味のある未来では、異なるシナリオの要素が異なる地域や期間で実現している。そのような未来を形成するのは、今日では想像もつかない方向に私たちを導く予測不可能な偶然（いい場合も悪い場合もある）、気まぐれな災害、突然の技術の進歩、異様な破綻などだ。

遠い未来の人類系統

もしボトルネックの数世紀をやりすごすことができれば、私たちの子孫は数十万年（私たちがこれまで存続してきた時間）あるいは数百万年にわたって存続するだろう。

こうしたスケールで未来について推測していると、現実のSF愛好者が「スペースオペラ」と呼ぶものに出くわす。キム・スタンリー・ロビンソンはそれについてこう語る。

「銀河を突っ走っていたら、物理法則がとても緩やかになった」[32]

アイザック・アシモフは『ファウンデーション』シリーズ（ハヤカワ文庫）の舞台を5万年先の未来、銀河に散りばめられた何千もの共同体という想像の世界に設定した。恒星系間に広がるとほうもない距離を考えるなら、光速またはそれを超える速度で航行する方法（現時点ではきわめて難しいように思える）を発見しない限り、人類全体にとって集団としての未来はないだろう。異なる恒星の周辺では異なる未来のシナリオが繰り広げられ、現在では想像もできないようなシナリオもあるにちがいない。

「人類」という言葉が何を意味するかもすでにわからなくなっているだろう。トランスヒューマニズムのテクノロジーや異なる環境への適応によって、人類は多くの亜種に分岐すると思われるからだ。それが起きれば、約5万年前に始まった、人類が1種しか存在しなかった人類史上の短い時代が終わる。

惑星、衛星、あるいは銀河の異なる区域で多くの異なる恒星の軌道上を周回したり恒星間を運行したりする人工衛星上の多様な環境に定住するにつれて、私たちの子孫は生物学的、技術的、文化的に多様化する。カルダシェフのモデルによれば、技術的にいちばん発達した社会が恒星のエネルギーの大半を支配する可能性が高い。そのような社会は、私たちには想像もできない目的のために、私たちには思いつかないようなテクノロジーを使うことができるのだ。

集団的学習の長いトレンドは間違いなく続くだろう。私たちの子孫は情報を交換し、新たなテクノロジー、環境を制御し移動する新たな方法、新たな生活様式、そして新たな形態の娯楽、芸術、精神性を見つけるだろう。

交易ネットワークは恒星系のあいだに張りめぐらされるだろう。これによってアイデア、生活様式、テクノロジーの共有、さらに人類系統の文明のすばらしい多様性が担保される。

私たちの子孫はいつか他の銀河に旅するかもしれない。移動の途中、彼らはやはり集団的学習の能力を有する他種と出会い、交易し、戦い、交雑さえするかもしれない。そのとき、単一の均質な種が単一の惑星で暮らす人類史上の現時点は、遠く夢のような過去の一瞬に思えるだろう。

このようなトレンドが、遠いポストヒューマンの未来に関するもっとも極端な推測の出発点となる。ミチオ・カクはカルダシェフによる未来文明の分類を発展させ、私たちが基本的な物理法則と考えるものを変えられる強力なタイプⅢ文明を想像する。おそらく、私たちの遠い子孫はこの宇宙が不快すぎたり、寒すぎたり、あるいは単に退屈だったりすると、他の宇宙への「ワームホール」を作って空間と時間を変えるだろうというのだ。

　１９７９年の有名な論文「終わりのない時間」で、フリーマン・ダイソンは次のように述べる。もし生命が地球上でそうだったように存続して進化しつづけるなら、「生命が取る物理的形状に限界を設けることは不可能である」[33]。生命と意識は血と肉を捨て去り、機械に入り込んだりもっと奇妙な形態になったりする。

　ダイソンが想像した1つの可能性は、エイリアンの存在を主張する天文学者でSF作家フレッド・ホイルによる１９５７年の小説『暗黒星雲』（法政大学出版局）に関連して述べた生命体だ。この生命体は、帯電した固体微粒子《ダスト》の構造化された雲からできていて、深宇宙に住んでいる。

　これほどの進化による変化は、そこが冷えつつある老いた宇宙で、自由エネルギーはほとんどなく、液体の水となるとまったくないにしても、生命が何十億年でも星間空間で生存できることを意味するのかもしれない。おそらく、そのような宇宙では、生物はより緩慢に生きるために長い時間を冬眠状態ですごすのだろう。

　もちろん、ここで述べてきたことは推測の域を出ていないので、私たちはまんざら荒唐無稽な話でもなさそうだというしかない。だがこれらの推測がほんのわずかでも妥当であるならば、それは集団的学習という能力を持つ人類の誕生がいかに画期的なことだったかを、私たちに気づかせてくれるのだ。それがこの宇宙のどこで、いつ起きたのだとしても。

第10章

遠い未来
——さらに先へ

バッテリーが切れそうだ。それに暗くなりかけてきた。

——ジェイコブ・マーゴリス、ジャーナリスト、2019年2月2018年6月10日に火星探査機オポチュニティから送られてきた最後のメッセージの詩的なバージョン[1]

遠い未来の明らかな特徴

この最終章では私たち人類の系統の未来から、地球、太陽、銀河、そして宇宙全体の未来へと話を移そう。最後に、138億年前のビッグバンから始まった叙事詩の結末について推測してみよう。

今、私たちはB系列時間とブロック宇宙の広大な4次元地図を、本気で神々の視点から見ようとしている。私たちの努力は例によって不確かな推論だが、それでもときには次の数世紀や次の1000年よりはるかに遠い未来の方がはっきり見える、という気味の悪い思いをすることがある。そして、そのぼんやりした光景が何か重要で驚くべきことを告げようとしているように思える。つまり、私たちは時間の始まり近くにいるということだ。私たちの宇宙は若く、物語はこれから紡がれるのである。

私たちは遠い未来とは何も私的なつながりがなく、重要な影響を与えることもできない。ところが、遠い未来を想像するほうが、前章の中程度の未来を想像するよりたやすいというのはどうしたことだろう？

それは遠い未来の地図はおもにかなり規則正しく機械論的な過程によって決まるので、私たちのような目的意識を持つ生物の予測不可能な行動について心配しなくていいからだ。惑星は秩序ある動きをする。銀河にしても、宇宙全体にしても、目的意識を持つ生物の予測不可能な行動を無視するならばそのように思える。

本章では、機械論的で、規則正しく、永遠にも思える大きなトレンドを見つけ、それをある程度の確信を持って遠い未来へ外挿しようと思う。宇宙論者は、宇宙全体の進化にもトレンドがあり、それを時間の終わりまで外挿することは妥当であるという。

もちろん、私たちの確信に根拠はない。あらゆる予測は明日の発見によって笑止千万と切り捨てられ、今日は妥当であると思えたものも20年後には失笑を買うかもしれないのだ。

惑星と銀河の未来

そこでは私たちの子孫は端役になる

目的意識を持つ生物はきわめて大きなスケールにおいても果たすべき役割がある。数百万年にわたって、私たちの惑星上の種とその気候および海洋系の組み合わせは、おもに人間の活動によって決まるだろう。
21世紀初頭までには、地球上の生物量はおもに森林伐採によってすでにおよそ50パーセント減少していた。人類が地球上で繁栄する限り、生物の多様性が完全に回復することは望めなさそうだ。[2]
人類の系統が他の惑星や恒星系に移住すれば、その影響は銀河のスケールで感じられるようになるだろう。また前章で論じたよりすばらしいシナリオでは、私たちの遠い子孫は銀河全体を操作し、私たちが今日知る物理法則を変える能力を獲得するかもしれない。しかし遠い未来のシナリオの一部では、私たちの子孫は端役になる。

超大陸「アメイジア」が誕生する

数億年というスケールでは、地質学的および天文学的過程が地球の未来を変える重要な力となる。[3]
プレートテクトニクスのトレンドは現在では十分に理解されているので、私たちは現在から1、2億年後の地球上の地理について相応の確信を持って予測することができる。[4]
プレートの大半は1年あたり数センチメートルの割合で一定の方向に動く。したがって地質学者は大陸と海洋がどう再構成されるかおおよそのところを予測できる。大西洋は広がりつつあるが、太平洋と地中海は狭まりつつある。だから南北アメリカ大陸が東アジア、東南アジア、オーストラリアと出合い、北アフリカとヨーロッパは消滅した地中海があった場所で合体すると思われる。およそ2億年後には、これらのトレンドによって現在の世界では散らばった陸塊が1つの新しい超大陸を形成するだろう。
すでにこの超大陸に「アメイジア（Amasia）」という名称を与えた人もいる。アメイジアは大きく拡張した大西洋に囲まれていることだろう。最後に存在した超大陸パンゲアは約2億年前に分裂し始めた。

したがって、大陸の再集合は数十億年にわたって続いてきたと思われる長い周期的なトレンドの一環なのだ[5]。

20億年から30億年後、地球のコアから放出される熱が減少するにつれて、プレートの動きが鈍くなる。プレートテクトニクスの活動が止まると、地球の地質構造は全体が固まったままになる。造山活動が停止し、大陸表面は浸食によってなめらかになり、風は遮るものがないので広大な平野を吹き荒れる。

太陽系の未来

地球と太陽系の長期的な運命は、私たちの故郷の恒星である太陽の進化によって決まる。太陽が私たちの太陽系の物質の99・8パーセントを占めることを考えればそれも道理なのだ。太陽を周回する惑星と衛星（地球の衛星である月を含む）は、ぼんやりした暈輪《ハロー》のようなものだといえよう。伝統的な宗教が、太陽を私たちが暮らす宇宙の一角の主《あるじ》と考えたのは確かに正しかったのだ。

他の恒星は私たちの未来にほとんど影響を与えないが、それは恒星間の距離が大きいからだ。太陽がグレープフルーツほどの大きさだと仮定すると（このとき地球は16メートル離れた軌道上を周回する植物の種ほどの大きさしかない）、いちばん近い恒星系（ケンタウルス座アルファ星という3重星系）でも約４３００キロメートル（４・４光年）離れている。この距離はニューヨークからサンフランシスコまでより少し遠い[6]。この程度のソーシャルディスタンシングは、私たちの太陽のように、高密度の銀河コアと低密度の外縁部のほぼ中間にある恒星に典型的である。

私たちの銀河内にある大半の恒星と同様、太陽と太陽系は銀河中心の周りを回っている。私たちの太陽系は45億年前に生まれ、これまでに無数の他の恒星とともに銀河を約20回周回してきていて、メリーゴーラウンドのように銀河面の上を通ることもあれば下を通ることもある。近くの恒星はときには私たちの太陽系に近づくが、近づきすぎることはない。

10億年に1、2度、私たちの太陽系は星間雲のなかを通過し、これによって宇宙の他の部分から届く光が数百万年にわたって遮られた。私たちの遠い子孫がそのような時代に生きていれば、彼らは私たちの太陽が宇宙に存在する唯一の恒星だと考えるだろう。

現在、私たちは銀河面近くにいるので、銀河の中心方向を見ると、私たちの視線は星間雲によって遮られる。だが1500万年後には、私たちは銀河面の上に来るので、まだ地球上に天文学者がいるとすれば、銀河バルジ（中央のふくらみ）がよく見えることだろう。[7]

地球に飛んできた物体：オウムアムアとボリソフ彗星

恒星間のソーシャルディスタンシングは、私たちの太陽系をとほうもなく広大な恒星と惑星の海に浮かぶ遠くの群島として想像できることを意味する。

最近、私たちは他の恒星系から旅してきた2つの一風変わった物体の訪問を受けた。その1つが、2017年に発見され「オウムアムア」（ハワイ語で遠くの先住民からのメッセンジャーを意味する）と命名された、奇妙なクッキーのような形の物体だ。これはおそらく別の恒星系との衝突によって冥王星のような惑星から欠け落ちたものだろう。[8]

もう1つの恒星間天体であるボリソフ彗星は、2019年にクリミア半島在住のアマチュア天文家によって発見された。どちらもとても速く動いていて、いずれ私たちの太陽系の重力から離脱すると思われる。天文学者がこの2つの物体は他の恒星系から飛来したと確信しているのはこの理由からだ。

太陽の未来

天文学者は進化の異なる段階にある異なるタイプの無数の恒星を研究してきたので、彼らは恒星の進化のおもなトレンドを理解している。したがって、私たちの太陽の未来についてある程度の確信を持って予測できる。[9]

あらゆる恒星と同じく、私たちの太陽は水素、ヘリウム、ダスト、氷の雲が収縮して形成された。高圧下で雲の中心が熱くなり、陽子どうしが融合してヘリウムの原子核を形成した。いったんこの反応が始まると、未融合の陽子が供給される限り太陽は燃えつづける。

恒星は、それを生んだガスとダストの雲、つまり星間雲の大きさがそれぞれに異なる。大きな星間雲では、重力によって高圧と高温が発生する。

このことは、大きな恒星は陽子を速く燃やして早く死ぬことを意味する。逆に、赤色矮星《わいせい》として知られる小さな恒星はゆっくり燃えて数兆年生きる。

私たちの太陽はその中間クラスの大きさだ。すでに45億年生きていて、おそらく今後もそれと同じくらい生きると思われる。

だが一部の人が指摘するように、カルダシェフのタイプII文明かタイプIII文明のテクノロジーを有する私たちの遠い子孫が太陽に手を加えることを学習し、その死を数十億年遅らすことができればその限りでない。[10]

そうでなければ、私たちの太陽の長期的な運命はいつ未融合の陽子が足りなくなるかにかかっている。時が経つにつれて、陽子がどんどん融合してヘリウムの原子核を形成し、それがコアに蓄積する。すると、私たちの太陽のような恒星はさらに大きく熱くなっていく。

現在、私たちの太陽は生まれたときより約10パーセント肥大していて、放出するエネルギーは約40パーセント増えている。[11] 地球上の生命はこの温暖なトレンドを生き抜いてきた。太陽放射が増加すると、地球の大気に含まれる温室効果ガスの濃度が減り、酸素などの非温室効果ガスの濃度が増えるからだ。この変化によって、地球の表面温度は海水が液体の状態にあって生命が繁栄できる範囲に維持された。

私たちはただ幸運だっただけなのだろうか？ あるいは、ジェームズ・ラブロックが主張するように、地球上で生命が生き延びるのに必要な条件を維持するために生物が手を貸してくれたのだろうか？[12]

ラブロックが正しいか否かはともかく、地球がずっと今日のように生命にとって優しいかどうかはわからない。実際のところ、最近の研究によれば、およそ10億年以内に、太陽放射の熱が大気中の二酸化炭素を分解するかもしれない。これが起きると、生命にとって大惨事となる。なぜなら二酸化炭素を取り込む植物が窒息し、植物が放出する酸素がなければ動物も窒息するからだ。[13]

30億年か40億年後には、太陽はさらに熱くなり、地球上の生命を生み出した海洋が蒸発する。太陽放射は水分子を水素原子と酸素原子に分解する。軽い水素原子は宇宙空間に逃げ出し、酸素原子は鉄などの物質と結合し、地球は遺棄された船のように錆びついていく。表面温度が１０００℃を超えると、サルバドール・ダリの絵画のなかの時計のように岩石が溶融する。地球は灼熱の不毛な金星のようになり、もっとも強靭な生命でさえ死に絶える。[14]

老いる太陽

40億年後、私たちの太陽にも衰えが見えてくる。ここまでは太陽は安定した固体の恒星であり、このことは地球上の生命にとって好都合だった。なぜなら人類を含めて生物は安定した天文学的なトレンドに依存できたからだ。

だが、陽子の供給が減るにつれて、太陽の様子がおかしくなってくる。核融合が緩慢になり、突如としてコアが崩壊する。

これですべてが終わるわけではない。突然の崩壊によってコアがもう一度熱くなり、急上昇する温度によってコアの外側で核融合が起きる。これらの部分が膨張し、太陽の外縁がついに地球の現在の軌道に達する。太陽はガスを吐き出し、いらなくなったカーディガンのように外層を脱ぎ捨てる。

それまでには、太陽の質量と重力が減り、地球やその他の惑星は軌道を離れているかもしれない。それでも、地球はどんどん予測不可能になっていく太陽がまき散らす破片に間違いなく散々に打たれているることだろう。太陽系の外側にあるガスを含む巨大な惑星は安全な距離にあるが、これも太陽の狂ったような行動の影響を受ける。これらの惑星もまた元の場所を離れ、一部は深宇宙に迷い出て２０１７年に地球に近づいたオウムアムアのように戻る場所を失ってさまよう。

太陽は赤色巨星に変わる。数億年にわたって、オリオン座のベテルギウスのように見えるだろう。ヘリウムの原子核が融合してエネルギーを発生し、炭素、酸素、その他の元素の原子核を形成する。しかし、大きな原子核の形成は陽子どうしの融合より高温を必要とするので、この状態は数百万年しか続かないかもしれない。死の激しい苦痛にあえぐ太陽は狂乱したように膨張と収縮を繰り返す。

太陽の死

ついには核融合が途切れがちになって止み、約50億年後には、収縮して老いた私たちの太陽は死ぬ。残骸は数十億年にわたってゾンビのような白色矮星となって輝きをたたえる。光を放たなくなるといよいよ黒色矮星になり、生きていた時間よりずっと長いあいだその状態ですごす。

それまでに地球が太陽につぶされたり燃やされたりしていなければ、地球の冷たい残骸はかつて自分を照らしてくれた死んだ太陽の周りを周回する。あるいは、運悪く何らかの物体に跳ね飛ばされて太陽系外に飛び出し、オウムアムアのような幾十億個もの他の物体とともに恒星のあいだを永遠にさまようこともありうる。

このような筋書きは殺伐とした終末のように思われるかもしれない。しかし、もっと悲惨だったかもしれないのだ。私たちの太陽より大きな恒星は若くして猛烈な超新星爆発を起こして死んでしまい、その余波で太陽系全体が数時間のうちに消滅するかもしれないのだ。そのような場合には、生命が逃げ出す余裕はない。私たちの太陽系はおおかたの平均的な大きさの恒星系の緩慢な死を迎えるよう運命づけられているが、生き残った惑星が死んだ主の周りを幽霊さながらに周回して、数十億年ものあいだその過去の姿を思い出させてくれるだろう。だが、はるかに遠い昔、この恒星系はかつて生命を育んだのであって、すべての恒星系がそのような僥倖にめぐり合えるわけではないのだ。

銀河は「合体」する

銀河も進化する。恒星や、太陽系や、人や、細菌と同じだ。

恒星は、水素と他の数種の元素でできた銀河ほどの大きさの産院で産声をあげた。死期を迎えると、超新星爆発を起こすか外層を脱ぎ捨てることによって自分を作り上げていた物質の一部を外部に戻す。しかし死んだ恒星の冷えた残骸に含まれる物質はもう新たな恒星を生み出すことはない。つまり「老化」するに従い、銀河は新たな恒星を作る材料をどんどん失っていくのだ。

私たちの銀河では、恒星の形成率は数十億年前にピークを迎えている。天の川銀河は老化していて、恒星の残骸（赤色矮星）が多い。今後の数十億年で、恒星を作るダストの蓄えが足らなくなる。新たな恒星の形成には私たちの太陽のような老いた恒星が外層を脱ぎ捨てるときに供給される新しい物質が少々必要になる。

ビッグバン後の数億年後に始まったエネルギッシュな恒星形成の時代は終わりを告げ、宇宙にある銀河はゆっくり燃える小さな赤色矮星が大勢を占めるようになる。赤色矮星で構成された銀河は私たちの時代のまばゆく光る銀河よりかなり長く生きる。[15]

時が経つにつれて、重力の働きによって近くの銀河どうしが穏やかで荘厳な衝突を起こす。天の川銀河とアンドロメダ銀河は、この近辺に30個から60個存在する銀河のなかでも最大級である。[16] これらの銀河は重力によって近くの小さな銀河を引き寄せ、それらの銀河にある恒星をあらかた奪ってしまう。天の川銀河はすでに大マゼラン雲と小マゼラン雲を引きずり込もうとしていて、数億年のうちにはこれらの銀河と合流する。

銀河どうしが衝突すると、個々の恒星はたいていすれ違うだけだが、重力場のゆがみによって軌道が曲がったりねじれたりすることもある。星間雲どうしが合体して高密度になり、これによって新たな恒星形成の時代が始まるかもしれない。

アンドロメダ銀河と天の川銀河は秒速数百キロメートルで互いに近づいている。30億年か40億年のうちに、私たちの太陽が最期のときに近づくころに両者は出合い、互いの周りを回ってふたたび離れるか、数百万年かけて合体する。合体は緩慢に起きるが影響は大きい。それぞれの銀河の中心にあるブラックホールが合体して新たに巨大な銀河を形成する。

恒星は（おそらく私たちの太陽も）進行方向が曲げられて深宇宙に突入するか、新たに形成された銀河コアにぽっかりと開いたブラックホールに吸い込まれていくかもしれない。最終的に、私たちの太陽系付近にある銀河がすべて合体して1つの巨大な超銀河を形成する可能性もある。

宇宙の膨張が加速するにつれて、銀河が互いから離れすぎて互いに出合うこともなくなると、銀河の合体は終わる。それぞれの超銀河は、どんどん淋しくなっていく宇宙のなかの孤島のようになる。

宇宙の未来と時間の終わり

それは、どのように終わるのだろう?

あらゆる人間社会がすべてはどう終わるのかと問いかけてきたのは間違いない。この問いには、大きく分けて2つの答えがある。宇宙は永遠なので終わりはない、または宇宙には限りがあるので終わりがある、だ。

インド亜大陸の宗教および哲学の多くが思い描くのは、始まりも終わりもない宇宙だ[17]。ニュートンの時代から20世紀の半ばまで、近代の科学的宇宙論でも同様だった。しかし、ユダヤ教、キリスト教、イスラム教など他の宗教が思い描くのは、神が創造した始まりも終わりもある宇宙だ。

1960年代から、おおかたの宇宙論者はビッグバンのパラダイムを受け入れている。このパラダイムによれば、宇宙には始まりがあり、その後長い進化史が続き、最後に終わりがある。

ビッグバンという呼称は、フレッド・ホイルがこのパラダイムは馬鹿げていると考えて与えた異名だった。ホイルはその後も始まりも終わりもない宇宙、つまり「定常宇宙」という考えを変えなかった。だが現在では、大半の宇宙論者が宇宙は約138億年前に始まったと考えていて、多くがいつ、どのように終わるかについても推測している[18]。

もしあなたが時間に終わりがあると考えているなら、神学者が「終末」と呼ぶ壮大な世界の終わり、あるいは緩慢な終局を想像するだろう。「終末論とは物事の終わり、創造物語の究極の結末に関わる研究である」[19]。一部の宗教によれば、時間の終わりは近く、一部の人は実際にそれを見届けるかもしれないという。[20] こうした宗教では、終わり近くになると存在というものの意味がわかるとされている。科学的な終末論が、存在や宇宙について私たちに教えられることが何かあるだろうか？「救済」という発想に匹敵する科学のアイデアはあるだろうか？

それはある。だが、それは物語の最後のページを垣間見ることで、自分が今どのあたりにいるか知ることができるという詩的な意味での話だ。科学的な宇宙論は、時間の終わりが宇宙の目的を教えてくれることを期待してはいない。しかし、時間の終わりについて考えることで、現在なら最初の段階を知り抜いている物語の全体像が見えてくるかもしれない。ならば、それは意義のあることであり、すばらしいことでもあるのだ。

近代的科学による終末論、時間の終わりについての説明

近代科学による終末論のスケールを把握するには、約90億年という太陽の寿命を基本的な単位として使うことができる。[21] 現時点で、宇宙は太陽の寿命のわずか1・4倍存在してきただけだ。大半の宇宙論者は宇宙が太陽の寿命の数十億倍か数兆倍続くと考えている。それは意義深い。このことが意味するのは、私たちは若い宇宙に生きていて時間の始まりに近いということだからである。これまでに私たちが目にしたのは宇宙の物語の最初の数行のみなのだ。

物語はこれからどのように展開するのだろう？　手がかりになるような規則正しく簡潔な宇宙のトレンドはあるだろうか？

驚くべきことに、答えは「ある」だ。

そして近代の宇宙論の壮大なスケールにもかかわらず、これらのトレンドは人類の１００年間の運命

ではなく時間の終わりについて考える方がたやすいことを意味している。

膨張する宇宙

あらゆる重要な宇宙論のトレンドは、私たちの宇宙が膨張しているというアイデアと関連している。このアイデアが最初に提案されたのは１９２０年代だった。天文学者のエドウィン・ハッブルが、遠くの銀河が近くの銀河より速く動いていることを示した。

宇宙論者のジョルジュ・ルメートルが指摘したように、この発見は宇宙が膨張していることを意味するはずだった。数十年にわたって、膨張する宇宙というアイデアは宇宙論という科学の辺縁に押しやられていた。

しかし、時間はかかったものの、実際に宇宙は遠い過去には現在と異なっていたことを示す証拠が蓄積されていった。つまり、宇宙は何らかの歴史を持っていることになり、それは始まりがあったことを示唆するのだ。

１９４０年代後半、ロシア系アメリカ人の物理学者ジョージ・ガモフが、次のように主張した。もし実際にビッグバンがあったとすれば、宇宙が膨張して冷えるにつれて、帯電した陽子と電子が結合して電気的に中性の原子が形成される転換点があるはずだというのである。突如として、宇宙にある物質の大半が電気的に中性となり、光のエネルギーが巨大な閃光となって放出されるというのだ。

この考えを真剣に受け止めた人はほとんどいなかったが、アーノ・ペンジアスとロバート・ウィルソンという２人の天文学者が、偶然にガモフが述べたエネルギーの放出を１９６４年に観察した。今日、私たちはこれを「宇宙背景放射」と呼ぶ。この発見によって、膨張する宇宙というアイデアは大半の天文学者にとってその正しさが証明されたことになり、１９６０年代には「ビッグバン論」が近代天文学の主要なパラダイムになった。

宇宙の熱的死

ビッグバン宇宙論は天文学をその根本から変えた。それは地球やあなたの隣人のイヌと同じく、宇宙には変化の歴史があることを意味していたため、宇宙史の大々的なトレンド探しが始まった。膨張は永遠に続くのだろうか？　あるいは、そのうち膨張が減速して反転さえするのだろうか？

この問いに答えるには、2種の測定が必要だった。「宇宙の膨張速度」と「宇宙に存在する物質の量」だ。2番目の測定が必要なのは、宇宙がどれほどの質量を持つのかがわかれば、膨張を引き止めようとする力の大きさがわかるからだ。それは膨張に勝るほど大きいのだろうか。[22]ことによると、膨張は緩慢になりつつあるのだろうか？

そうでなければ、膨張は永遠に続き、宇宙の冷却速度がどんどん遅くなり、物質とエネルギーが広い空間にまき散らされ、どんどん秩序が失われていく。エントロピーはそれまで複雑な構造体の形成を可能にする自由エネルギーの流れを起こしていたが、今度は構造体が破壊されて宇宙がどんどん単純さを増すように働く。

これが19世紀の物理学者が宇宙の「熱的死」と呼んだシナリオだ。熱的死が起きると、すべてのエネルギーが熱のランダムで構造のない形態を取り、宇宙の創造活動が止まる。せいぜい、まき散らされた少しの物質とエネルギーがランダムにかつ無意味にいつまでも揺らいでいるくらいだ。

収縮する宇宙？

他方で膨張が減速するほど質量が大きい場合には、宇宙はいつの日か収縮に転じる。収縮すると、物質とエネルギーの密度がどんどん高まって熱くなる。やがて最初のビッグバンのときのようにすべての物質とエネルギーがまた微小な空間に閉じ込められる。その時点で、サイクル全体がふたたび始まり、新しいビッグバンが起きてまた新しい宇宙が生まれるのだろうか？　こうして宇宙は冷たく、広く、空疎な状態と、熱く、小さく、物質とエネルギーが高密度に詰まった状態のあいだを行きつ戻りつするのだろうか？

収縮する宇宙という考えは、他の興味深い可能性を示唆する。時間が膨張する方向に進むのだとして、収縮する宇宙では時間は反転するのだろうか？　かの宇宙物理学者スティーブン・ホーキングはこの考えをベストセラー『ホーキング、宇宙を語る』（ハヤカワ文庫）で展開したが、のちに撤回した。[23]

数十年にわたる研究にもかかわらず、これらの問題は解決しなかった。天文学者は、宇宙が途切れることのない膨張と偶発的な崩壊の境界線上にあるようだと気づいた。宇宙にはいずれ膨張が止まると考えるに十分な質量があるようだったが、収縮に転じるほどに十分ではないようだった。つまり、宇宙は永遠に膨張しつづけるけれども、その速度がどんどん遅くなるのだ。

このことが深遠でほぼ神学的とも思える問いを発した。なぜ宇宙は倒れることのないピンのように奇妙なバランスを保ったままなのだろうか？

思いがけない答え

この問いに対する思いもよらぬ答えは、１９９８年にオーストラリアのブライアン・シュミット率いるチームとアメリカのソール・パールマッター率いるチームが宇宙の膨張率をより正確に測定しようとしたときに得られた。どちらのチームもｌａ型超新星を測定対象に選んだ。この種の超新星はどれも同量のエネルギーを放出するので、地球から見た見かけの明るさのばらつきに基づいて地球からの距離をきわめて正確に測定できる。

　彼らが出した結論は驚くべきものだった。宇宙の膨張率は低下しているというより上昇していて、もう数十億年にわたって上昇しているというのだ。私たちはまだその原因を理解するに至ってないが、大半の宇宙論者は宇宙が大きくなるにつれて膨張率を上昇させる未知のエネルギー（誰にも理解できないので「ダークエネルギー」と呼ばれる）があるはずだという。これらの知見は今では大半の天文学者に受け入れられていて、宇宙はどんどん速く膨張し、永遠に膨張しつづけることを示唆する。

宇宙はどんどん大きく、冷たく、空っぽに

　もしこの考えが正しいのであれば、宇宙はどんどん大きく、冷たく、空っぽになり、やがて宇宙の異なる部分どうしは互いの関連性を失う。遠い物体からの光はいずれ届かなくなるからだ。つまり、重力によって集合している近くの銀河群の外側にある物は見えない。もし天文学者がまだ生き残っているなら、宇宙には20個ほどの銀河ではなく数十億の銀河があると主張する古代の書物に肝をつぶすことだろう。

　私たちの宇宙より1万倍老いてはるかに巨大になった分裂宇宙では、赤色矮星も死ぬ。そうなると、銀河は死んだ恒星、ブラックホール、量子力学によって真空からふと姿を現わすランダムな物質から構成されることになる。そのうち、ブラックホールが残りの恒星物質を飲み込み、最後に残されているのは太ったブラックホールと、量子力学によってひょっこり姿を現わす半端な物質《デブリ》のみ、というときがやって来る。

　やがて、そのブラックホールさえも蒸発し、残されるのは空疎な空間、ダークエネルギー、よるべない光子のエネルギーが少しと、自分がなぜそこにいるのかわからない迷い子の粒子のみになる。[24]

すると私たちは（もちろん誰もそこにはいないのでこれは隠喩だ）考えられぬほど長大な時の流れを頭に思い浮かべるしかない。そのとき、どんどん空疎になりつつあるが想像を絶する時間をゾンビのように生きてきた宇宙のなかで、わずかな光子や中性微子《ニュートリノ》が誰にも何にも出合うことなく哀れにさまよっている。消滅しないものは何もないのだ。

もはや私たちに理解できる意味において空間や時間が存在しているとは確信できない。それでも量子力学によれば、無限に限りなく近い時間のスケールでは、姿を現わすことのできるものは何であれ、あなたの脳のコピーも、はたまた花瓶に生けられたチューリップも、短い時間ながら虚空から姿を見せるのだ。[25]ここまで来れば、あまりに不可解な推論なので、もはやまともに取り合うべきでもあるまい！

この物語はどれほどありそうだろうか？

この考えはまだ生まれて20年であり、アメリカの哲学者ジム・ホルトによれば、「宇宙論者は自説を10年ほどで撤回する」[26]。

私たちが見落としているもの

今日の証拠に照らして考えると、これが宇宙の遠い未来について語れる最高の物語だ。しかし、この物語が進化すると考える理由はたくさんある。

たとえば、宇宙に何があるのかという疑問に関する私たちの無知がある。大半の銀河の動きが示唆するのは、まだ私たちに検知することができない大量の物質が存在するはずだということだ。天文学者はそれを「ダークマター」と呼び、それが宇宙の質量の25パーセントほどを占めるかもしれないという。より不思議なのが「ダークエネルギー」で、これが宇宙の膨張を加速させているようなのだ。

この力については、アインシュタインの一般相対性理論に理論的な手がかりがある。もしこの力が存在するのであれば、それはおそらく宇宙の質量の約70パーセントを占める。ダークマターとダークエネルギーの質量を合わせれば、私たちは宇宙の質量の95パーセントを本当に理解してはいないことになる。明らかに、私たちは何か重要なことを見落としているのだ。今後の数十年でダークエネルギーとダークマターをよりよく理解できれば、宇宙の未来に関わるすべての説が変わるかもしれない。

多宇宙と多未来

ここまで語ってきた物語を書き換えるかもしれないもう1つのアイデアに、「多宇宙《マルチバース》」がある。今日、多くの宇宙論者が私たちの宇宙以外にたくさんの宇宙があるというアイデアを真剣に受け止めている。ブロック宇宙より広大な多次元空間で、ビッグバンがたえず起きていると想像する妥当な理論的理由はある（確かな証拠はまだない）。このアイデアが、宇宙論者が多宇宙と呼ぶものだ。

もし、これが事実ならば、異なる宇宙が、異なる動物種のようにわずかに異なる基本的な属性を持つことが可能になる。

このことは、異なる種の宇宙が一種の汎次元宇宙の時間軸に沿って進化するかもしれないことを意味する。ことによると、一部の宇宙では他の宇宙より重力がわずかに大きかったり、電磁気が少し弱かったりするかもしれない[27]。

このシナリオでは、かなり異なるタイプの宇宙が存在しうる。数秒しか存在しない宇宙。私たちの宇宙より寿命の長い宇宙。大腸菌やウサギなどのような複雑な複合体が誕生する宇宙、恒星さえ誕生しない宇宙。

物理学者のリー・スモーリンが主張するように、新しい宇宙はブラックホールで生まれるのかもしれない。つまり、崩壊してブラックホールになるほど大きな恒星を生み出す宇宙のみが、宇宙パラメータを再生して次世代の宇宙に伝えることができるのだ。[28]
　時を経れば、こうした宇宙が一種の自然選択によってどんどん増えるように思われる。もちろん、私たちのような複合体を創造できる宇宙だけに私たちのような生物が住み着く。だから複雑なものが創発するように精妙に調整されている宇宙に私たちが暮らしていることは、何ら不思議ではないのだ。
　すばらしい考えだ。だが……今のところ証拠はない。私たちのテクノロジーではただ1つの宇宙しか観察できない。他の宇宙についての理論は、いかなるものであれ、論理と想像にのみ基づいている。私たちには1つの宇宙のサンプルがあるきりだ。
　かつて天文学者は学生にこんな試験問題を出したという。
「宇宙を定義し、2つの例を挙げよ」[29]
　つねに未来を理解しようとしている人には、このジョークはきつい。私たちはつねにある種の「多未来《マルチフューチャー》」を想像するが、実際に経験する未来はたった1つなのだから。

謝辞

本書の大部分は、誰もが内向きになった新型コロナウイルスのパンデミックの最中にシドニーで執筆した。私の場合は、内向きになったことで愛する家族と向き合うことになった。チャーディとエミリは、もっと楽しいことをたくさんできたはずのときに私が書斎に長時間姿を消していても我慢してくれた。エミリの愛らしい娘ソフィアは、この世に生まれて（本稿執筆の5カ月前）私たちの生活に明かりを灯してくれた。現代のテクノロジーのおかげで、イギリスとアメリカに暮らす家族たち、とりわけソフィアのいとこダニエルとイービー・ローズ、そして彼らの両親ジョシュアとオリビアとも定期的に連絡を取り合うことができている。イギリスとアメリカのきょうだいたち、ダイアナ、ロブ、ラス、フレッド、ジョーともそうだ。イギリスやアメリカなどに暮らす親戚や友人たちともしかり。本書を徐々に形にしていく中で、こうした人の輪に囲まれている感覚に温かい気持ちになり、彼らの未来を考えることで未来に関する抽象的な考えが現実味を帯びていった。

学者仲間にも大きな恩義を感じている。研究人生の大部分を過ごしたシドニーのマッコーリー大学には、ビッグヒストリーという奇妙だが強力な考え方を何年ものあいだ後押ししてくれたことに感謝したい。サンディエゴ州立大学歴史学科もビッグヒストリーを教えることを支援してくれた。どちらの学科にもよき友人が何人もいる。長年にわたってビッグヒストリーを教えてきた学生たちにも感謝しなければならない。ほとんどの学生は思いもよらないだろうが、彼らとのやり取りによって私はビッグヒストリーの具体的な形やパワーを本当に理解することができた。国際ビッグヒストリー協会の会員たちは、できる限り幅広い学問に興味を抱く私たちのために多様性に富んだ支援の輪を築いてくれているし、ビル・ゲイツらはビッグヒストリー・プロジェクトを通じてビッグヒストリーの教育に惜しみない支援をしてくれている。

エージェントのブロックマン社は、『オリジン・ストーリー』(筑摩書房)(過去についての本)と本書(未来についての本)という2作の出版を、熱意を込めて惜しみなく、そしてつねに手際よく支えてくれた。リトル・ブラウン社のトレイシー・ビハーとイアン・シュトラウスは、私の元原稿を2度にわたって細部に至るまで編集して体裁を整えてくれた。彼らには心から感謝する。

このような本を書いていると、それまで持っていた型どおりの学問的知識の枠を飛び越えることになる(私はもともと専門がロシア史で、本書にもその痕跡が1つか2つ残っている)。そのため別の分野の専門的知識を持った友人たちの意見がとくに重要になる。私もいくつもの分野に関して友人の学者たちに、どの本を読むべきかアドバイスをもらった(いくつもの分野にまたがる疑問に取り組んでいるときには間違った本を読んでいるような時間的余裕はないので、どの本を読むべきでないかも教えてもらった)。彼らは気前よく時間を割いて、助言を与えてくれたり知識を授けたりしてくれた。短い会話やメールのやり取りからいくつものアイデアや言及を拝借した。一人ひとり挙げることはできないが、心から感謝している。

執筆途中の原稿の一部に目を通してくれた人たちにはとりわけ感謝したい。オーストラリアの未来学者ジョー・ボロスは、私が未来研究という奇妙だが魅惑的な世界に足を踏み入れたときに手を引いてくれた師である。この分野の基礎をなす研究へと導いてくれたのは誰あろうジョーだ。ビッグヒストリーと未来研究を結びつけたジョー本人の研究も私をかき立ててくれた。そして完成間際の原稿にとても有益なコメントを寄せてくれた。ほかの友人や学者たちにも草稿を送ったところ、全員が豊富なコメントを返してくれて（たくさんの仕事を抱えていながらも）、事実や論調や主眼に関する目に余る過ちをいくつも取り除いてくれた。以下の方々である。宇宙物理学者のチャーリー・ラインウィーバー。世界史学者のメリー・ウィースナー＝ハンクス、マーニー・ヒュー＝ウォリントン、クレイグ・ベンジャミン、エスター・クワダッカース。生物学者のマイケル・ギリングス。哲学者で政治科学者のササ・パブコビッチ。そして私が指導する博士課程の学生マックス・バーネット。チャーリーはエントロピーが破壊的な力であるとともに創造的な力でもあることに気づかせてくれた。メリーは私の文章に残るヨーロッパ人中心主義（しまった！）の痕跡を指摘してくれた。クレイグは専門用語や中国語からの音訳に関して一貫していない箇所を指摘してくれた。マイケルは生物に目的を大胆に当てはめすぎないよう諭してくれた。ササは第８章のもっと楽観的な未来のシナリオに冷や水を浴びせてくれた。彼らの提案にすべて従うことはなかったので、残っている不手際や間違い、不適切な表現や盲点は私一人の責任であることを声を大にして強調しておきたい。作家というのは、最終原稿を送った直後にそんな間違いを見つけてしまうことを恐れるものだ。せっかくいただいた助言に背いておかしな脇道に逸れてみたいという欲求にたびたび屈してしまったので、未来のような奇妙なテーマについて論じる場合にはとりわけ重要な断り書きである。いくら友人たちでも私のつむじ曲がりをどうにかできるとは限らないのだ。

訳者あとがき

本書は、David Christian, *Future Stories: What's Next?*, Little, Brown Spark (2022) の邦訳である（「はじめに」は一部割愛した）。

「未来とは何か」。もっとも身近でありながら、けっして答えの出せない疑問だ。誰しも来たるべき未来を思い描いては、希望に胸を膨らませたり恐怖におののいたりする。生きている限り未来は必ずやって来るが、その未来を確実に知ることはできない。時間が容赦なく流れるとともに、知りようのない未来が次々と押し寄せてくる。そして現在に達した瞬間に、たった1つの未来が現実となって襲いかかってくる。

だから私たちは、どうにかして未来を予想しようとする。天気予報や経済予測、さらには占いや予言などに耳を傾ける。それどころか、ふだん道を歩いているときや誰かと話をしているときなどにも、つねに一瞬先に何が起こるかを予想している。では、私たちはどうやって未来を予想するのだろうか？そもそも私たちは、未来、さらには時間をどういうものとしてとらえているのだろうか？　そしてこれから先、どんな未来が待ち受けているのだろうか？

底の知れないこれらの疑問に真正面から取り組んでいるのが、本著者である歴史学者のデイビッド・

クリスチャンだ。過去を探るのが本分の歴史学者が、なぜ未来のことを？　著者は従来の歴史学から大きく踏み出して、「ビッグヒストリー」というまったく新しい歴史学を牽引する第一人者。そのビッグヒストリーを歴史＝過去だけでなく未来にまで押し広げようとしているのだ。

従来の歴史学は、有史以来起こった人間世界のさまざまな出来事を物語にまとめる営みといえるだろう。政治や経済、宗教や軍事などを踏まえて、人類が文明の曙《あけぼの》以降どのような足跡をたどってきたかを描き出す。

しかしビッグヒストリーでは、ずっと遠い過去にまでさかのぼって、宇宙誕生以降の全歴史を相手にする。宇宙、地球、自然、そして人類を、この世の始まりから現在までの1つの大きな潮流として見つめるのだ。そのために、いわゆる文系学問だけでなく、物理学や宇宙論、地球科学や生物学、進化論や考古学、さらには心理学や神経科学など、幅広い学問を学際的に取り入れる。そうして、過去のさまざまな出来事の因果関係、人間の本性と存在の意味、そしてこの宇宙と人類の関わり合いを多角的に深く掘り下げていく。なんとも壮大な視点だ。

本著者は1989年、オーストラリアのシドニーにあるマッコーリー大学でこのビッグヒストリーの講義を始めた。幅広い分野の学者を招いて1つの大きなストーリーを描き出す、魅力的な講義だったらしい。その斬新な取り組みが注目を浴び、1990年代になるといくつもの大学で同様の講義が開かれるようになった。そして2011年、あのビル・ゲイツがビッグヒストリーの重要性と将来性に惹かれて1000万ドルもの資金を提供し、本著者と手を組んで「ビッグヒストリー・プロジェクト」なるものを立ち上げた。世界中の中高生に多面的な歴史観を身につけてもらうために、オンラインでビッグヒストリーの講義をおこなうというプロジェクトだ。

そんな本著者は、著作『ビッグヒストリー』（明石書店）や『ビッグヒストリー入門』（WAVE出版）、そして前著『オリジン・ストーリー』（筑摩書房）などで、宇宙・地球・人類の歴史を生き生きと描き出し、ビッグヒストリーのパワーを存分に発揮させた。しかしそれだけでは、過去から未来へという時間の流れのうちの前半だけ、過去にしか光が当たらない。

そこで本作では満を持して、このビッグヒストリーを未来にまで延長していく。巷《ちまた》にあふれる陳腐で感傷的な未来予想ではけっしてない。ビッグヒストリーで培った幅広く奥深い視点から、未来と時間の本質、私たちと未来との関係、そして実現しそうな未来を展望するのだ。そこでは、先ほど挙げたさまざまな分野の学問が縦横無尽に駆使されていて、知的興奮を大いに掻《か》き立ててくれる。

だがそもそも、ビッグヒストリーが未来とどう関係してくるというのだろうか？　それこそが本書の中心テーマ、そして本著者のユニークな視点である。私たちはまだ知らぬ未来へと突き進んでいくために、つねに過去に目を向けている。歴史を手掛かりにして未来を予想し、望むべき未来へと舵を切っていくのだ。実はこうした能力は人間だけのものではない。人間以外の動物や植物、さらには1個1個の細胞や微生物ですら、未来を予想している。それは進化によってあらゆる生物が身につけたスキルだというのだ。

そこで本書は、微生物や動植物、そして人間が、未来や時間というものをどう受け止め、どうやって過去から未来を予想するのかを、ビッグヒストリーの視点からひもといていく。そしてその上で、人類やこの宇宙を待ち受ける未来について大胆な予想を繰り広げていく。今後１００年といった近未来だけでなく、数千年や数万年、さらには数億年、数百億年先までの未来を相手にするという、途方もない壮大さだ。

まずパート1の第1章では、そもそもの大前提として、「未来、そして時間とは何か」という問いに切り込んでいく。私たちの抱く時間の概念は、「川のように流れる時間」と「地図のように広げられている時間」という2つのとらえ方が組み合わさって成り立っているのだという。哲学に関わってくる話で、ややもすれば難解になりかねないが、図やたとえ話が駆使されているおかげですっと腑《ふ》に落ち、知的快感が得られるだろう。続く第2章では、どうやって過去から未来を予想するのかを考えていく。そこでは、過去のトレンド（傾向）やパターン、そして因果関係というものが大きな役割を果たす。相対性理論や心理学なども関わってくる奥深い話だ。

パート2に入って第3章では、もっとも原始的・基本的なレベルとして、細胞や微生物がどうやって未来を予想し、未来を方向づけるのかを掘り下げる。そこには生化学や遺伝学が関わっていて、未来思考が生物の根源的な能力であることが感じ取れる。次に第4章では、植物、動物、そして人間の未来思考をひもといていく。意識を持っているかどうかにかかわらず、動植物はさまざまな方法で未来を予想し、それに合わせて振る舞う。生理学や神経科学の関わるその能力は、進化による必然なのだという。

パート3では以上の話を踏まえた上で、人類がこれまで未来についてどう考え、どうやって未来を予想してきたかを、時代を追って探っていく。まず第5章では、人類特有の未来思考能力を掘り下げるために、狩猟採集時代（本著者は「基礎時代」と表現する）の人々に目を向ける。私たちが優れた未来思考をものにしたのは、社会的な能力のおかげだという。しかし先史時代の人々は、現代の私たちとは違うふうに時間や未来をとらえていた。それは現代の私たちをも支配する3つの時間のリズムで説明できるのだという。

続いて第6章では、農耕が始まって都市や国家が築かれて以降（「農耕時代」）の人々に注目する。この時代には、科学技術の不備を補うように、占いという独特の未来予想術が大きな役割を果たしていたという。さまざまな文化に見られるその実例に触れていくと、占いが人類史にどれだけ深い影響を与えてきたかが感じ取れる。

そして第7章では、技術革新以降の「近代」に生きる私たちが、どのように未来を考えるかに焦点を当てる。世界がめまぐるしく変化するこの時代、私たちには新しい未来思考能力が求められている。科学、確率論、情報工学などに支えられたその能力とはどんなものだろうか？

ここまでは、私たち人間が未来についてどう考え、未来をどうやって予想するのかを掘り下げてきた。そこでパート4では、それを土台にして、これからの未来を大胆に描き出していく。まず第8章では、今後100年間の未来に、政治・経済・環境の観点から迫っていく。すると必ずしもバラ色の未来は見えてこない。歴史の転換点に生きる私たちは重大な局面に置かれているようだ。

次の第9章では、続く1000年間の未来について考えていく。宇宙開発やナノテクノロジー、人工知能などの進歩によって、人類はどんな未来へと進んでいくのだろうか？

最後の第10章はとても壮大だ。数千万年や数億年、さらには宇宙の終わりに至るまでの未来である。そこでは私たち人類の果たす役割はほとんどなく、宇宙物理学がこの世界の未来を左右する。宇宙誕生からスタートするビッグヒストリーは、こうして究極の未来までをも垣間《かいま》見せてくれるのだ。

もちろん未来は誰にも分からない。本書の未来予測がことごとく外れることだってありうる。世界の状況が変われば予想が大幅に修正されることもあるだろう。しかしビッグヒストリーを踏まえた未来思考を解き放てば、未来を少しでも正しく予想し、少しでも良い未来に向かっていけるのではないだろうか。先の見えない現代に生きる私たち1人ひとりにとって、それは必須の営みなのかもしれない。本書はその道しるべとなる1冊といえるだろう。

翻訳は、口絵、「はじめに」、第1章から第5章までと、謝辞、用語解説、および該当部分の原注を水谷が、第6章から第10章までと、該当部分の原注を鍛原氏が担当した。原稿整理や表記統一、また読者の便宜に供する小見出しの追加などのマネジメントに尽力していただいたニューズピックスの富川直泰氏には、この場を借りてお礼申し上げる。

２０２２年10月

水谷　淳

実と、あらゆる複合体がいずれは崩壊するという事実の両方を説明できる。**エントロピー**を見よ。

農耕時代：最終氷期が終わったおよそ1万年前から、近代が始まった数百年前までの時代。

微生物：すべての原核生物を含む単細胞生物。

ビッグヒストリー：過去全体を複数の尺度からいくつもの学問のレンズを通してとらえた歴史。

不安のゾーン：想像上の未来のうち、何が起こりうるかを深刻に気にかけて、予測が可能かもしれないと考える領域。予測や予想にもっとも多くの労力が費やされるゾーンである。

複合体：多様な構成部品が正確な形で組み合わさってできた構造体で、特有の「創発的」性質を持ち、しばらくのあいだ一体性を維持できるように組織化されている。

物質：この宇宙の物理的な「中身」で、空間を占めるもの。アインシュタインが明らかにしたとおり、圧縮されたエネルギーでできていて、たとえば陽子の核融合によってエネルギーに変換できる。**エネルギー**を見よ。

ブロック宇宙：宇宙全体の過去と未来をすべて含んだ想像上の存在。**B系列時間**に内在していて、時間に対する神の視点とみなされることもある。

未来：過去と現在を除いたすべての時間。A系列時間では、起こるかもしれないたくさんの未来を含む。現在において未来がどのような意味で「存在」するのかは分からないので、厳密に言うと未来とは、今後起こりうる事柄に対する現在の私たちの「予測」を指す。

未来円錐：アインシュタインとミンコフスキーが考え出した図に基づいて、起こるかもしれないいくつもの未来を表現した図。

未来研究：起こるかもしれない未来を研究する幅広い学際分野で、20世紀に生まれた。

未来思考：本書では、生物が不確実な未来に備えて立ち向かうために用いるあらゆる方法を幅広く指す。未来学者が用いている「予知」・「予測」・「予言」・「予後」など何種類もの用語を含む。

未来操作：未来思考によってさまざまな出来事に干渉することで、私たちが想像する好ましい未来、すなわち**ユートピア**に向かって進もうとすること。

目的志向性：本書では、生存や増殖などの目的によって駆り立てられているかのように見える振る舞いを指す。すべての生物がそのような振る舞いを示すが、その由来は完全には解明されていない。人間のものを含め目的志向的な振る舞いは、多くの場合きわめて不規則に見えるため、自信を持って予測することはできない。**機械論的振る舞い**を見よ。

ユートピア：本書では、未来の舵取りをしようとする生物の目指す目標を指す。

予測：起こりうる未来を特定しようとする試み。

ランダムディッピング：サイコロを振るなど、現在のランダムな選択に基づいて、起こるかもしれない未来を思い浮かべる手法。

こなって物事を引き起こしたり変化させたりできる。

情報：過去や現在に関する情報は、不確実さを引き下げて、起こるかもしれない未来の数を抑えてくれるため、未来思考にとって欠かせない。一般則として、（良い）情報が多いほど予測力は高まる。

真核細胞：細胞核などの細胞小器官を持つ細胞。すべての多細胞生物は真核細胞からできている。**原核細胞**を見よ。

人新世：突如として人類が地球上で起こる変化の最大の原因となった、20世紀に始まる時代。気候科学者のポール・クルッツェンが2000年に提唱し、いくつもの分野の学者に取り入れられている。

信念に基づく確信：未来のプロセスを含めた確率論的プロセスに関して、行動を起こすのに十分な程度の確信があること。ライプニッツが用いた言葉。

心理的時間：機敏と倦怠、覚醒と睡眠など、私たちの身体や精神の示す不規則なリズム。

生物：生命を構成する、細胞からできた複合体。特有の目的志向性と創造性により、周囲の破壊的な力に抗って自らの構造を維持し増殖させようとするように見える。

多細胞生物：ヒトのように多数の真核細胞からなる生物。

脱呪術化：気まぐれで衝動的な霊魂や力、神などの存在を否定し、宇宙はある程度予測可能な規則的で機械論的なプロセスによっておもに作られたとみなすことが、現代科学の重要な特徴であるとする考え方。社会学者のマックス・ウェーバーが示した。

断続平衡：生物の進化において初めて特定されたが、あらゆる複合体の発展に見られる変化のパターン。創発フェーズののちに比較的安定したフェーズが訪れ、さらに衰退と崩壊のフェーズが訪れる。

タンパク質：あらゆる細胞の中に存在する分子。正確な順序でつながったもっと小さい分子（アミノ酸）の鎖が折りたたまれてきわめて正確な構造を作っており、その構造を取ることで細胞の基本的な生化学的作用のほとんどを担っている。

中程度の未来：数百年、数千年、さらには数千万年単位での想像上の未来。

遠い未来：数十億年単位から宇宙の寿命に至るまでの想像上の未来。

時計時間：現代において支配的である、普遍的・規則的・測定可能な時間の感覚。私たちは自身のリズムを時計時間に合わせなければならないことが多いため、威圧的に感じられることがある。

トレンドハンティング：起こりうる未来の手掛かりとして用いることのできる過去の規則的なトレンドを特定して理解しようとすること。

ナシュレディン・ホジャ法：直接的な証拠がほとんど、あるいはまったく存在しない事柄について知るために、関係のありそうな証拠が存在する別の場所に目を向けるという、理屈にかなっていない探索戦略。トルコの有名な賢人の物語が名称の由来。

熱力学の第2法則：確率論的な法則であって、厳密に言うと「法則」ではない。閉じた系（この宇宙など）ではエントロピー（無秩序さ）は増大する傾向があるとする主張。少なくとも複合体にとって時間には方向性があり、未来のどこかの時点で構造が崩壊することを意味している。矛盾するようだがこの法則からは、エネルギーの流れによって複合体が創発するという事

は、未来に関する事柄を含め、行動の前提として十分に信頼できる何らかの断定を表す。**信念に基づく確信**を見よ。

確率：ある出来事が起こる、またはある主張が真である可能性の高さ。確率論では17世紀以降、厳密な数学的根拠に基づいて確率の計算がおこなわれており、今日ではそれが統計学のあらゆる考え方の基礎となっている。

活動電位：ニューロンが軸索を通じてほかのニューロンや筋肉に情報を伝えるために送る電気パルス。**化学浸透**によって引き起こされる。

機械論的振る舞い：目的を持たない受動的な存在に機械論的な法則が作用した結果として説明できる、あらゆるタイプの変化プロセス。通常はある程度予測できるくらいに規則的である。**目的志向性**を見よ。

基礎時代：人類史の中で最初の時代。飛び抜けて長く、数十万年前の人類の進化から始まり、およそ1万年前の最終氷期の終わりまで続く。「旧石器時代」など別の名称で呼ばれることが多い。本書でこの名称を用いたのは、人類史におけるその後の全時代の基礎を築いたことを強調するためである。

帰納：既知の事柄から未知の事柄に関する結論を導き出す論理的推論。演繹的推論と違い、根拠の薄い確信が必ず関わっている。ほとんどの形の**未来思考**は帰納に基づいている。**演繹**を見よ。

近代：グローバル化、新たなテクノロジー、化石燃料のエネルギーによって、地球規模で変化する今日のグローバルな人間社会が出現したここ数百年間。

近未来：およそ100年単位での想像上の未来。

決定論：極端な形としては、この宇宙の歴史におけるあらゆる詳細な事柄を、宇宙誕生の瞬間から原理的に予測できるとする考え方。

原核細胞：細胞核や細胞小器官を持たない細胞。ほとんどの単細胞生物は原核生物である。**真核細胞**を見よ。

最適点：重大な予測において必ず目指すべき、過度の一般性（予測が無意味で関心が持てない）と過度の正確性（確実に外れてしまう）のあいだのちょうど良いバランス点。

細胞：すべての生物の基本構成部品。やや多孔性の膜の中に、細胞が生きるために必要とする分子や物質がすべて収められている。**真核細胞**と**原核細胞**を見よ。

時間の矢：時間は1方向にしか流れないという考え方。

自然時間：昼夜や季節変化など、人間の介在しない世界のリズム。

社会的時間：ほかの人々によって私たちの活動に課せられるリズム。人間の交易ネットワークの規模と重要度が高まるにつれてどんどん重要性を増してきた。

集団的学習：新たな考えや経験、ひらめきや情報を高い正確さと規模で共有・保存・蓄積する人間特有の能力。人間の言語によって可能となり、人類に手に入る情報を歴史的なタイムスケールで増大させてきた。環境や未来の多くの面に対する人類の支配力が人類史を通じて高まってきて、今日では地球全体の変化を支配していることは、この集団的学習によって説明できる。**人新世**を見よ。

自由エネルギー：重力エネルギーなど、ランダムでなく秩序的に流れるエネルギー。仕事をお

用語解説

注意：ここには大きく分けて次の２種類の項目が収められている。（１）「エントロピー」などの専門用語の単純な説明。（２）「集団的学習」や「未来思考」など、本書特有の用語の定義。

Ａ系列時間： Ｊ・エリス・マクタガートによる時間に関する有名な論文に由来する言葉で、時間哲学における２つの大きな考え方の１つを表している。私たちが日々経験する、未来が現在へ、そして過去へと変わっていく動的な流れとしての時間を重視した概念。時間を川にたとえることがその中心的なイメージ。**Ｂ系列時間**を見よ。

Ｂ系列時間： マクタガートの論文に由来する言葉で、時間哲学における２つの大きな考え方の１つを表している。私たちの日々の経験を超越していて、いわば時間を俯瞰したもの。時間を地図にたとえることがその中心的なイメージ。**Ａ系列時間**と**ブロック宇宙**を見よ。

ＬＵＣＡ： 最終共通祖先。地球上のあらゆる生物の想像上の祖先で、おそらくいまから40億年近く前に存在していた。

因果性： ある出来事によってその後の別の出来事を説明できるという概念。原因を観察すれば結果を予測できることから、ほとんどのタイプの未来思考にとって欠かせない概念である。しかし因果性の概念からは困難な哲学的難題が導き出される。ヒュームが示したとおり、どんな結果にも複数の原因が存在するため、ＡがＢの原因であることを決定的に証明するのは不可能である。だが近年の研究（たとえばジューディア・パール）によって、出来事に対する局所的・観点依存的・確率論的な干渉の結果として解釈するのであれば、因果性はやはり不可欠で強力な概念であることが示されている。

占い： 霊魂や神や力と通じることで未来のさまざまな面を知ったり変えたりしようとすること。

エネルギー： さまざまな出来事を引き起こす可能性を秘めた「力」。**自由エネルギー**と**熱力学の第２法則**を見よ。

演繹： 真であることが分かっている公理に基づいて確実な結論を導き出す論理的推論。もっとも明白な例が数学的論証。**帰納**を見よ。

エントロピー： 無秩序さの尺度。**熱力学の第２法則**を見よ。

概日リズム： 生物が外界のリズムに歩調を合わせるために内部で発生させるリズム。おそらくすべての細胞と生物に存在する。

回旋運動： 植物が周囲の環境を探索するためにおこなうランダムな旋回運動を表すためにダーウィンが用いた言葉。

化学浸透： ほとんどの（おそらくすべての）細胞は、細胞膜の外に陽イオンを汲み出して小さな負電荷を蓄え、それを用いてほかの細胞に電気パルスを送るなど、重要な生化学的プロセスを駆動させることができる。**活動電位**を見よ。

確信： 本編で定義したとおり次の２つのタイプに分けられる。「絶対的な確信」は例外を認めず、演繹的推論の枠内を除けば現実世界ではおそらく到達不可能である。「信念に基づく確信」

introduction by Ali Smith. [『人間の権利：われわれはなんのためにたたかうのか』、浜野輝訳、日本評論社、1987年]

———. *The Time Machine*. 1895. [『タイムマシン』、塩谷太郎訳、岩崎書店、2005年]

Westfall, Richard S. *The Life of Isaac Newton*. Cambridge: Cambridge University Press, 1993.

Whitehead, A. N. *Adventures of Ideas*. New York: Free Press, 1933. [『観念の冒険』、山本誠作・菱木政晴訳、松籟社、1982年]

Wilczek, Frank. *Fundamentals: Ten Keys to Reality*. New York: Penguin, 2021. Wohlleben, Peter. *The Hidden Life of Trees: What They Feel, How They Communicate*. Greystone Books, 2016. [『すべては量子でできている：宇宙を動かす10の根本原理』、吉田三知世訳、筑摩書房、2022年]

Wolchover, Natalie. "Does Time Really Flow? New Clues Come from a Century-Old Approach to Math." *Quanta Magazine*, April 7, 2020.

Wolpert, Lewis. *Developmental Biology: A Very Short Introduction*. Oxford: Oxford University Press, 2011. [『発生生物学：生物はどのように形づくられるか』、大内淑代・野地澄晴訳、丸善出版、2013年]

Wood, Barry. "Big History and the Study of Time: The Underlying Temporalities of Big History." In Benjamin, Quaedackers, and Baker, *The Routledge Companion to Big History*, 37–56.

Woodburn, James. "Egalitarian Societies." *Man, the Journal of the Royal Anthropological Institute* 17, no. 3 (1982): 432–51.

Wooton, David. *The Invention of Science: A New History of the Scientific Revolution*. New York: Penguin, 2015.

Wordsworth, Jonathan, and Jessica Wordsworth, eds. *The Penguin Book of Romantic Poetry*. London: Penguin, 2003.

Zimmer, Carl. *Microcosm: E. Coli and the New Science of Life*. New York: Vintage, 2009. [『大腸菌：進化のカギを握るミクロな生命体』、矢野真千子訳、NHK出版、2009年]

Zinkina, Julia, Leonid Grinin, Ilya Ilyin, Alexey Andreev, Ivan Aleshkovskii, and Andrey Korotayev. *Big History of Globalization: From the Big Bang to Modernity*. Cham, Switzerland: Springer, 2018.

Turner, G. M. "A Comparison of The Limits to Growth with 30 Years of Reality." *Global Environmental Change* 18, no. 3 (2008): 397–411. https://doi.org/10.1016/j.gloenvcha.2008.05.001.
——— . "Is Global Collapse Imminent? An Updated Comparison of The Limits to Growth with Historical Data." MSSI Research Paper No. 4, Melbourne Sustainable Society Institute, University of Melbourne, 2014. https://sustainable.unimelb.edu.au/publications/research-papers/is-global-collapse-imminent.
United Nations Environment Programme. Making Peace with Nature. 2021. https://www.unep.org/events/unep-event/launch-unep-making-peace-nature-report.
Urry, John. What Is the Future? London: Polity, 2016.［『〈未来像〉の未来：未来の予測と創造の社会学』、吉原直樹・高橋雅也・大塚彩美訳、作品社、2019年］
Vitebsky, Piers. *The Shaman*. Basingstoke: Macmillan, 1995.［『シャーマンの世界』、岩坂彰訳、創元社、1996年］
Vollset, Stein Emil, Emily Goren, Chun-Wei Yuan, Jackie Cao, Amanda E. Smith, Thomas Hsiao, Catherine Bisignano, et al. "Fertility, Mortality, Migration, and Population Scenarios for 195 Countries and Territories from 2017 to 2100: A Forecasting Analysis for the Global Burden of Disease Study." Lancet 396, no. 10258 (2020): 1285–1306, https://doi.org/10.1016/S0140-6736(20)30677-2.
Voros, Joseph. "Big Futures: Macrohistorical Perspectives on the Future of Humankind." In *The Ways That Big History Works: Cosmos, Life, Society and Our Future*. Vol. 3 of *From Big Bang to Galactic Civilizations: A Big History Anthology*, edited by Barry Rodrigue, Leonid Grinin, and Andrey Korotayev, 403–36. Delhi: Primus Books, 2017.
——— . "Big History and Anticipation: Using Big History as a Framework for Global Foresight." In *Handbook of Anticipation: Theoretical and Applied Aspects of the Use of Future in Decision Making*, edited by R. Poli. Cham, Switzerland: Springer International, 2017. https://doi.org/10.1007/978-3-319-31737-3_95-1.
——— . "On the Philosophical Foundations of Futures Research." In *Knowing Tomorrow? How Science Deals with the Future*, edited by P. van der Duin, chap. 5, 69–90. Delft, the Netherlands: Eburon Academic Publishers, 2007.
Wagar, W. Warren. "H.G. Wells and the Genesis of Future Studies." In Slaughter, *Knowledge Base of Futures Studies*, vol. 1, pt. 1.
——— . *A Short History of the Future*. 3rd ed. Chicago: University of Chicago Press, 1999.［『未来からの遺書：2200年の祖父から孫娘へ』、青木栄一訳、二見書房、1995年］
Waldrop, M. Mitchell. *Complexity: The Emerging Science at the Edge of Order and Chaos*. 1992. New York: Open Road Media, 2019.［『複雑系：科学革命の震源地・サンタフェ研究所の天才たち』、田中三彦・遠山峻征訳、新潮社、2000年］
Walls, Jerry, ed. *The Oxford Handbook to Eschatology*. Oxford: Oxford University Press, 2010.
Watts, Duncan J. "The 'New' Science of Networks." *Annual Review of Sociology* 30 (2004): 243–70.
Weart, Spencer. "The Development of the Concept of Dangerous Anthropogenic Climate Change." In *The Oxford Handbook of Climate Change and Society*, edited by John Dryzek, Richard B. Norgaard, and David Schlosberg, 67–81. Oxford: Oxford University Press, 2011.
Weaver, Warren. *Lady Luck*. Dover: Penguin, 1963.［『やさしい確率論：レディ・ラック物語：新装版』、秋月康夫・渡辺寿夫訳、河出書房新社、1977年］
Wells, H. G. "The Discovery of the Future." *Nature*, February 6, 1902, 326–31.
——— . *The Outline of History*. New York: Macmillan, 1920.［『歴史大観：THE OUTLINE OF HISTORY』、大植正夫・勝野淑代訳、勝野淑代、2013年］
——— . *The Rights of Man; or, What Are We Fighting For?* 1940. London: Penguin, 2015, with an

New York: Atria, 2019. [『LIFESPAN：老いなき世界』、梶山あゆみ訳、東洋経済新報社、2020年]
Slaughter, Richard A., ed. *Knowledge Base of Futures Studies [KBFS]*. Hawthorn, Australia: DDM Media Group, 1996. CD-ROM Professional ed., 2005.
Smil, Vaclav. *Harvesting the Biosphere: What We Have Taken from Nature*. Cambridge, MA: MIT Press, 2013.
———. *Numbers Don't Lie: 71 Things You Need to Know about the World*. New York: Penguin, 2020. [『Numbers Don't Lie：世界のリアルは「数字」でつかめ！』、栗木さつき・熊谷千寿訳、NHK出版、2021年]
Smolin, Lee. *The Life of the Cosmos*. London: Phoenix, 1998. [『宇宙は自ら進化した：ダーウィンから量子重力理論へ』、野本陽代訳、日本放送出版協会、2000年]
Sornette, Didier. "Dragon-kings, Black Swans, and the Prediction of Crises." *International Journal of Terraspace Science and Engineering* 2, no. 1 (2009): 1–18.
Srubar, Will. "Buildings Grown by Bacteria — New Research Is Finding Ways to Turn Cells into Mini-Factories for Materials." The Conversation, March 23, 2020. https://theconversation.com/buildings-grown-by-bacteria-new-research-is-finding-ways-to-turn-cells-into-mini-factories-for-materials-131279.
Stableford, Brian, and David Langford. *The Third Millennium: A History of the World, AD 2000–3000*. London: Sidgwick and Jackson, 1985. [『2000年から3000年まで：31世紀からふり返る未来の歴史』、中山茂監訳、パーソナルメディア、1987年]
Stapledon, Olaf. *Star Maker*. London: Methuen, 1937. [『スターメイカー』、浜口稔訳、国書刊行会、2004年]
Steffen, Will, Wendy Broadgate, Lisa Deutsch, Owen Gaffney, and Cornelia Ludwig. "The Trajectory of the Anthropocene: The Great Acceleration." *Anthropocene Review* 2, no. 1 (2015): 81–98.
Stewart, Ian. *Do Dice Play God? The Mathematics of Uncertainty*. London: Profile, 2019. [『不確実性を飼いならす：予測不能な世界を読み解く科学』、徳田功訳、白揚社、2021年]
Stewart, Randall. "The Sortes Barberinianae within the Tradition of Oracular Texts." Chap. 8 in Luijendijk and Klingshirn, *My Lots Are in Thy Hands*.
Strathern, Oona. *A Brief History of the Future*. London: Constable and Robinson, 2007.
Swain, Tony. *A Place for Strangers: Toward a History of Australian Aboriginal Being*. Melbourne: Cambridge University Press, 1993.
Swirski, Peter, ed. *A Stanislaw Lem Reader*. Evanston, IL: Northwestern University Press, 1997.
Szostak, Rick. *Making Sense of the Future*. New York: Routledge, 2022.
Taleb, Nassim Nicholas. *The Black Swan: The Impact of the Highly Improbable*. New York: Random House, 2007. [『ブラック・スワン：不確実性とリスクの本質』(上・下)、望月衛訳、ダイヤモンド社、2009年]
Tedlock, Barbara. "Toward a Theory of Divinatory Practice." *Anthropology of Consciousness* 17, no. 2 (2008): 62–77.
"Temporalities." Forum in *Past and Present*, no. 243 (2019).
Thomas, N., and C. Humphrey, eds. *Shamanism: History and the State*. Ann Arbor: University of Michigan Press, 1994.
Tomasello, Michael. *Why We Cooperate*. Cambridge, MA: MIT Press, 2009. [『ヒトはなぜ協力するのか』、橋彌和秀訳、勁草書房、1968年]
Toner, J. *Popular Culture in Ancient Rome*. Cambridge: Polity, 2009.
Toulmin, Stephen, and June Goodfield. *The Discovery of Time*. Chicago: University of Chicago Press, 1965.

Russell, Stuart. *Human Compatible: AI and the Problem of Control.* New York: Penguin, 2019.［『AI新生：人間互換の知能をつくる』、松井信彦訳、みすず書房、2021年］
Ryan, W. F. *The Bathhouse at Midnight: An Historical Survey of Magic and Divination in Russia.* University Park: Pennsylvania State University Press, 1999.
Rynasiewicz, Robert. "Newton's Views on Space, Time, and Motion." *The Stanford Encyclopedia of Philosophy.* http://plato.stanford.edu/archives/fall2008/entries/newtonstm/.
Sabrin, Kaeser M., et al. "The Hourglass Organization of the C. elegans Connectome." *BioRxiv: The Preprint service for Biology,* April 5, 2019, https://www.biorxiv.org/content/10.1101/600999v2.
Safina, Carl. *Becoming Wild: How Animal Cultures Raise Families, Create Beauty, and Achieve Peace.* New York: Henry Holt, 2020. My thanks to Rida Vaquas for this reference.
Sagan, Carl. *The Cosmic Connection: An Extraterrestrial Perspective.* Cambridge: Cambridge University Press, 2000.［『宇宙との連帯』、福島正実訳、河出書房新社、1982年］
Sahlins, Marshal. "The Original Affluent Society." In *Stone Age Economics,* 1–39. London: Tavistock, 1974.
Sardar, Ziauddin. *Future: All That Matters.* London: John Murray, 2013.
Sargent, Lyman Tower. *Utopianism: A Very Short Introduction.* Oxford: Oxford University Press, 2010.
Scheidel, Walter. *The Great Leveler: Violence and the Global History of Inequality from the Stone Age to the Present.* Princeton, NJ: Princeton University Press, 2018.［『暴力と不平等の人類史：戦争・革命・崩壊・疫病』、鬼澤忍・塩原通緒訳、東洋経済新報社、2019年］
Schrödinger, Erwin. *What Is Life?* 1944. Cambridge: Cambridge University Press, 2000.［『生命とは何か：物理的にみた生細胞』、岡小天・鎮目恭夫訳、岩波書店、2008年］
Schroeter, John, ed. *After Shock: The World's Foremost Futurists Reflect on 50 Years of Future Shock — and Look Ahead to the Next 50.* Bainbridge Island, WA: Abundant World Institute, 2020.
Schwab, Klaus, with Peter Vanham. *Stakeholder Capitalism: A Global Economy That Works for Progress, People and Planet.* Hoboken, NJ: Wiley, 2021.［『ステークホルダー資本主義：世界経済フォーラムが説く、80億人の希望の未来』、藤田正美・チャールズ清水・安納令奈訳、日経ナショナルジオグラフィック、2022年］
Schwartz, Peter. *The Art of the Long View: Planning for the Future.* Sydney: Currency Paperback, 1996.［『シナリオ・プランニングの技法』、垰本一雄・池田啓宏訳、東洋経済新報社、2000年］
Seth, Anil. *Being You: A New Science of Consciousness.* London: Faber & Faber, 2021.［『なぜ私は私であるのか：神経科学が解き明かした意識の謎』、岸本寛史訳、青土社、2022年］
Shah, Karina. "Complex Life's Days Are Numbered." *New Scientist,* March 6, 2021, 12.
Shapin, Steven. *The Scientific Revolution.* Chicago: University of Chicago Press, 1996.［『「科学革命」とは何だったのか：新しい歴史観の試み』、川田勝訳、白水社、1998年］
Sheldrake, Merlin. *Entangled Life: How Fungi Make Our Worlds, Change Our Minds, and Shape Our Futures.* New York: Random House, 2020.［『菌類が世界を救う：キノコ・カビ・酵母たちの驚異の能力』、鍛原多惠子訳、河出書房新社、2022年］
Shostak, Seth. "The Value of 'L,'" in Dick and Lupisella, *Cosmos & Culture: Cultural Evolution in a Cosmic Context,* 399–414.
Silver, Nate. *The Signal and the Noise: The Art and Science of Prediction.* London: Penguin, 2012.［『シグナル&ノイズ：天才データアナリストの「予測学」』、川添節子訳、日経BP社、2013年］
Simard, Suzanne. *Finding the Mother Tree: Uncovering the Wisdom and Intelligence of the Forest.* New York: Penguin, 2021.
Sinclair, David A., and Matthew D. LaPlante. *Lifespan: Why We Age — and Why We Don't Have To.*

2001, based on the 1985 edition.
Redmond, Geoffrey. *The I Ching (Book of Changes): A Critical Translation of the Ancient Text.* London: Bloomsbury, 2017.
Rees, Martin. *Just Six Numbers: The Deep Forces that Shape the Universe.* New York: Basic Books, 2000. [『宇宙を支配する6つの数』、林一訳、草思社、2001年]
——— . *On the Future: Prospects for Humanity.* Princeton, NJ: Princeton University Press, 2018. [『私たちが、地球に住めなくなる前に：宇宙物理学者から見た人類の未来』、塩原通緒訳、作品社、2019年]
Rescher, Nicholas. *Predicting the Future: An Introduction to the Theory of Forecasting.* Albany: State University of New York Press, 1998.
——— . "Predicting and Knowability: The Problem of Future Knowledge." In *The Limits of Science,* vol. 109, Poznan Studies in the Philosophy of Humanities and the Sciences, edited by W. J. Gonzalez, 115–33. Leiden, Netherlands: Brill, 2016.
Riahi, Keywan, Detlef P. van Vuuren, Elmar Kriegler, Jae Edmonds, Brian C. O'Neill, Shinichiro Fujimori, Nico Bauer, et al., eds. "The Shared Socio-economic Pathways and Their Energy, Land Use, and Greenhouse Gas Emissions Implications: An Overview." *Global Environmental Change* 42 (2017): 153–68.
Richerson, Peter J. "An Integrated Bayesian Theory of Phenotypic Flexibility." *Behavioral Processes* 161 (2019): 54–64.
Richerson, Peter J., Robert Boyd, and Robert L. Bettinger. "Was Agriculture Impossible during the Pleistocene but Mandatory during the Holocene? A Climate Change Hypothesis." *American Antiquity* 66, no. 3 (2001): 387–411.
Riggs, Peter. "Contemporary Concepts of Time in Western Science and Philosophy." In McGrath and Jebb, *Long History, Deep Time,* 47–66.
Robinson, Kim Stanley. "The Realism of Our Times: Kim Stanley Robinson on How Science Fiction Works." Interview with John Plotz, *Public Books,* September 23, 2020, https://www.publicbooks.org/the-realism-of-our-times-kim-stanley-robinson-on-how-science-fiction-works/.
——— . *Red Mars, Blue Mars, Green Mars.* New York: Bantam Spectra, 1992–96. [『レッド・マーズ』(上・下)、大島豊訳、東京創元社、1999年]
Rockström, Johan, and Mattias Klum. *Big World: Small Planet.* Stockholm: Max Ström Publishing, 2015. [『小さな地球の大きな世界：プラネタリー・バウンダリーと持続可能な開発』、武内和彦・石井菜穂子監修、谷淳也・森秀行ほか訳、丸善出版、2018年]
Rorvig, Mordechari. "How to Spot an Alien Megastructure." *New Scientist,* January 30, 2021, 45–47.
Rose, Deborah Bird. *Dingo Makes Us Human: Life and Land in an Australian Aboriginal Culture.* Cambridge: Cambridge University Press, 2000.
Rosenbaum, S. "100 Years of Heights and Weights." *Journal of the Royal Statistical Society. Series A* (Statistics in Society) 151, no. 2 (1988): 276–309.
Rosling, Hans, and Ola Rosling. *Factfulness: Ten Reasons We're Wrong about the World — and Why Things Are Better Than You Think.* London: Sceptre, 2018. [『ファクトフルネス：10の思い込みを乗り越え、データを基に世界を正しく見る習慣』、上杉周作・関美和訳、日経BP社、2019年]
Roth, Gerhard. *The Long Evolution of Brains and Minds.* New York: Springer, 2013.
Russell, Bertrand. *History of Western Philosophy.* 2nd ed. London: Unwin Paperbacks, 1979. [『西洋哲学史』、市井三郎訳、みすず書房、2020年]
——— . "Psychological and Physical Causal Laws." In *Basic Writings,* 288 (from *The Analysis of Mind,* London: Allen & Unwin; New York: Macmillan, 1921).

Press, 2015.
Ord, Toby. *The Precipice: Existential Risk and the Future of Humanity*. New York: Hachette, 2020.
O'Shea, Michael. *The Brain: A Very Short Introduction*. Oxford: Oxford University Press, 2005. [『脳』、山下博志訳、岩波書店、2009年]
Our World in Data. Max Roser et al. https://ourworldindata.org/.
Pankenier, David W. *Astrology and Cosmology in Early China: Conforming Earth to Heaven*. Cambridge: Cambridge University Press, 2013.
Parke, H. W., and D. E. W. Wormell. *The Delphic Oracle*. Vol. 1, *The History*. Vol. 2, *The Oracular Responses*. Oxford: Blackwell, 1956.
Pearl, Judea. "The Art and Science of Cause and Effect." Public lecture, UCLA Faculty Research Lectureship Program, 1996. Reprinted as the epilogue to Pearl, *Causality: Models, Reasoning, and Inference*. New York: Cambridge University Press, 2009, 401–28. http://bayes.cs.ucla.edu/ BOOK-2K/causality2-epilogue.pdf.
Pearl, Judea, and Dana Mackenzie. *The Book of Why: The New Science of Cause and Effect*. London: Penguin, 2018. [『因果推論の科学:「なぜ?」の問いにどう答えるか』、夏目大訳、文藝春秋、2022年]
Piketty, Thomas. *Capital in the Twenty-First Century*. Translated by Arthur Goldhammer. Cambridge, MA: Harvard University Press, 2014. [『21世紀の資本』、山形浩生・守岡桜・森本正史訳、みすず書房、2014年]
Pinker, Steven. *The Better Angels of Our Nature: Why Violence Has Declined*. New York: Viking, 2011. [『暴力の人類史』(上・下)、幾島幸子・塩原通緒訳、青土社、2015年]
———. *How the Mind Works*. London: Allen Lane, 1998. [『心の仕組み』(上・下)、椋田直子訳、筑摩書房、2015年]
———. *The Language Instinct: How the Mind Creates Language*. New ed. London: Penguin, 2003. [『言語を生みだす本能』(上・下)、椋田直子訳、日本放送出版協会、1995年]
Plotkin, Henry. *Darwin Machines and the Nature of Knowledge*. Cambridge, MA: Harvard University Press, 1994.
Plutarch. *Life of Caesar*. In *Lives*, vol. 7, *Demosthenes and Cicero. Alexander and Caesar*. Translated by Bernadotte Perrin. Loeb Classical Library 99. Cambridge, MA: Harvard University Press, 1919.
Polak, Fred. *The Image of the Future*. Translated by Elise Boulding. Amsterdam: Elsevier, 1973.
Porter, Roy. *The Greatest Benefit to Mankind: A Medical History of Humanity*. Glasgow, Scotland: William Collins, 1997.
Price, Huw. *Time's Arrow and Archimedes' Point: New Directions for the Physics of Time*. New York: Oxford University Press, 1997. [『時間の矢の不思議とアルキメデスの目』、遠山峻征・久志本克己訳、講談社、2001年]
Randers, Jørgen. *2052: A Global Forecast for the Next Forty Years: A Report to the Club of Rome Commemorating the 40th Anniversary of The Limits to Growth*. White River Junction, VT: Chelsea Green Publishing, 2012. [『2052:今後40年のグローバル予測』、野中香方子訳、日経BP社、2013年]
Raphals, Lisa. *Divination and Prediction in Early China and Ancient Greece*. Cambridge: Cambridge University Press, 2013.
Raskin, Paul. *Journey to Earthland: The Great Transition to Planetary Civilization*. Boston: Tellus Institute, 2016.
Raworth, Kate. *Doughnut Economics: Seven Ways to Think Like a 21st-Century Economist*. London: Penguin Random House, 2017. [『ドーナツ経済』、黒輪篤嗣訳、河出書房新社、2021年]
Rawson, Elizabeth. *Cicero: A Portrait*. Bristol Classical Paperbacks. 1975. Bristol: Bristol Classical Press,

History, Deep Time: Deepening Histories of Place.
McGrath, Ann, and Mary Anne Jebb, eds. *Long History, Deep Time: Deepening Histories of Place.* Canberra: Australian National University Press, 2015.
McGrayne, Sharon B. *The Theory That Would Not Die: How Bayes' Rule Cracked the Enigma Code, Hunted Down Russian Submarines, and Emerged Triumphant from Two Centuries of Controversy.* New Haven, CT: Yale University Press, 2011. [『異端の統計学ベイズ』、冨永星訳、草思社、2013年]
McTaggart, J. Ellis. "The Unreality of Time." *Mind,* n.s., 17, no. 68 (1908): 457–74.
——— . "The Unreality of Time" (a restatement of arguments in McTaggart's 1908 article). In *The Philosophy of Time,* edited by Robin Le Poidevin and Murray MacBeath, 23–34. Oxford: Oxford University Press, 1993.
Meadows, A. J. (Jack). *The Future of the Universe.* London: Springer, 2007.
Meadows, D. H., D. L. Meadows, and J. Randers. *Beyond the Limits: Global Collapse or a Sustainable Future.* London: Earthscan, 1992. [『限界を超えて：生きるための選択』、茅陽一監訳、松橋隆治・村井昌子訳、ダイヤモンド社、1992年]
Meadows, D. H., D. L. Meadows, J. Randers, and W. W. Behrens. *The Limits to Growth: A Report for the Club of Rome's Project on the Predicament of Mankind.* New York: Universe Books, 1972. [『成長の限界：ローマ・クラブ「人類の危機」レポート』、大来佐武郎監訳、ダイヤモンド社、1999年]
Mellor, D. H. *Real Time.* Cambridge: Cambridge University Press, 1981.
——— . *Real Time II.* London: Routledge, 1998.
Mesoudi, Alex. *Cultural Evolution: How Darwinian Theory Can Explain Human Culture and Synthesize the Social Sciences.* Chicago: University of Chicago Press, 2011. [『文化進化論：ダーウィン進化論は文化を説明できるか』、野中香方子訳、NTT出版、2016年]
Miller, Walter M. *A Canticle for Leibowitz.* Philadelphia: J. B. Lippincott, 1959. [『黙示録3174年』、吉田誠一訳、東京創元社、1971年]
Mitchell, Melanie. *Complexity: A Guided Tour.* New York: Oxford University Press, 2009. [『ガイドツアー複雑系の世界：サンタフェ研究所講義ノートから』、高橋洋訳、紀伊國屋書店、2011年]
Mlodinow, Leonard. *The Drunkard's Walk: How Randomness Rules Our Lives.* New York: Pantheon, 2009. [『たまたま：日常に潜む「偶然」を科学する』、田中三彦訳、ダイヤモンド社、2009年]
Mukherjee, Siddhartha. *The Gene: An Intimate History.* New York: Scribner, 2016. [『遺伝子：親密なる人類史』（上・下）、田中文訳、早川書房、2018年]
Nance, R. Damian, J. Brendan Murphy, and M. Santosh. "The Supercontinent Cycle: A Retrospective Essay." *Gondwana Research* 25 (2014): 4–29.
Neale, Margo. *First Knowledges: The Power and Promise.* Port Melbourne, Victoria, Australia: Thames & Hudson, 2020.
Newton, Isaac. *The Mathematical Principles of Natural Philosophy.* Translated by Andrew Motte. London: Middle-Temple-Gate, 1729. [『プリンシピア：自然哲学の数学的原理』（全3巻）、中野猿人訳、講談社、2019年]
Nissinen, Martti, Robert Kriech Ritner, and Choon Leong Seow. *Prophets and Prophecy in the Ancient Near East.* Atlanta, GA: Society of Biblical Literature, 2003.
Noble, W., and I. Davidson. "Tracing the Emergence of Modern Human Behavior: Methodological Pitfalls and a Theoretical Path." *Journal of Anthropological Archaeology* 12, no. 2 (1993): 121–49.
Nurse, Paul. *What Is Life? Understand Biology in Five Steps.* Melbourne: Scribe, 2020. [『ホワット・イズ・ライフ?：生命とは何か』、竹内薫訳、ダイヤモンド社、2021年]
Ogle, Vanessa. *The Global Transformation of Time, 1870–1950.* Cambridge, MA: Harvard University

London: John Wiley, 1902. https://bayes.wustl.edu/Manual/laplace_A_philosophical_essay_on_probabilities.pdf.
Larson, Jennifer. *Understanding Greek Religion.* New York: Routledge, 2016.
LeDoux, Joseph. *The Deep History of Ourselves: The Four-Billion-Year Story of How We Got Conscious Brains.* New York: Viking/Penguin, 2019.
Lee, Newton, ed. *The Transhumanism Handbook.* Cham, Switzerland: Springer, 2019.
Lee, Richard B., and Irven DeVore, eds. *Man the Hunter.* Chicago: Aldine, 1968.
Le Guin, Ursula. *The Dispossessed.* New York: Harper & Row, 1974.［『所有せざる人々』、佐藤高子訳、早川書房、2009年］
Lewin, Moshe. "Popular Religion in Twentieth Century Russia." In *The Making of the Soviet System: Essays in the Social History of Interwar Russia,* 57–71. London: Methuen, 1985.
Lewis-Williams, David. *Conceiving God: The Cognitive Origin and Evolution of Religion.* London: Thames & Hudson, 2010.
Liu, Cixin. Remembrance of Earth's Past trilogy of novels. New York: Tor, 2006–10.
Loeb, Avi. *Extraterrestrial: The First Sign of Intelligent Lie Beyond Earth.* London: John Murray, 2021.［『オウムアムアは地球人を見たか?：異星文明との遭遇』、松井信彦訳、早川書房、2022年］
Lovelock, James. *Gaia: A New Look at Life on Earth.* 1979. Repr., Oxford: Oxford University Press, 1988.［『地球生命圏：ガイアの科学』、星川淳訳、工作舎、1984年］
Loy, David. "The Mahāyāna Deconstruction of Time." *Philosophy East and West* 36, no. 1 (1986): 13–23.
Luijendijk, AnneMarie, and William E. Klingshirn, eds. *My Lots Are in Thy Hands: Sortilege and Its Practitioners in Late Antiquity.* Leiden: Brill, 2018.
Lukes, Steven, and Nadia Urbinati, eds. *Condorcet: Political Writing.* Cambridge: Cambridge University Press, 2012, 1–147.
Lyon, Pamela. "The Cognitive Cell: Bacterial Behavior Reconsidered." *Frontiers in Microbiology* 6 (2015). https://doi.org/10.3389/fmicb.2015.00264. My thanks to Martin Robert of Tohoku University for this reference.
Mack, Katie. *The End of Everything (Astrophysically Speaking).* London: Penguin, 2020.［『宇宙の終わりに何が起こるのか』、吉田三知世訳、講談社、2021年］
Malthus, Thomas Robert. *An Essay on the Principle of Population.* Edited by Philip Appleman. New York: W. W. Norton, 1976.［『人口論』、永井義雄訳、中央公論新社、2019年］
Marshack, Alexander. *The Roots of Civilization: The Cognitive Beginning of Man's First Art, Symbol and Notation.* New York: McGraw-Hill, 1972.
Marshall Thomas, Elizabeth. *The Old Way: A Story of the First People.* New York: Picador, 2006.
Marx, Karl. *The Marx-Engels Reader.* 2nd ed. Edited by Robert C. Tucker. New York: W. W. Norton, 1978.
Maslow, Abraham. "Symposium: Revisiting Maslow: Human Needs in the 21st Century." in *Society* 54 (2017): 508–9. https://doi.org/10.1007/s12115-017-0198-6.
———. "A Theory of Human Motivation." *Psychological Review* 50 (1943): 370–96.
Massimi, Michela, and Casey D. McCoy, eds., *Understanding Perspectivism: Scientific Challenges and Methodological Prospects* (Routledge Studies in the Philosophy of Science). New York: Routledge, 2019.
Mayer-Schönberger, Viktor, and Kenneth Cukier. *Big Data: A Revolution That Will Transform How We Live, Work and Think.* London: John Murray, 2013.［『ビッグデータの正体：情報の産業革命が世界のすべてを変える』、斎藤栄一郎訳、講談社、2013年］
McGrath, Ann. "Deep Histories in Time, or Crossing the Great Divide?" In McGrath and Jebb, *Long*

Callender, chap. 15, 460–82. New York: Oxford University Press, 2011.
James, Edward, and Farah Mendlesohn. “Fiction and the Future.” In Slaughter, *Knowledge Base of Future Studies,* vol. 1, pt. 3.
James, William. *Delphi Complete Works of William James.* East Sussex, UK: Delphi Classics, 2018.
Jaspers, Karl. *Vom Ursprung und Ziel der Geschichte.* 1949. Translated by Michael Bullock as *The Origin and Goal of History.* London: Routledge and Kegan Paul, 1953; citations are from the Routledge Classics edition, 2021. [「歴史の起原と目標」『世界の大思想〈40〉』所収、重田英世・草薙正夫・松浪信三郎訳、河出書房新社、1972年]
Johnston, Sarah Iles. *Ancient Greek Divination.* Oxford: Wiley/Blackwell, 2008.
Kahneman, Daniel. *Thinking, Fast and Slow.* New York: Penguin, 2011. [『ファスト&スロー：あなたの意思はどのように決まるか?』(上・下)、村井章子訳、早川書房、2014年]
Kaku, Michio. *The Future of Humanity: Terraforming Mars, Interstellar Travel, Immortality, and Our Destiny Beyond.* New York: Penguin, 2018. [『人類、宇宙に住む：実現への3つのステップ』、斉藤隆央訳、NHK出版、2019年]
———. *Physics of the Future: How Science Will Shape Human Destiny and Our Daily Lives by the Year 2100.* New York: Penguin, 2011. [『2100年の科学ライフ』、斉藤隆央訳、NHK出版、2012年]
Kandel, Eric. *In Search of Memory: The Emergence of a New Science of Mind.* New York: W. W. Norton, 2006.
Kant, Immanuel. “Anthropology from a Pragmatic Point of View.” Translated by Victor Lyle. Originally published 1798. [「実用的見地における人間学」、『カント全集15 人間学』所収、渋谷治美・高橋克也訳、岩波書店、2003年]
Kardashev, N. S. “On the Inevitability and the Possible Structures of Supercivilizations.” In *The Search for Extraterrestrial Life: Recent Developments. Proceedings of the 112th Symposium of the International Astronomical Union Held at Boston University, Boston, Mass., U.S.A., June 18–21, 1984,* edited by Michael Papagiannis, 497–504. Dordrecht: D. Reidel, 1985.
———. “Transmission of Information by Extra-Terrestrial Civilizations.” *Soviet Astronomy AJ* 8, no. 2 (1964): 217–21. Translated from *Astronomicheskii Zhurnal* 41, no. 2 (1964): 282–87.
Kay, John, and Mervyn King. *Radical Uncertainty: Decision Making for an Uncertain Future.* London: Bridge Street Press, 2020.
Keightley, David N. “The Shang: China's First Historical Dynasty.” In *The Cambridge History of Ancient China.* Cambridge: Cambridge University Press, 1999.
———. *These Bones Shall Rise Again: Selected Writings on Early China.* Edited by Henry Rosemont. Albany: State University of New York Press, 2014.
Kelly, Lynne. *Knowledge and Power in Prehistoric Societies: Orality, Memory and the Transmission of Culture.* Cambridge: Cambridge University Press, 2015.
Khayyám, Omar. *The Rubaiyat of Omar Khayyám.* Translated by Edward Fitzgerald. London: Bernard Quaritch, 1859. https://en.wikisource.org/wiki/The_Rubaiyat_of_Omar_Khayyam_(tr._Fitzgerald,_1st_edition). [『ルバイヤート』、小川亮作訳、岩波書店、1979年]
Kistler, Max. “Causation.” In *The Philosophy of Science: A Companion,* edited by Anouk Baberousse, Denis Bonnay, and Mikael Cozic. New York: Oxford University Press, 2018.
Krznaric, Roman. *The Good Ancestor: How to Think Long-Term in a Short-Term World.* London: Penguin, 2020. [『グッド・アンセスター：わたしたちは「よき祖先」になれるか』、松本紹圭訳、あすなろ書房、2021年]
Laplace, Pierre-Simon de. “A Philosophical Essay on Probabilities.” Translated from the 6th French ed.

no. 3 (2020): 54–65.
Grinspoon, David. *Earth in Human Hands: Shaping Our Planet's Future*. New York: Grand Central Publishing, 2016.
Guthrie, Stewart. *Faces in the Clouds: A New Theory of Religion*. New York: Oxford University Press, 1993.
Hacking, Ian. *The Emergence of Probability*. 2nd ed. Cambridge: Cambridge University Press, 2006. [『確率の出現』、広田すみれ・森元良太訳、慶應義塾大学出版会、2013年]
———. *The Taming of Chance*. Cambridge: Cambridge University Press, 1990. [『偶然を飼いならす：統計学と第二次科学革命』、石原英樹・重田園江訳、木鐸社、1999年]
Hansen, William. *The Anthology of Ancient Greek Popular Literature*. Bloomington: Indiana University Press, 1998.
Hawking, Stephen. *A Brief History of Time: From the Big Bang to Black Holes*. London: Bantam Press, 1988. [『ホーキング、宇宙を語る：ビッグバンからブラックホールまで』、林一訳、早川書房、1989年]
Haynes, Roslynn. "Astronomy and the Dreaming: The Astronomy of the Aboriginal Australians." In *Astronomy across Cultures: The History of non-Western Astronomy*, edited by Helaine Selin. London: Kluwer, 2000.
Headrick, Daniel. *Humans versus Nature: A Global Environmental History*. Oxford: Oxford University Press, 2020.
Hensel, D. Gert. "H.G. Wells and the Drafting of a Universal Declaration of Human Rights." *Peace Research* 35, no. 1 (2003): 93–102.
Herrington, Gaya. "Update to Limits to Growth: Comparing the World3 Model with Empirical Data." *Journal of Industrial Ecology* 24 (2012): 614–26. https://advisory.kpmg.us/articles/2021/limits-to-growth.html. Hines, Andy, and Peter Bishop. *Thinking about the Future: Guidelines for Strategic Foresight*. 2nd ed. Houston, TX: Hinesight, 2015.
Holmes, Dawn E. *Big Data: A Very Short Introduction*. Oxford: Oxford University Press, 2017. [『ビッグデータ超入門』、岩崎学訳、東京化学同人、2020年]
Holmes, Richard. *The Age of Wonder: How the Romantic Generation Discovered the Beauty and Terror of Science*. Glasgow, Scotland: William Collins, 2008.
Holt, Jim. *When Einstein Walked with Gödel: Excursions to the Edge of Thought*. New York: Farrar, Straus and Giroux, 2018.
Hoyle, Fred. *The Black Cloud*. London: William Heinemann, 1957. [『暗黒星雲』、鈴木敬信訳、法政大学出版局、1974年]
Hume, David. *David Hume Collection* [includes *A Treatise of Human Nature, An Enquiry Concerning Human Understanding, An Enquiry Concerning the Principles of Morals,* and *Dialogues Concerning Natural Religion*]. NP, 2020. [『人間本性論』(全3巻)、木曾好能ほか訳、法政大学出版局、2011-2012年／『人間知性研究』、斎藤繁雄・一ノ瀬正樹訳、法政大学出版局、2011年／『道徳原理の研究』、渡部峻明訳、理想社、1993年『自然宗教に関する対話』、福鎌忠恕・斎藤繁雄訳、法政大学出版局、2014年]
Huxley, Aldous. *Brave New World*. London: Chatto & Windus, 1932. [『すばらしい新世界：新訳版』、大森望訳、早川書房、2017年]
Isaacson, Walter. *Einstein: His Life and Universe*. New York: Simon & Schuster, 2007. [『アインシュタイン　その生涯と宇宙』(上・下)、二間瀬敏史監訳、関宗蔵・松田卓也・松浦俊輔訳、武田ランダムハウスジャパン、2011年]
Ismael, Jenann. *How Physics Makes Us Free*. New York: Oxford University Press, 2016.
———. "Temporal Experience." In *The Oxford Handbook of Philosophy of Time*, edited by Craig

にして発見されたか』、江沢洋訳、岩波書店、2001年]
———. "There's Plenty of Room at the Bottom." Lecture given at the annual meeting of the American Physical Society at the California Institute of Technology, Pasadena, CA, December 29, 1959. http://www.zyvex.com/nanotech/feynman.html.
Finney, Ben. *From Sea to Space*. Auckland, NZ: Massey University Press, 1992.
Flower, Michael A. *The Seer in Ancient Greece*. Berkeley: University of California Press, 2008.
Foster, Russell G., and Leon Kreitzman. *Circadian Rhythms: A Very Short Introduction*. Oxford: Oxford University Press, 2017. [『体内時計のミステリー：最新科学が明かす睡眠・肥満・季節適応』、石田直理雄訳、大修館書店、2020年]
Gallois, William. "Zen History." *Rethinking History* 14, no. 3 (2010): 421–40. https://doi.org/10.1080/13642529.2010.482799.
Garrett, Don. *Hume: The Routledge Philosophers*. New York: Routledge, 2015.
Gates, Bill. *How to Avoid a Climate Disaster*. New York: Penguin, 2021. [『地球の未来のため僕が決断したこと：気候大災害は防げる』、山田文訳、早川書房、2021年]
Gell, Alfred. *The Anthropology of Time: Cultural Constructions of Temporal Maps and Images*. Oxford: Berg, 1992.
Gerjuoy, Herbert. "The Most Significant Events of the Next Thousand Years." In Slaughter, *Knowledge Base of Futures Studies,* bk. 3, pt. 3.
Gerth, H. H., and C. Wright Mills, ed. *From Max Weber: Essays in Sociology*. London: Taylor & Francis Group, 2013. [『マックス・ウェーバー：その人と業績』、山口和男・犬伏宣宏訳、ミネルヴァ書房、1967年]
Gibelyou, Cameron, and Douglas Northrop. *Big Ideas: A Guide to the History of Everything*. New York: Oxford University Press, 2020.
Gidley, Jennifer M. *The Future: A Very Short Introduction*. Oxford: Oxford University Press, 2017.
Gilbert, Daniel. *Stumbling on Happiness*. London: William Collins, 2007. [『明日の幸せを科学する』、熊谷淳子訳、早川書房、2013年]
Gilmour, G. H. "The Nature and Function of Astragalus Bones from Archaeological Contexts in the Levant and Eastern Mediterranean." *Oxford Journal of Archaeology* 16 (1997): 167–75. Thanks to Ray Laurence for this reference.
Gisin, N. "Mathematical Languages Shape Our Understanding of Time in Physics." *Nature Physics* 16 (2020): 114–16. https://doi.org/10.1038/s41567-019-0748-5.
Godfrey-Smith, Peter. *Metazoa: Animal Minds and the Birth of Consciousness*. Glasgow, Scotland, William Collins, 2020.
Goodsell, David S. *The Machinery of Life*. New York: Springer, 2009. [『生命のメカニズム：美しいイメージで学ぶ構造生命科学入門』、中村春木監訳、工藤高裕・西川建・中村春木訳、シナジー、2015年]
Goodwin, Peter. *Forewarned: A Sceptic's Guide to Prediction*. London: Biteback Publishing, 2017.
Goody, Jack. "Time: Social Organization." In *International Encyclopaedia of the Social Sciences,* edited by David Sills, vol. 16, 30–42 (New York: Macmillan, 1968).
Gopnik, Alison. *The Philosophical Baby: What Children's Minds Tell Us about Truth, Love & the Meaning of Life*. New York: Vintage, 2011. [『哲学する赤ちゃん』、青木玲訳、亜紀書房、2010年]
Goswami, Usha. *Child Psychology: A Very Short Introduction*. Oxford: Oxford University Press, 2014.
Greer, John Michael. *The Long Descent: A User's Guide to the End of the Industrial Age*. Gabriola Island, BC, Canada: New Society Publishers, 2008.
Grinin, Anton, and Leonid Grinin. "Crossing the Threshold of Cyborgization." *Journal of Big History* 4,

1996.［『心はどこにあるのか』、土屋俊訳、草思社、1997年］
de Rachewiltz, Igor. *The Secret History of the Mongols: A Mongolian Epic Chronicle of the Thirteenth Century*. 2 vols. Leiden: Brill, 2006.
De Vito, Stefania, and Sergio Della Sala. "Predicting the Future." *Cortex* 47, no. 8 (2011): 1018–22.
Dewdney, Christopher. *The Epic Drama of the Atmosphere and Its Weather*. London: Bloomsbury, 2019.
Díaz, S., J. Settele, E. S. Brondízio, H. T. Ngo, M. Guèze, J. Agard, A. Arneth, et al., eds. *IPBES (2019): Summary for Policymakers of the Global Assessment Report on Biodiversity and Ecosystem Services of the Intergovernmental Science Policy Platform on Biodiversity and Ecosystem Services*. Bonn, Germany: IPBES Secretariat, 2019.
Dick, Steven J., and Mark L. Lupisella, eds. *Cosmos & Culture: Cultural Evolution in a Cosmic Context*. Washington, DC: National Aeronautics and Space Administration, 2009.
Drexler, K. Eric. *Radical Abundance: How a Revolution in Nanotechnology Will Change Civilization*. New York: Perseus, 2013.
Dunbar, Robin. *Human Evolution: A Pelican Introduction*. New York: Penguin, 2014.［『人類進化の謎を解き明かす』、鍛原多惠子訳、インターシフト、2016年］
Dyson, Freeman. "Time without End: Physics and Biology in an Open Universe." *Reviews of Modern Physics* 51, no. 3 (1979): 447–60.
Egan, Chas A., and Charles H. Lineweaver. "Life, Gravity and the Second Law of Thermodynamics." *Physics of Life Reviews* 5 (2008): 225–42.
Ehrlich, Paul R., and Anne Ehrlich. *The Population Bomb*. New York: Ballantine Books, 1968.［『人口爆弾』、宮川毅訳、河出書房新社、1974年］
Einstein, Albert. *Relativity, the Special and the General Theory*. Translated by Robert W. Lawson. London: Routledge, 1920.
———. "Zur Elektrodynamik bewegter Körper" ("On the Electrodynamics of Moving Bodies"). *Annalen der Physik* 322 (10): 891–921.［『相対性理論』、内山龍雄訳、岩波書店、1988年］
Eisenstadt, Shmuel. "The Axial Age: The Emergence of Transcendental Visions and the Rise of Clerics." *European Journal of Sociology / Archives Européennes de Sociologie Europäisches Archiv für Soziologie* 23, no. 2 (1982): 294–314.
Eldredge, Niles, and Stephen Jay Gould. "Punctuated Equilibria: An Alternative to Phyletic Gradualism." In *Models in Paleobiology,* edited by T. J. M. Schopf, 82–115. San Francisco: Freeman Cooper, 1972.
Eliade, Mircea. *Myth of the Eternal Return, or, Cosmos and History*. Princeton, NJ: Princeton University Press, 1954.［『永遠回帰の神話：祖型と反復』、堀一郎訳、未来社、1981年］
Elias, Norbert. *Time: An Essay*. Oxford: Blackwell, 1992.［『時間について』、井本晌二・青木誠之訳、法政大学出版局、1996年］
Evans-Pritchard, E. E. *Witchcraft, Oracles and Magic among the Azande*. Abridged with an introduction by Eva Gillies. Oxford: Oxford University Press, 1976.［『アザンデ人の世界：妖術・託宣・呪術』、向井元子訳、みすず書房、2001年］
Feller, William. *An Introduction to Probability Theory and Its Applications*. Vol. 1, 3rd ed. New York: John Wiley, 1968.［『確率論とその応用』（上・下）、卜部舜一・羽鳥裕久・大平坦・河田龍夫・国沢清典訳、紀伊國屋書店、1963年］
Ferguson, Adam. *An Essay on the History of Civil Society*. 3rd ed. London, 1768.［『市民社会史論』、天羽康夫・青木裕子訳、京都大学学術出版会、2018年］
Fernandez-Armesto, Felipe. *The World: A History*. Upper Saddle River, NJ: Pearson, 2007.
Feynman, Richard P. *The Character of Physical Law*. 1965. New York: Penguin, 1992.［『物理法則はいか

1260–2000. Hoboken, NJ: Wiley/ Blackwell, 2018.
——— . "History and Science after the Chronometric Revolution." In Dick and Lupisella, *Cosmos & Culture*, 441–62.
——— . *Maps of Time: An Introduction to Big History*. 2nd ed. Berkeley, CA: University of California Press, 2011.
——— . "The Noösphere." In *This Idea Is Brilliant*, edited by John Brockman. New York: Harper Perennial, 2018.
——— . *Origin Story: A Big History of Everything*. New York: Little, Brown, 2018. [『オリジンストーリー：138億年全史』、柴田裕之訳、筑摩書房、2019年]
——— . "Silk Roads or Steppe Roads? The Silk Roads in World History." *Journal of World History* 11, no. 1 (2000): 1–26.
Churchland, Patricia. *Braintrust: What Neuroscience Tells Us about Morality*. 2011; Princeton, NJ: Princeton University Press, 2018, with new preface. [『脳がつくる倫理：科学と哲学から道徳の起源にせまる』、信原幸弘・樫則章・植原亮訳、化学同人、2013年]
——— . *Conscience: The Origins of Moral Intuition*. New York: W. W. Norton, 2019.
Cicero. *On the Nature of the Gods. Academics*. Translated by H. Rackham. Loeb Classical Library 268. Cambridge, MA: Harvard University Press, 1933. [「神々の本性について」『キケロー選集11　哲学IV』所収、山下太郎訳、岩波書店、2000年]
——— . *On Old Age. On Friendship. On Divination*. Translated by W. A. Falconer. Loeb Classical Library 154. Cambridge, MA: Harvard University Press, 1923. [『老年について』、中務哲郎訳、岩波書店、2004年／『友情について』、中務哲郎訳、岩波書店、2004年]
——— . *On the Republic. On the Laws*. Translated by Clinton W. Keyes. Loeb Classical Library 213. Cambridge, MA: Harvard University Press, 1928. [「国家について」「法律について」共に『キケロー選集 8　哲学I』所収、岡道男訳、岩波書店、1999年]
Collingwood, R. G. *The Idea of History*. Rev. ed. Edited by Jan Van Dussen. New York: Oxford University Press, 1994. [『歴史の観念』、小松茂夫・三浦修訳、紀伊國屋書店、2002年]
Condorcet, Marquis de. *Sketch for a Historical Picture of the Progress of the Human Mind*. In Lukes and Urbinati, *Condorcet: Political Writing*, 1–147.
Cossins, Daniel. "The Time Delusion." *New Scientist*, July 6, 2019, 32–36. Curd, Martin, and J. A. Cover. *Philosophy of Science: The Central Issues*. New York: W. W. Norton, 1998.
Danks, David. "Safe-and-Substantive Perspectivism." In Massimi and McCoy, *Understanding Perspectivism*, chap. 7.
Darwin, Charles. *Works of Charles Darwin*. MobileReference.com, 2008. Daston, Lorraine. *Classical Probability in the Enlightenment*. Princeton, NJ: Princeton University Press, 1995. My thanks to Nic Baker for this reference.
Dator, James. *Jim Dator: A Noticer in Time: Selected Work, 1967–2018*. Anticipation Science Book 5. Cham, Switzerland: Springer, 2019.
Davies, Owen. *Magic: A Very Short Introduction*. Oxford: Oxford University Press, 2012.
Davies, Paul. *The Demon in the Machine: How Hidden Webs of Information Are Finally Solving the Mystery of Life*. London: Penguin: 2019. [『生物の中の悪魔：「情報」で生命の謎を解く』、水谷淳訳、SBクリエイティブ、2019年]
Dennett, Daniel. *Consciousness Explained*. New York: Penguin, 1991. [『解明される意識』、山口泰司訳、青土社、1998年]
——— . *Kinds of Minds: Toward an Understanding of Consciousness*. London: Weidenfeld and Nicolson,

National Academy of Science 115, no. 25 (2018): 6506–11.
Beard, Mary. “Cicero and Divination: The Formation of a Latin Discourse.” *Journal of Roman Studies* 76 (1986): 33–46.
———. *SPQR: A History of Ancient Rome*. New York: Liveright, 2015.
Bell, Wendell. *Foundations of Futures Studies*. 2 vols. New Brunswick, NJ: Transaction Publishers, 1997, 2004.
Bellah, Robert N. *Religion in Human Evolution: From the Paleolithic to the Axial Age*. Cambridge, MA: Harvard University Press, 2011.
Benjamin, Craig, Esther Quaedackers, and David Baker, eds. *The Routledge Companion to Big History*. London: Routledge, 2020.
Bhagavad Gita. Translated by Laurie L. Patton. London: Penguin, 2014. Blackburn, Simon. *The Big Questions: Philosophy*. London: Quercus, 2009.［『ビッグクエスチョンズ 哲学』、山邊昭則・下野葉月訳、ディスカヴァー・トゥエンティワン、2015年］
Blum, Andrew. *The Weather Machine: How We See into the Future*. New York: Vintage, 2019.
Boethius. *The Consolation of Philosophy*. Translated by David R. Slavitt. Cambridge, MA: Harvard University Press, 2008.［『哲学の慰め』、畠中尚志訳、岩波書店、1938年］
Bostrom, Nick. *Superintelligence: Paths, Dangers, Strategies*. Oxford: Oxford University Press, 2014.［『スーパーインテリジェンス：超絶AIと人類の命運』、倉骨彰訳、日本経済新聞出版社、2017年］
Boyer, Pascal. *Religion Explained: The Evolutionary Origins of Religious Thought*. Basic Books, 2002.［『神はなぜいるのか?』、鈴木光太郎・中村潔訳、NTT出版、2008年］
Bray, Dennis. *Wetwear: A Computer in Every Living Cell*. New Haven, CT: Yale University Press, 2009.［『ウェットウェア：単細胞は生きたコンピューターである』、熊谷玲美・田沢恭子・寺町朋子訳、早川書房、2011年］
Caldarelli, Guido, and Michele Catanzaro. *Networks: A Very Short Introduction*. Oxford: Oxford University Press, 2012.［『ネットワーク科学：つながりが解き明かす世界のかたち』、高口太朗訳、丸善出版、2014年］
Callender, Craig, ed. *The Oxford Handbook of Philosophy of Time*. New York: Oxford University Press, 2011.
Campion, Nicholas. *Astrology and Cosmology in the World's Religions*. New York: New York University Press, 2012.
Carr, E. H. *What Is History?* 1961. Harmondsworth: Penguin, 1964.［『歴史とは何か：新版』、近藤和彦訳、岩波書店、2022年］
Chalmers, Alan F. *What Is This Thing Called Science?* St. Lucia: University of Queensland Press, 1978.［『科学論の展開：科学と呼ばれているのは何なのか?』、高田紀代志・佐野正博訳、恒星社厚生閣、2013年］
Chamovitz, Daniel. *What a Plant Knows*. 2nd ed. Melbourne: Scribe, 2017.［『植物はそこまで知っている：感覚に満ちた世界に生きる植物たち』、矢野真千子訳、恒星社厚生閣、2017年］
Cheney, Dorothy L., and Robert M. Seyfarth. *Baboon Metaphysics: The Evolution of a Social Mind*. Chicago: University of Chicago Press, 2007.
Christian, David. “History and Global Identity.” In *The Historian's Conscience: Australian Historians on the Ethics of History*, edited by Stuart Macintyre, 139–50. Melbourne: Melbourne University Press, 2004.
———. *A History of Russia, Central Asia and Mongolia*. Vol. 1, *Inner Eurasia from Prehistory to the Mongol Empire*. Oxford: Blackwell, 1998; Vol. 2, *Inner Eurasia from the Mongol Empire to Today*,

参考文献

Aligica, Paul Dragos, ed. “Special Issue on Wendell Bell.” *Futures* 43, no. 6 (2011): 563–638.

Al-Khalili, Jim, ed. *What's Next: Even Scientists Can't Predict the Future — or Can They?* London: Profile, 2017. [『サイエンス・ネクスト：科学者たちの未来予測』、鍛原多惠子訳、河出書房新社、2018年]

Allan, Richard P., P. A. Arias, S. Berger, J. G. Canadell, C. Cassou, D. Chen, A. Cherchi, et al., eds. *Climate Change 2021: The Physical Basis: Summary for Policy Makers.* Cambridge: Cambridge University Press, 2021.

Anderson, Benedict. *Imagined Communities: Reflections on the Origins and Spread of Nationalism.* 1983. Rev. ed., London: Verso, 2016, with the preface to the 1991 ed. [『定本 想像の共同体：ナショナリズムの起源と流行』、白石隆・白石さや訳、書籍工房早山、2007年]

Anderson, P. W. “More Is Different: Broken Symmetry and the Hierarchical Structure of Science.” *Science* 177, no. 4047 (1972): 393–96.

Andersson, Jenny. *The Future of the World: Futurology, Futurists, and the Struggle for the Post Cold War Imagination.* Oxford: Oxford University Press, 2018.

Arnauld, Antoine, and Pierre Nicole. *Logic, or the Art of Thinking.* Translated by Jill Vance Buroker. Cambridge: Cambridge University Press, 1996. [『ポール・ロワイヤル論理学』、山田弘明・小沢明也訳、法政大学出版局、2021年]

Arthur, Brian. *The Nature of Technology.* New York: Penguin, 2009. [『テクノロジーとイノベーション：進化／生成の理論』、有賀裕二監修、日暮雅通訳、みすず書房、2011年]

Asimov, Isaac. *Foundation* (1951), *Foundation and Empire* (1952), and *Second Foundation* (1953). New York City: Gnome Press. [『ファウンデーション』『ファウンデーション対帝国』『第二ファウンデーション』、いずれも岡部宏之訳、早川書房刊、1984年]

Atwood, Christopher P. *Encyclopedia of Mongolia and the Mongol Empire.* New York: Facts on File, 2004.

Augustine. *City of God.* Bks. 1–22. Loeb Classical Library. Cambridge, MA: Harvard University Press, 1957, 411–417. [『神の国』（全5巻）、服部英次郎・藤本雄三訳、岩波書店、1982年～1991年]

——— . *Confessions.* Translated by Henry Chadwick. New York: Oxford University Press, 1992. [『告白』（上・下）、服部英次郎訳、岩波書店、1976年]

Bacigalupo, Ana Mariella. *Shamans of the Foye Tree: Gender, Power, and Healing among Chilean Mapuche.* Austin: University of Texas Press, 2010. My thanks to Merry Wiesner-Hanks for this reference.

Bardon, Adrian. *A Brief History of the Philosophy of Time.* New York: Oxford University Press, 2013. [『時間をめぐる哲学の冒険：ゼノンのパラドクスからタイムトラベルまで』、佐金武訳、ミネルヴァ書房、2021年]

Baron, Sam, and Kristie Miller. *An Introduction to the Philosophy of Time.* Cambridge: Polity Press, 2019.

Bar-On, Yinon M., Rob Phillips, and Ron Milo. “The Biomass Distribution on Earth.” *Proceedings of the*

7. Meadows, *Future of the Universe*, 117 および 114.
8. *Extraterrestrial*［『オウムアムアは地球を見たか？』］で、ハーバード大学の天文学部教授Avi Loeb は、この恒星間天体が知性を持つ生物によって建造された可能性があると述べたが、この考えに同調する人はほとんどいない。
9. Meadows, *Future of the Universe*, chap. 2.
10. Voros, "Big Futures," 417.
11. Meadows, *Future of the Universe*, 18.
12. Lovelock, *Gaia*［『ガイア』］.
13. Shah, "Complex Life's Days Are Numbered."
14. Meadows, *Future of the Universe*, 65–66.
15. Meadows, *Future of the Universe*, 126.
16. 銀河どうしの衝突については以下参照。Meadows, *Future of the Universe*, chap. 10; アンドロメダ銀河との衝突については以下参照。Mack, *The End of Everything*, 50–51.
17. Walls, *Oxford Handbook to Eschatology* 151.
18. Dyson, "Time without End."
19. Walls, *Oxford Handbook to Eschatology*, 3.
20. Walls, *Oxford Handbook to Eschatology*, 6.
21. Klee "Spiritualism: The Technological Endgame," in Schroeter, *After Shock*, 65.
22. Mack, *The End of Everything*, 61.
23. Hawking, *Brief History of Time*, 150–51.
24. Mack, *The End of Everything*, 95.
25. Holt, *When Einstein Walked with Gödel*, 18.
26. Holt, *When Einstein Walked with Gödel*, 243.
27. Smolin, *Life of the Cosmos*.［『宇宙は自ら進化した』］.
28. Rees, *Just Six Numbers*［『宇宙を支配する６つの数』］.
29. Meadows, *Future of the Universe*, 162.

7. Kardashev, "Transmission of Information by Extra-Terrestrial Civilizations"; "On the Inevitability and the Possible Structures of Supercivilizations."
8. Sagan, *The Cosmic Connection*, chap. 34.
9. このような構造体を発見する最近の試みについては以下参照。Rorvig, "How to Spot an Alien Megastructure."
10. ホーグの天体については以下参照。Voros, "Big Futures," 423; Kaku, *Physics of the Future*, 330も参照。
11. Feynman, "There's Plenty of Room at the Bottom."
12. John Smart, "Exponential Progress," in Schroeter, *After Shock*, 499.
13. Drexler, *Radical Abundance*の展望。
14. AIについては以下参照。Russell, *Human Compatible*.
15. Kaku, *Future of Humanity* [『人類、宇宙に住む』], 125.
16. Bostrom, *Superintelligence* [『スーパーインテリジェンス』], 123.
17. Kaku, *Physics of the Future*, 109.
18. Strathern, *Brief History of the Future*, 296.
19. Srubar, "Buildings Grown by Bacteria."
20. Natasha Vita-More, "A History of Transhumanism" in Lee, *The Transhumanism Handbook*, chap. 2, 49.
21. Swirski *Art and Science of Stanislaw Lem*に所収のLem, "Thirty Years Later".
22. Gerjuoy, "Most Significant Events of the Next Thousand Years."
23. Finney, *From Sea to Space*, chap. 3, "One Species or a Million?" 105.
24. Finney, *From Sea to Space*, chap. 3, "One Species or a Million?" 113.
25. Caitlin Yilek, "Jeff Bezos on Future of Spaceflight," 2021年7月21日放送のCBS News, https://www.cbsnews.com /news/jeff-bezos-space-heavy-industry -polluting-industry/より。
26. Finney, *From Sea to Space*, 105.
27. Kaku, *Future of Humanity*, 107.
28. Ord, *The Precipice*, 231.
29. 宇宙生物学と惑星科学の進化にかんする秀でた解説については以下参照。Grinspoon, *Earth in Human Hands*.
30. Olaf Stapledon, *Starmaker*, cited in Kaku, *Future of Humanity*, 244.
31. Shostak, "The Value of 'L,'" 404.
32. Robinson, "Realism of Our Times."
33. Kaku, *Physics of the Future*, 340; Dyson, "Time without End," 453.

第10章

1. Jacob Margolis (@JacobMargolis),「バッテリーが切れそうだ。それに暗くなりかけてきた」, 2019年2月12日午後4時38 分のツイッター , https://twitter.com/jacobmargolis/status/1095436913173880832.
2. Bar-On, Phillips, and Milo, "Biomass Distribution on Earth."
3. 以下の記述は部分的に以下に基づく。Meadows, *Future of the Universe*, chap. 2.
4. ここ数十億年におけるプレートテクトニクスの動画については以下参照。Robin George Andrews, "Watch This Billion-Year Journey of Earth's Tectonic Plates," *New York Times*, 2021年2月6日掲載, https://www.nytimes.com/2021/02/06/science/tectonic-plates-continental-drift.html,
5. Nance et al., "The Supercontinent Cycle."
6. Meadows, *Future of the Universe*, 111.

in Data, 最終編集2019年, https://ourworldindata.org/future-population-growth; Ehrlich and Ehrlich, *The Population Bomb*［『人口爆弾』］.
39. Vollset et al., "Fertility, Mortality, Migration, and Population Scenarios."
40. データは以下より。Max Roser, "Fertility Rate: Children Born per Woman [World]," Our World in Data, 2014年に初公開; 2017年12月2日に大幅な改稿, https://ourworldindata.org/fertility-rate.
41. Weart, "Development of the Concept of Dangerous Anthropogenic Climate Change."
42. Riahi et al., "Shared Socioeconomic Pathways" が戦略を説明している。
43. Allan et al., *Climate Change 2021*, 16–18.
44. Allan et al., *Climate Change 2021*, 36.
45. 数字は以下より。Bar-On, Phillips, and Milo, "Biomass Distribution on Earth."
46. S. Díaz et al., IPBES Global Assessment (2019), 24.
47. The 2021 UNEP report, *Making Peace with Nature*が恐怖を感じさせる統計を公開している。
48. Lovelock, *Gaia: A New Look at Life on Earth*［『ガイア』］.
49. Rockström and Klum, *Big World: Small Planet*［『小さな地球の大きな世界』］.
50. Raworth, *Doughnut Economics*,［『ドーナツ経済学が世界を救う』］, 47より。
51. 確率にかんする優れた議論については以下参照。*The Precipice*, 24–26 and 90–102.
52. Piketty, *Capital in the Twenty-First Century*［『21世紀の資本』］.
53. Scheidel, *The Great Leveler*［『暴力と不平等の人類史』］, 序.
54. Scheidel, *The Great Leveler* ［『暴力と不平等の人類史』］.
55. Al-Khalili, *What's Next?*［『サイエンス・ネクスト』］はすでに計画段階にある新たなテクノロジーを概説する。
56. Christian, "The Noösphere."
57. Randers, *2052*［『2052』］, loc. 670, Kindle.
58. Dator, *A Noticer in Time*, chap. 5, pt. 4, "The Four Generic Futures."
59. 存亡の危機の定義については以下参照。Ord, *The Precipice*, 37；起こりうる存亡の危機の表については以下参照。同書167.
60. Greer's *The Long Descent*がそのような緩慢な崩壊を描写している。
61. Greer, *The Long Descent*, 83.
62. Raskin, *Journey to Earthland*.
63. Sinclair and LaPlante, *Lifespan*［『ライフスパン』］.
64. Meadows et al., *Limits to Growth*, 171.
65. トランスヒューマニズムについては以下参照。Grinin and Grinin, "Crossing the Threshold of Cyborgization."
66. *Stakeholder Capitalism*, 167より。

第9章

1. Ord, *The Precipice*, 52.
2. Wells, *The Outline of History*, vol. 2, chap. 41, pt. 4.
3. たとえば以下。Wagar, *Short History of the Future*［『未来からの遺言』］; Stableford and Langford, *The Third Millennium*.
4. Gates, *How to Avoid a Climate Disaster*, chap. 4.
5. Kaku, *Physics of the Future*, 252.
6. Kaku, *Physics of the Future*, 246.

9. Lukes and Urbinati, *Condorcet*, 7.
10. Lukes and Urbinati, *Condorcet*, 126, 45, 96.
11. Lukes and Urbinati, *Condorcet*, 136, 145.
12. ウェルズの影響については以下参照。Hensel, “H.G. Wells and the Drafting of a Universal Declaration of Human Rights”; Wells, *Rights of Man; or, What Are We Fighting For?* 23.
13. Lukes and Urbinati, *Condorcet*, 136–37.
14. Malthus, *Essay on the Principle of Population*［『人口論』］.
15. Malthus, *Essay on the Principle of Population*［『人口論』］, 18–20.
16. Bell, *Foundations of Futures Studies*, 1:117より。
17. Meadows et al., *The Limits to Growth*［『成長の限界』］.
18. Meadows et al., *The Limits to Growth*［『成長の限界』］, 196.「精神のコペルニクス的転回」という表現はローマクラブの支援者たちによって付加された。
19. Meadows et al., *The Limits to Growth*［『成長の限界』］, 24–25.
20. Meadows et al., *The Limits to Growth*［『成長の限界』］, 175より。
21. 1992年に国連で合意された気候変動に関する枠組条約, https://unfccc.int/files/essential_background/background_publications_htmlpdf/application/pdf/conveng.pdf.
22. 1992年7月16日に「憂慮する科学者同盟」が発表した「世界の科学者による人類への警告」, https://www.ucsusa.org/resources/1992-world-scientists-warning-humanity.
23. 2012年9月11日に国連総会で採択された「私たちが望む未来」, https://sustainabledevelopment.un.org/index.php?page=view&type=400&nr=733&menu=35.
24. 2015年に国連が掲げた持続可能な開発目標：2015年10月21日に採択された「世界を変える—持続可能な開発のための2030年アジェンダ」前文より。
25. 最新の持続可能な開発目標は、2015年に採択された「世界を変えるー持続可能な開発のための2030年アジェンダ」からダウンロードできる。https://sustainabledevelopment.un.org/post2015/transformingourworld/publication.
26. Randers, *2052*［『2052』］, loc. 1319, Kindle.
27. ラムズフェルドの記者会見は以下からダウンロードできる。https://archive.ph/20180320091111/http://archive.defense.gov/Transcripts/Transcript.aspx ?TranscriptID=2636; 優れた議論については以下参照。Silver, *Signal and the Noise*［『シグナル＆ノイズ』］.
28. Raworth, *Doughnut Economics*, 124より。
29. Taleb, *The Black Swan*［『ブラック・スワン』］.
30. Eldredge and Gould, “Punctuated Equilibria.”
31. これについては以下参照。Christian, *Origin Story*［『オリジン・ストーリー』］.
32. 以下の数字はKaku, *Physics of the Future*［『2100年の科学ライフ』］, 328ffより。
33. Rosling and Rosling, *Factfulness*［『FACTFULNESS（ファクトフルネス）』］, 51.
34. Max Roser, Hannah Ritchie, and Bernadeta Dadonaite, “Child and Infant Mortality,” Our World in Data, 最終編集2019年11月, https://our-worldindata.org/child-mortality; Smil, *Numbers Don't Lie*, 9.
35. Holmes, *The Age of Wonder*, 305ffは彼女の恐ろしい体験の概説; Porter, *Greatest Benefit*, loc. 7145, Kindleは抜粋。
36. Pinker, *Better Angels of Our Nature*［『暴力の人類史』］;ピンカーの見解の要約については以下参照。Steven Pinker, “A History of Violence: Edge Master Class 2011,” Edge, September27, 2011, https://www.edge.org/conversation/mc2011-history-violence-pinker.
37. Schwab, *Stakeholder Capitalism*, 25.
38. 重要なグラフについては以下参照。Max Roser, “Future Population Growth,” ウェブサイトOur World

48. 以下参照。Turner, "Comparison of the Limits to Growth"; "Is Global Collapse Imminent?"; Herrington, "Update to Limits to Growth," 2021.
49. Ord, *The Precipice*, 70–73.
50. Dewdney, *Epic Drama*, 154–58.
51. Blum, *The Weather Machine*, 19–28; Dewdney, *Epic Drama*, 158ff.
52. Blum, *The Weather Machine*, 125; ECMWFについては以下参照。Blum, *The Weather Machine*, chap. 8.
53. Silver, *Signal and the Noise*［『シグナル＆ノイズ』］, 181–82.
54. 概論については以下参照。Gidley, *The Future*, 58; Sardar, *Future: All That Matters*, chap. 3; および Bell, *Foundations of Futures Studies*, 1, chap. 1.
55. ウェルズが近代の未来学創始者であることについては以下参照。Wagar, "H.G. Wells and the Genesis of Future Studies."
56. Wells, "Discovery of the Future," 1902.
57. Sardar, *Future: All That Matters*, loc. 350, Kindleより。
58. 数字はBell, *Foundations of Futures Studies*, 1:63–64より。
59. Strathern, *Brief History of the Future*, 205ff. and 263ff.
60. Andersson, *Future of the World*, 4; Flechtheimについては以下参照。Strathern, *Brief History of the Future*, chap. 4.
61. Gidley, *The Future*, 5–6, 51.
62. Meadows et al., *The Limits to Growth*［『成長の限界』］, loc. 398–414, Kindle.
63. Gidley, *The Future*, 55–56; WFSFについては以下参照。https://wfsf.org/; Sardar, *Future: All That Matters*, loc. 461ff., Kindleは異なる観点から多様な未来について述べる; 現在では職業人としての未来学者の団体もあり (https://www.apf.org/), そのウェブサイトによれば40カ国に400人という会員がいるという。
64. Bell, *Foundations of Futures Studies*, vol. 1, chap. 2は "Purposes of Future Studies" にかんする; 1:102–12も参照。
65. Bell, *Foundations of Futures Studies*; Aligica, "Special Edition on Wendell Bell"; 職業人としての未来学者が使える模範的なテクニックについては以下参照。Hines and Bishop, *Thinking about the Future*; シナリオ計画については以下参照。Schwartz, *The Art of the Long View*。
66. SFと未来学の関係については以下参照。James and Mendlesohn, "Fiction and the Future."

第8章

1. Rees, *On the Future*, 12.
2. Krznaric, *The Good Ancestor*［『グッド・アンセスター』］, 89より。
3. Dator, *A Noticer in Time*, 42; Joe Voros, "Philosophical Foundations," 69に引用のHarman, *Incomplete Guide to the Future*.
4. Maslow, "Theory of Human Motivation" および "Symposium: Revisiting Maslow."
5. Christian, "History and Global Identity."
6. 宣言は以下で読むことができる。"Towards a Global Ethic," 1993, Parliament of the World's Religions, https://parliamentofreligions.org/towards-global-ethic-initial-declaration.
7. Sargent, *Utopianism*, 15より。
8. Sargent, *Utopianism*, 66. この本は、カトリック司祭で宣教師のサンジェルマーノが書き残した作品の翻訳（1833年）を引用している。

12. Davies, *Magic*, 45; ウェーバーがシラーから借用した「脱呪術化（the disenchantment of the world）」という表現については以下参照。Gerth and Mills, *From Max Weber*［『マックス・ウェーバー』］, 51.
13. Gerth and Mills, *From Max Weber*［『マックス・ウェーバー』］, 139に所収の"Science as a Vocation［『職業としての学問』］."
14. Shapin, *The Scientific Revolution*［『「科学発明」とは何だったのか』］, 154 および 33.
15. 以下を参考にした。Wooton, *The Invention of Science*, 5–6, 8–9.
16. Porter, *Greatest Benefit*, loc. 8991, Kindle.
17. シェイピンが指摘するように、これは単なる思考実験だったかもしれない: *The Scientific Revolution*［『「科学発明」とは何だったのか』］, 84; Torricelliについては以下参照。Dewdney, *Epic Drama*, 152ff.
18. Silver, *Signal and the Noise*［『シグナル＆ノイズ』］, 372.
19. Pearl, "Art and Science of Cause and Effect," 415.
20. Weaver, *Lady Luck*, 74より。
21. Gilmour, "Nature and Function of Astragalus Bones."
22. Stewart, *Do Dice Play God?*［『不確実性を飼いならす』］, 28; Mlodinow, *Drunkard's Walk*［『たまたま』］, loc. 806ff., Kindle. カルダーノにかんする自らの研究を提供してくれたNic Bakerに感謝する。
23. 以下での引用。Mlodinow, *The Drunkard's Walk*［『たまたま』］, loc. 1007 および1064, Kindle.
24. Stewart, *Do Dice Play God?*［『不確実性を飼いならす』］, 29–30.
25. Mlodinow, *The Drunkard's Walk*［『たまたま』］, chap. 3; 標本空間の概念はWilliam Fellerの名著 *Introduction to Probability Theory*［『確率論とその応用』］の第１章に正確に記述されている。
26. Stewart, *Do Dice Play God?*［『不確実性を飼いならす』］, 43–44; 普通のコインを放り投げても完璧にランダムな結果は得られないことが実験によって確かめられている。
27. この議論の一部は Mlodinow, *The Drunkard's Walk*［『たまたま』］, loc. 1064ff., Kindleに基づくが、ムロディナウはこの知見をガリレオから学んだとしている。
28. Daston, *Classical Probability*, 15.
29. Weaver, *Lady Luck*, 42.
30. Pascal, *Pensées*［『パンセ』］, "Infinite — nothing"で始まる節。
31. Arnauld, et al., *Logic, or the Art of Thinking*, 274–75.
32. Stewart, *Do Dice Play God?*［『不確実性を飼いならす』］, 33 および 91.
33. McGrayne, *Theory That Would Not Die*, 7.
34. Rosenbaum, "100 Years of Heights and Weights," 281, 要約データは282より。
35. Hacking, *The Taming of Chance*［『偶然を飼いならす』］に引用されたヒュームの言葉, 13; Daston, *Classical Probability*, 10.
36. Isaacson, *Einstein*［『アインシュタイン』］, 325.
37. Hacking, *The Emergence of Probability*［『確率の出現』］, 105–6.
38. Hacking, *The Taming of Chance*［『偶然を飼いならす』］, 40.
39. Hacking, *The Taming of Chance*［『偶然を飼いならす』］, 41より。
40. Hacking, *The Taming of Chance*［『偶然を飼いならす』］, 2–3, その他。
41. Hacking, *The Taming of Chance*［『偶然を飼いならす』］, 105.
42. Mayer-Schönberger and Cukier, *Big Data*［『ビッグデータの正体』］, 6.
43. Mayer-Schönberger and Cukier, *Big Data*［『ビッグデータの正体』］, 11.
44. Urry, *What Is the Future?*［『[未来像]の未来』］, 89.
45. Holmes, *Big Data*　［『ビッグデータの正体』］, 27.
46. Bell, *Foundations of Futures Studies*, 1:44,
47. Meadows, Meadows, and Randers, *Beyond the Limits*［『限界を超えて』］, 199.

56. Raphals, *Divination*, 94, 引用は99より。
57. Bacigalupo, *Shamans of the Foye Tree*, 17.
58. Lewin, "Popular Religion," 68.
59. Lewin, "Popular Religion," 64; Ryan, *Bathhouse at Midnight*, 51–52.
60. Ryan, *Bathhouse at Midnight*, 44.
61. Ryan, *Bathhouse at Midnight*, 96, 100, 108.
62. Evans-Pritchard, *Witchcraft*, 142–43.
63. Christian, *History of Russia, Central Asia and Mongolia*, 2:343–44より。
64. Christian, *History of Russia, Central Asia and Mongolia*, 1:59より。
65. Tedlock, "Toward a Theory of Divinatory Practice," 65.
66. Bacigalupo, *Shamans of the Foye Tree*, 26.
67. Cicero, *On Divination*［『占いについて』］, bk. 1, 297, 345; Johnston, *Ancient Greek Divination*, 9.
68. Vitebsky, *The Shaman*, 112–13.
69. Evans-Pritchard, *Witchcraft*, 79–80.
70. Evans-Pritchard, *Witchcraft*, 73.
71. Evans-Pritchard, *Witchcraft*, 102–7.
72. Cicero, *On Divination*［『占いについて』］, bk. 1, 369.
73. Augustine, *Confessions*［『告白』］, bk. 7, 117.
74. Evans-Pritchard, *Witchcraft*, 108–9.
75. Beard, SPQR, 465; 以下の記述は学者が予言の「第２版」と呼ぶHansen, *Anthology of Ancient Greek Popular Literature*のChap.10に基づく。
76. のちに兵士や農民の伺いも記載された版も出た; Stewart, *Sortes Barberinianae*, 185–88.
77. Toner, *Popular Culture in Ancient Rome*, 48.
78. Luijendijk and Klingshirn, *My Lots Are in Thy Hands*, 1; Hansen, *Anthology of Ancient Greek Popular Literature*, 285–86.
79. Toner, *Popular Culture in Ancient Rome*, 47–48.

第7章

1. Lukes and Urbinati, *Condorcet*, 125.
2. Steffen et al., "Trajectory of the Anthropocene."
3. この段落のデータはウェブサイトOur World in Data; Christian, *Origin Story*［『オリジン・ストーリー』］, 312より。主にSmil, *Harvesting the Biosphere*に基づく。
4. たとえばArthur, *The Nature of Technology*［『テクノロジーとイノベーション』］およびHeadrick, *Humans versus Nature*.
5. グローバル化のビッグヒストリー的な見方については、私がZinkina et al., *Big History of Globalization*に寄せた「まえがき」と「序文」を参照。
6. Ogle, *Global Transformation of Time*, 1–2.
7. Whitehead, *Adventures of Ideas*［『観念の冒険』］, 予見にかんする章の 93。
8. Fernandez-Armesto, *The World*, CDより。
9. 地質年代の発見については、Toulmin and Goodfield, *The Discovery of Time*が刊行年は古いものの非常に優れている。
10. 年代測定法については以下参照。Christian, "History and Science after the Chronometric Revolution."
11. Shapin, *The Scientific Revolution*［『「科学発明」とは何だったのか』］, 10; 引用は37より。

15. De Rachewiltz, *Secret History of the Mongols*, 1:457–60;他 の 訳 も あ る; Atwood, *Encyclopedia of Mongolia and the Mongol Empire*, 99.
16. Christian, *History of Russia, Central Asia and Mongolia*, 1:425より。
17. De Rachewiltz, *Secret History of the Mongols*, secs. 244–46 (1:168–74).
18. Atwood, *Encyclopedia of Mongolia and the Mongol Empire*, 100.
19. Christian, *History of Russia, Central Asia and Mongolia*, 1:425より。
20. Thomas and Humphrey, *Shamanism, History and the State*, 11.
21. Johnston, *Ancient Greek Divination*, 3.
22. Raphals, *Divination*, 253に引用されたXenophon, *Anabasis*［『アナバシス』］, 4.3.17–19より。
23. Johnston, *Ancient Greek Divination*, 11–12; Beard, "Cicero and Divination: The Formation of a Latin Discourse," 33–46;大半の学者はキケロの懐疑的な考えをより真剣に受け止めている。
24. Flower, *The Seer in Ancient Greece*, 34.
25. Johnston, *Ancient Greek Divination*, 33–36.
26. Johnston, *Ancient Greek Divination*, 49.
27. Hobbes, *Leviathan*［『リヴァイアサン』］, chap. 12, "Of Religion"; Strathern, *Brief History of the Future*, 13.
28. Johnston, *Ancient Greek Divination*, 69–70.
29. Parke and Wormell, *The Delphic Oracle*, 1:189.
30. Raphals, *Divination*, 220.
31. Nissinen, Ritner, and Seow, *Prophets and Prophecy*, 25.
32. Raphals, *Divination*, 148; Flower, *The Seer in Ancient Greece*, 32 .
33. Flower, *The Seer in Ancient Greece*, 32–34.
34. Raphals, *Divination*, 72.
35. Keightley, "The Shang," 247, 252.
36. Raphals, *Divination*, 43; Keightley, "The Shang," 236–37.
37. Keightley, *These Bones Shall Rise Again*, 102.
38. Raphals, *Divination*, 88–89.
39. Keightley, "The Shang," 236–37.
40. Keightley, *These Bones Shall Rise Again*, 103.
41. Keightley, *These Bones Shall Rise Again*, 127.
42. Keightley, *These Bones Shall Rise Again*, 129.
43. Keightley, *These Bones Shall Rise Again*, 130; Raphals, *Divination*, 182–83.
44. Raphals, *Divination*, 205.
45. Raphals, *Divination*, 165.
46. Keightley, "The Shang," 256および *These Bones Shall Rise Again*, 109.
47. 世界全体の事情については以下参照。Campion, *Astrology and Cosmology* ［『世界史と西洋占星術』］.
48. Shakespeare, *King Lear*［『リア王』］第1幕 第2場。
49. Raphals, *Divination, 136.*
50. Pankenier, *Astrology and Cosmology in Early China*, 6–7.
51. Raphals, *Divination*, 136.
52.長い注釈が付された *I Ching*［『易経』］の現代語訳については以下参照。Redmond, *The I Ching.*
53. Redmond, *The I Ching*, 22に引用されたKarl Jung, 1949の言葉。
54. 英訳はRedmond, *The I Ching*, 63からの引用。
55. Keightley, "The Shang," 258–60.

36. Marshack, *The Roots of Civilization.* この主張に対する懐疑論の理由がNoble and Davidson, "Tracing the Emergence," 127–29に挙げられている。
37. Sahlins, "Original Affluent Society," 22におけるLee and DeVore, *Man the Hunter*, 37からの引用。
38. Kelly, *Knowledge and Power*, 133.
39. Haynes, "Astronomy and the Dreaming," 54.
40. McGrath and Jebb, *Long History, Deep Time*, 4.
41. Swain, *A Place for Strangers*の中心的主張。
42. Goody, "Time: Social Organization," 39.
43. 欽定訳聖書（ジェイムズ王訳） 旧約聖書『コヘレトの言葉』1:4–11（新共同訳).
44. 以下参照。Sahlins, "Original Affluent Society"; Woodburn, "Egalitarian Societies."
45. Sahlins, "Original Affluent Society," 27における引用。
46. Kelly, *Knowledge and Power*, 117.
47. Cicero, *On the Nature of the Gods*, bk. 1, 3–5.
48. Goswami, *Child Psychology*, 34–35.
49. いまでは宗教の認知を対象とした研究分野が存在する。以下参照。Guthrie, *Faces in the Clouds*; Boyer, *Religion Explained*［『神はなぜいるのか？』］; Larson, *Understanding Greek Religion.*
50. Larson, *Understanding Greek Religion*, 74–75.
51. Rawson, *Cicero*, 241.
52. Marshall Thomas, *The Old Way*, 261.
53. 以下はMarshall Thomas, *The Old Way*, 269–73より。
54. Lewis-Williams, *Conceiving God*, loc. 4604, Kindle.

第6章

1. Johnston, *Ancient Greek Divination*, 7–8より。
2. データはウェブサイトOur World in Data上の人口、森林伐採、都市化にかかわる項目; 主としてSmil, *Harvesting the Biosphere*に基づくChristian, *Origin Story*［『オリジン・ストーリー』], 312より。
3. Richerson, Boyd, and Bettinger, "Was Agriculture Impossible?"
4. 欽定訳聖書（ジェイムズ王訳） 旧約聖書『創世記』8:15–17, 9:2（新共同訳)。
5. Goody, "Time: Social Organization," 39–41; *Epic of Gilgamesh*［『ギルガメシュ叙事詩』], 2021年7月3日にアクセス, http:// www.ancienttexts.org/library/mesopotamian/gilgamesh/tab1.htm.
6. Cicero, *On Divination*［『占いについて』], bk. 2, 383, 379. 厳密にいえば、この主張はキケロが対話篇のなかで弟のクイントゥスに語った内容なので、キケロが実際にこのように考えていたかどうかの判断は難しい。
7. 欽定訳聖書（ジェイムズ王訳） 新約聖書『ヨハネの黙示録』4:1（新共同訳)。
8. Hobbes, *Leviathan*［『リヴァイアサン』], chap. 12, "Of Religion."
9. 以下参照。Jaspers, *Origin and Goal of History*［『歴史の起源と目標』]; Eisenstadt, "Axial Age".
10. Bellah, *Religion in Human Evolution*, 268より。
11. "Imagined communities" という語句はナショナリズムにかんする名著Benedict Anderson, *Imagined Communities*［『想像の共同体』］からの借用。
12. Cicero, *On the Laws*［『法律について』], 411; Cicero, *On Divination*［『占いについて』], bk. 2, 451からの引用。
13. Atwood, *Encyclopedia of Mongolia and the Mongol Empire*, 494–95.
14. Christian, *History of Russia, Central Asia and Mongolia*, 1:59–61より。

第5章

1. Wordsworth and Wordsworth, *Penguin Book of Romantic Poetry*, 255.
2. Sornette, "Dragon-kings."
3. Roth, *Long Evolution*, 251.
4. Safina, *Becoming Wild*, 59（マッコウクジラの脳について）; Roth, *Long Evolution*, 232および226の表.
5. Churchland, *Conscience*, 24.
6. Dunbar, *Human Evolution*［『人類進化の謎を解き明かす』］.
7. その計算がいかに複雑で張り詰めているかは、Cheney and Seyfarth, *Baboon Metaphysics*に描かれている。
8. Roth, *Long Evolution*, 234, 260; Churchland, *Braintrust*［『脳がつくる倫理』］, 119.
9. Kahneman, *Thinking, Fast and Slow*［『ファスト&スロー』］.
10. Safina, *Becoming Wild*に動物の文化の豊かさが見事に描かれている。「集団的学習」についてはChristian, *Maps of Time*および*Origin Story*［『オリジン・ストーリー』］が、文化進化についてはMesoudi, *Cultural Evolution*［『文化進化論』］が入門書として有用である。
11. Mesoudi, *Cultural Evolution*［『文化進化論』］, 203.
12. Steven Pinker, *The Language Instinct*［『言語を生みだす本能』］, chap. 1, loc. 115, Kindle.
13. 協力関係の役割については、Michael Tomaselloの著作、たとえば*Why We Cooperate*［『ヒトはなぜ協力するのか』］で力説されている。
14. Roth, *Long Evolution*, 260.
15. Goswami, *Child Psychology*, 52.
16. Gopnik, *The Philosophical Baby*［『哲学する赤ちゃん』］, 28.
17. 口承文化における教育については以下参照。Kelly, *Knowledge and Power*, 31–32. Plotkin, *Darwin Machines*, 69–70によるとカール・ポパーは、「我々の知識が増大したのは、ダーウィンが『自然選択』と呼んだものにきわめて似たプロセスの結果である」と述べた。
18. Ferguson, *Essay on the History of Civil Society*［『市民社会史論』］, 7.
19. Whitehead, *Adventures of Ideas*［『観念の冒険』］, 93, 予見に関する章。
20. このような方法論に関する重大な注意点については、Noble and Davidson, "Tracing the Emergence."
21. Gell, *The Anthropology of Time*, 126より。
22. Eliade, *Myth of the Eternal Return*.
23. Gell, *The Anthropology of Time*, 127.
24. Goody, "Time: Social Organization," 31より。
25. Gell, *The Anthropology of Time*, 315.
26. Goody, "Time: Social Organization," 31.
27. Goody, "Time: Social Organization."
28. Elias, *Time*, 144.
29. Gell, *The Anthropology of Time*, 3.
30. Goody, "Time: Social Organization," 30.
31. Christian, *Maps of Time*, 254および209.
32. Rose, *Dingo Makes Us Human*, 5.
33. Kelly, *Knowledge and Power*の中心的主張。第2章を参照。
34. Marshall Thomas, *The Old Way*, 266.
35. Haynes, "Astronomy and the Dreaming," 54.

14. Foster and Kreitzman, *Circadian Rhythms*［『体内時計のミステリー』］, xvii, 11, 45.
15. Foster and Kreitzman, *Circadian Rhythms*［『体内時計のミステリー』］, 1に基づく私の言い換え。
16. Foster and Kreitzman, *Circadian Rhythms*［『体内時計のミステリー』］, 57; もっとも単純な概日時計については125–27を参照。
17. Darwin, *Power of Motion in Plants*, from *Works of Charles Darwin*, loc. 105, 592–105, 607, ebook, MobileReference.com; Peter Wohlleben, *Hidden Life of Trees*, 62でも同じ考え方に簡単に触れられている。
18. Darwin, *Power of Movement in Plants*, from *Works of Charles Darwin*, loc. 98, 428, ebook, MobileReference.com.
19. Chamovitz, *What a Plant Knows*［『植物はそこまで知っている』］, loc. 375, Kindle.
20. Sheldrake, *Entangled Life*［『菌類が世界を救う』］, chap. 4. この参照についてはRobin Christianに感謝する。
21. Sabrin et al., "Hourglass Organization of the C. elegans Connectome."
22. Churchland, *Braintrust*［『脳がつくる倫理』］, 44, Rodolfo Llinás, *I of the Vortex: From Neurons to the Self* (Cambridge, MA: MIT Press, 2002)における引用。
23. Roth, *Long Evolution*, 82, chap. 7.
24. LeDoux, *Deep History*, 112, 137; Roth, *Long Evolution*, 79ff., chap. 7.
25. Roth, *Long Evolution*, 98.
26. Roth, *Long Evolution*, 94, 115.
27. Davies, *Demon in the Machine*［『生物の中の悪魔』］, 195.
28. O'Shea, *The Brain*［『脳』］, 131, および52を参照。
29. Roth, *Long Evolution*, 234, 226.
30. Roth, *Long Evolution*, chap. 5.
31. Kandel, *In Search of Memory*, loc. 1243, Kindleより。
32. LeDoux, *The Deep History*, 61.
33. O'Shea, *The Brain*［『脳』］, 31; Roth, *Long Evolution*, 67.
34. O'Shea, *The Brain*［『脳』］, chap. 3に基づく。
35. Kandel, *In Search of Memory*, loc. 1449, Kindle.
36. Kandel, *In Search of Memory*, loc. 1195, Kindle.
37. Kandel, *In Search of Memory*.
38. Kandel, *In Search of Memory*, loc. 3518, 3146, 3844, Kindle.
39. LeDoux, *Deep History*, 31.
40. Kandel, *In Search of Memory*, loc. 3186, Kindle.
41. Plutarch, *Life of Caesar*, chap. 63.
42. Goodwin, *Forewarned*, loc. 779, Kindle.
43. Gilbert, *Stumbling on Happiness*［『明日の幸せを科学する』］, 98.
44. Seth, *Being You*［『なぜ私は私であるのか』］, 96–101, Kindle.
45. Kahneman, *Thinking, Fast and Slow*［『ファスト&スロー』］.
46. Kahneman, *Thinking, Fast and Slow*［『ファスト&スロー』］, chap. 10.「冗談で」としたのは、第7章で述べるとおり、統計学的結論が信頼できるのは「大数」に基づいている場合に限られるからである。
47. Kahneman, *Thinking, Fast and Slow*［『ファスト&スロー』］, 25.
48. Russell, *Human Compatible*［『ＡＩ新生』］, 16.
49. Gopnik, *The Philosophical Baby*［『哲学する赤ちゃん』］, 119; 最新の概説としてはSeth, *Being You*［『なぜ私は私であるのか』］.

4. LeDoux, *Deep History of Ourselves*, 43; Kant, "Anthropology from a Pragmatic Point of View," de Vito and Della Sala, "Predicting the Future," 1019からの引用。
5. Waldrop, *Complexity*［『複雑系』], 331.
6. Richerson, "Integrated Bayesian Theory of Phenotypic Flexibility," 54–64.
7. Lyon, "The Cognitive Cell," 4.
8. Lyon, "The Cognitive Cell," 3.
9. Dennett, *Kinds of Minds*［『心はどこにあるのか』], 57.
10. Porter, *Greatest Benefit*, loc. 4430, Kindle; Nurse, *What Is Life?*［『ホワット・イズ・ライフ?』] 9–10.
11. Nurse, *What Is Life?*［『ホワット・イズ・ライフ?』] 10–14.
12. Waldrop, *Complexity*［『複雑系』], 278.
13. LeDoux, *Deep History of Ourselves*, 42.
14. Zimmer, *Microcosm*［『大腸菌』], 146–47.
15. Zimmer, *Microcosm*［『大腸菌』], 125.
16. Zimmer, *Microcosm*［『大腸菌』], 113–14.
17. Bray, *Wetware*［『ウェットウェア』], loc. 100, Kindle.
18. Nurse, *What Is Life?*［『ホワット・イズ・ライフ?』] 54.
19. Goodsell, *The Machinery of Life*［『生命のメカニズム』], loc. 198, Kindle; Bray, *Wetware*［『ウェットウェア』], loc. 804, Kindle.
20. Bray, *Wetware*［『ウェットウェア』], loc. 27, Kindle.
21. 以下はBray, *Wetware*［『ウェットウェア』], loc. 775, KindleおよびRoth, *Long Evolution*, 70より。
22. Waldrop, *Complexity*［『複雑系』], loc. 2445, Kindle.
23. 鞭毛についてはZimmer, *Microcosm*［『大腸菌』], 24ff.

第4章

1. Chamovitz, *What a Plant Knows*［『植物はそこまで知っている』], loc. 645, Kindle.
2. Mukherjee, *The Gene*［『遺伝子』], loc. 5797, Kindle.
3. Wolpert, *Developmental Biology*［『発生生物学』], loc. 1098, Kindle.
4. Nurse, *What Is Life?*［『ホワット・イズ・ライフ?』] 66.
5. Peter Wohlleben, *Hidden Life of Trees*では、木が生きているうちにおこなう難しい選択について述べられている。
6. Chamovitz, *What a Plant Knows*［『植物はそこまで知っている』], loc. 248, Kindle.
7. Wolpert, *Developmental Biology*［『発生生物学』], loc. 682, Kindle.
8. Chamovitz, *What a Plant Knows*［『植物はそこまで知っている』], loc. 1033–57, Kindle.
9. Chamovitz, *What a Plant Knows*［『植物はそこまで知っている』], chap. 5, とくにloc. 1291ff., Kindle, およびloc. 548と414–98, Kindle; Simard, *Finding the Mother Tree*.
10. 植物の「記憶」についてはChamovitz, *What a Plant Knows*［『植物はそこまで知っている』], chap. 7およびloc. 906, Kindle.
11. Chamovitz, *What a Plant Knows*［『植物はそこまで知っている』], loc. 1684および854ff., Kindle; Darwin, *Insectivorous Plants*, from *Works of Charles Darwin*, loc. 96, 446, ebook, Mobile Reference.com.
12. Foster and Kreitzman, *Circadian Rhythms*［『体内時計のミステリー』], 108; Chamovitz, *What a Plant Knows*［『植物はそこまで知っている』], loc. 261, Kindle.
13. Chamovitz, *What a Plant Knows*［『植物はそこまで知っている』], loc. 1795, Kindle.

ルムを使った。撮影は2011年3月、カリフォルニア州ロングビーチ。TED video, 17:24, https://www.ted.com/talks/david_christian_the_history_of_our_world_in_18_minutes?language=en.
43. 複雑性と第2法則の逆説的な関係については以下参照。Egan and Lineweaver, "Life, Gravity and the Second Law of Thermodynamics."
44. Price, *Time's Arrow and Archimedes' Point*［『時間の矢の不思議とアルキメデスの目』］, chap. 3.

第2章

1. Ismael, "Temporal Experience," 480.
2. Marx, *The Marx-Engels Reader*, 145.
3. Bhagavad Gita, 1, 2, 3, 11章からの引用。
4. Einstein, "On the Electrodynamics of Moving Bodies."
5. Elias, *Time*, 4.
6. 厳密に言うと真空中での光の速さ。
7. 引用はRiggs, "Contemporary Concepts," 51より。Einstein, *Relativity*［『相対論の意味』］, chap. 9.
8. Danks, "Safe-and-Substantive Perspectivism," 127.
9. Wilczek, *Fundamentals*, 188ff.
10. たとえばChristian, *Origin Story*［『オリジン・ストーリー』］.
11. Nurse, *What Is Life?*［『ホワット・イズ・ライフ?』］62.
12. Dennett, *Kinds of Minds*［『心はどこにあるのか』］, 57.
13. Safina, *Becoming Wild*, 43, Kindle.
14. Collingwood, *The Idea of History*［『歴史の観念』］, 120.
15. Augustine, *Confessions*［『告白』］, bk. 11, 233.
16. Waldrop, *Complexity*［『複雑系』］, 330, Brian Arthurへのインタビューの言い換え。
17. Chalmers, *What Is This Thing Called Science?*［『科学論の展開』］13.
18. Hume, *Treatise of Human Nature*［『人間本性論』］, 1.3.6.4.
19. Garrett, *Hume*, 17.
20. Wikipedia, "Maraṇasati," 最終編集November 4, 2021, 23:49, https://en.wikipedia.org/wiki/Mara%E1%B9%87asati
21. この例はPinker, *How the Mind Works*［『心の仕組み』］, 106–7より拝借した。
22. Silver, *Signal and the Noise*［『シグナル&ノイズ』］, 230における引用。
23. 予測に関するNate Silverの2012年の著作のタイトルが『シグナル&ノイズ』
24. Rescher, *Predicting the Future*, 61.
25. Rescher, "Predicting and Knowability," 118.
26. Ord, *The Precipice*, 79.
27. Silver, *Signal and the Noise*［『シグナル&ノイズ』］, 61.
28. Vikram Mansharamani, "Navigating Uncertainty: Thinking in Futures," in Schroeter, *After Shock*, 15.
29. Goodwin, *Forewarned*, loc. 127および1005, Kindle.

第3章

1. Waldrop, *Complexity*［『複雑系』］, 278.
2. Hume, *Enquiry Concerning Human Understanding*［『人間知性研究』］, 4.2.19.
3. Godfrey-Smith, *Metazoa*, loc. 3132, Kindle.

15. Omar Khayyám, *Rubaiyat* [『ルバイヤート』], xxvi.
16. Cossins, "The Time Delusion," 34; Dator, *A Noticer in Time*, 79（ハワイ先住民の時間について）; McGrath, "Deep Histories in Time, or Crossing the Great Divide?" 4.
17. 未来円錐についてはオーストラリア人未来学者のジョー・ボロスが教えてくれた。以下参照。Voros, "Big History and Anticipation."
18. Price, *Time's Arrow and Archimedes' Point* [『時間の矢の不思議とアルキメデスの目』], chap. 1.
19. James, "The Dilemma of Determinism," in *Delphi Complete Works of William James*, loc. 36, 352, Kindle.
20. Augustine, *Confessions* [『告白』], bk. 11, 228; Blackburn, *The Big Questions: Philosophy* [『ビッグクエスチョンズ 哲学』], loc. 1720, Kindle.
21. Isaacson, *Einstein: His Life and Universe*, loc. 9621, Kindle.
22. Gallois, "Zen History," 432–33における引用。トラルファマドール星人について思い出させてくれたIan Strausに感謝する。
23. Augustine, *Confessions* [『告白』], bk. 11, 232.
24. James, "Perception of Time," chap. 15 of *The Principles of Psychology*, in *Delphi Complete Works of William James*, loc. 11, 732, Kindle; Dennett, *Consciousness Explained* [『解明される意識』], chap. 5（関連した心理学実験について）, e.g., 111.
25. Augustine, *Confessions* [『告白』], bk. 11, 233.
26. Rynasiewicz, "Newton's Views on Space, Time, and Motion," 1. ニュートンの言葉はWestfall, *Life of Isaac Newton*, 259における引用より。ニュートンはのちに「感覚中枢」というたとえを撤回しようとしたが、神は「文字どおり遍在している」という主張は続けた。
27. Omar Khayyám, *Rubaiyat* [『ルバイヤート』], trans. Edward Fitzgerald, 5th ed., 1889, no. 73.
28. Laplace, "Philosophical Essay on Probabilities," 3–4.
29. Cicero, *On Divination* [『占いについて』], bk. 1, 361–63.
30. Augustine, *City of God* [『神の国』], bk. 5, chap. 9, vol. 412, 177, キケロへの反論を記した節。
31. ローダンについては以下参照。Curd and Cover, *Philosophy of Science*, 152. 以下も参照。Hacking, *The Taming of Chance* [『偶然を飼いならす』].
32. ラッセルについては以下参照。Paul Davies, *Demon in the Machine* [『生物の中の悪魔』], 68ff.; Waldrop, *Complexity* [『複雑系』], 328.
33. Gisin, "Mathematical Languages Shape Our Understanding of Time in Physics"; 彼の主張はWolchover, "Does Time Really Flow?"にまとめられている。
34. Feynman, *Character of Physical Law* [『物理法則はいかにして発見されたか』], lecture 6, loc. 1981, Kindle.
35. Boethius, *Consolation of Philosophy* [『哲学の慰め』], 159.
36. Anderson, "More Is Different"; William James, "The Dilemma of Determinism," in *Delphi Complete Works of William James*, loc. 35, 914, Kindle.
37. Waldrop, *Complexity* [『複雑系』], loc. 774, Kindle.
38. Hume, *Treatise of Human Nature* [『人間本性論』], pt. 3, sec. 2; Baron and Miller, *Introduction to the Philosophy of Time*, chap. 6; Russell, *History of Western Philosophy* [『西洋哲学史』], 85; McGrayne, *Theory That Would Not Die* [『異端の統計学ベイズ』], 112（喫煙と肺がんについて）.
39. 以下参照。Kistler, "Causation"におけるRussell, "On the Notion of Cause"からの引用.
40. Russell, "Psychological and Physical Causal Laws," 288–89.
41. Pearl and Mackenzie, *The Book of Why*; Pearl, "Art and Science of Cause and Effect."
42. 私は2011 TED Talk, "History of the World in 18 Minutes"において、かき混ぜられる卵の逆再生フィ

原注

はじめに

1. Cicero, *On Divination*［『占いについて』］, bk. 2, 395.
2. Rescher, *Predicting the Future*, 1.
3. ただし、未来のための計画立案に関する現代の方法論については、Hines and Bishop, *Thinking about the Future*やSzostak, *Making Sense of the Future*などの教本がある。
4. ビッグヒストリーについては以下参照。Benjamin, Quaedackers, and Baker, *Routledge Companion to Big History*; Christian, *Origin Story*［『オリジン・ストーリー』］; Gibelyou and Northrop, *Big Ideas*. ビッグヒストリーと未来思考については以下参照。Voros, "Big Futures."
5. Watts, "'New' Science of Networks," 243–46; Caldarelli and Catanzaro, *Networks*［『ネットワーク科学』］, 2. シルクロードについては以下参照。Christian, "Silk Roads or Steppe Roads."
6. Schrödinger, *What Is Life?*［『生命とは何か』］1.
7. Collingwood, *The Idea of History*［『歴史の観念』］, 54; Carr, *What Is History?*［『歴史とは何か』］68–69; De Vito and Della Sala, "Predicting the Future," 1019における孔子の言葉の引用。
8. 以下参照。Christian, *Maps of Time*および*Origin Story*［『オリジン・ストーリー』］.

第1章

1. Guthrie, *Faces in the Clouds*, loc. 1056, Kindleより引用。
2. Dator, *A Noticer in Time*, 77.
3. "Temporalities," forum in *Past and Present*; Wood, "Big History and the Study of Time."
4. Holt, *When Einstein Walked with Gödel*, 20より。
5. Omar Khayyám, *Rubaiyat*［『ルバイヤート』］, xxvii.
6. Milton, *Paradise Lost*［『失楽園』］, bk. 1.
7. Augustine, *Confessions*［『告白』］, bk. 11, 230, 238; Ismael, *How Physics Makes Us Free*, 210.
8. Ismael, "Temporal Experience," 460. 優れた入門書としてはBardon, *Brief History of the Philosophy of Time*［『時間をめぐる哲学の冒険』］; Baron and Miller, *Introduction to the Philosophy of Time*がある。以下参照。Callender, *Oxford Handbook of Philosophy of Time*.
9. T. R. V. Murti. Loy, "Māhāyana Deconstruction of Time," 14における引用。
10. Mellor, *Real Time*; *Real Time II*.
11. Baron and Miller, *Introduction to the Philosophy of Time*; McTaggart, "Unreality of Time" (1908).
12. Bardon, *Brief History of the Philosophy of Time*［『時間をめぐる哲学の冒険』］, 6; McTaggart, "Unreality of Time" (1908), 458.
13. ニュートンはラテン語で記している。ここではAndrew Motteによる初の英訳（1729年刊）から引用した。
14. Mark Twain, *Adventures of Huckleberry Finn*［『ハックルベリー・フィンの冒険』］(New York: Charles L. Webster, 1884), chap. 12, https://etc.usf.edu/lit2go/21/the-adventures-of-huckleberry-finn/141/chapter-12/.

著者紹介

デイビッド・クリスチャン (David Christian)

歴史学者。オーストラリア・マッコーリー大学教授。同大学ビッグヒストリー研究所所長。
オックスフォード大学でPh.D.を取得(ロシア史)。宇宙誕生から現代までの歴史を一望する新しい学問「ビッグヒストリー」を提唱。マイクロソフト創業者ビル・ゲイツとともに「ビッグヒストリー・プロジェクト」を立ち上げ、一躍注目を集める。2005年、『Maps of Time』で世界歴史学会著作賞を受賞。2010年、国際ビッグヒストリー学会を設立、初代会長に就任。おもな邦訳書に『ビッグヒストリー　われわれはどこから来て、どこへ行くのか』(共著、明石書店)『オリジン・ストーリー　138億年全史』(筑摩書房)など。TEDトーク「ビッグヒストリー」は再生回数1200万回を突破し、「古典」の1つに数えられている。

訳者紹介

水谷 淳 (みずたに・じゅん)

翻訳家。東京大学理学部卒。主な訳書にチャム&ホワイトソン『僕たちは、宇宙のことぜんぜんわからない』、グバー『「ネコひねり問題」を超一流の科学者たちが全力で考えてみた』(以上ダイヤモンド社)、アル=カリーリ&マクファデン『量子力学で生命の謎を解く』(SBクリエイティブ)、バッファ『宇宙を解くパズル』(講談社)など。著書に『増補改訂版 科学用語図鑑』(河出書房新社)がある。

鍛原多惠子 (かじはら・たえこ)

翻訳家。米国フロリダ州ニューカレッジ卒(哲学・人類学専攻)。主な訳書にコルバート『6度目の大絶滅』、ウルフ『フンボルトの冒険』(以上NHK出版)、ソネンバーグ&ソネンバーグ『腸科学』(早川書房)、ダンバー『人類進化の謎を解き明かす』(インターシフト)、リドレー『繁栄』『進化は万能である』(共訳、早川書房)など。

装幀……小口翔平+阿部早紀子(tobufune)
本文デザイン・DTP……朝日メディアインターナショナル
校正……鷗来堂
営業……岡元小夜・鈴木ちほ
進行管理……岡元小夜・中野薫・小森谷聖子
編集……富川直泰

#「未来」とは何か
——1秒先から宇宙の終わりまでを見通すビッグ・クエスチョン

2022年12月21日　第1刷発行
2023年 2月13日　第2刷発行

著者…………デイビッド・クリスチャン
訳者…………水谷 淳・鍛原多惠子
発行者………金泉俊輔
発行所………株式会社ニューズピックス
〒100-0005 東京都千代田区丸の内2-5-2 三菱ビル
電話 03-4356-8988 ※電話でのご注文はお受けしておりません。
FAX 03-6362-0600 FAXあるいは下記のサイトよりお願いいたします。
https://publishing.newspicks.com/
印刷・製本……シナノ書籍印刷株式会社

ISBN 978-4-910063-25-6

本書に関するお問い合わせは下記までお願いいたします。
np.publishing@newspicks.com

希望を灯そう。

NEWS PICKS
PUBLISHING

「失われた30年」に、
失われたのは希望でした。

今の暮らしは、悪くない。
ただもう、未来に期待はできない。
そんなうっすらとした無力感が、私たちを覆っています。

なぜか。
前の時代に生まれたシステムや価値観を、今も捨てられずに握りしめているからです。

こんな時代に立ち上がる出版社として、私たちがすべきこと。
それは「既存のシステムの中で勝ち抜くノウハウ」を発信することではありません。
錆《さ》びついたシステムは手放して、新たなシステムを試行する。
限られた椅子を奪い合うのではなく、新たな椅子を作り出す。
そんな姿勢で現実に立ち向かう人たちの言葉を私たちは「希望」と呼び、
その発信源となることをここに宣言します。

もっともらしい分析も、他人事のような評論も、もう聞き飽きました。
この困難な時代に、したたかに希望を実現していくことこそ、最高の娯楽《エンタメ》です。
私たちはそう考える著者や読者のハブとなり、時代にうねりを生み出していきます。

希望の灯を掲げましょう。
1冊の本がその種火となったなら、これほど嬉しいことはありません。

令和元年
NewsPicksパブリッシング 編集長
井上 慎平